高速公路工程施工与养护技术

王海平　著

化学工业出版社
·北京·

内 容 简 介

本书系统阐述了高速公路全流程建设与养护技术，覆盖路基、路面、桥涵、隧道四大工程领域及养护体系。书中结合工程案例，重点解析了高黏度改性沥青、三维激光扫描、BIM+GIS 管理等新技术应用，强调材料性能指标（如洛杉矶磨耗试验）和施工规范的严格执行。本书系统性强，从设计到养护全流程覆盖；实用性突出，提供详细施工工艺与质量控制标准；注重技术创新，融入智慧梁场、智能监控等前沿实践。

本书适合高速公路工程技术人员、施工管理人员及高校相关专业师生参考，既可作为工程实践指南，也可作为教学辅助材料。

图书在版编目（CIP）数据

高速公路工程施工与养护技术 / 王海平著. -- 北京 : 化学工业出版社, 2025. 10. -- ISBN 978-7-122-49007-0

Ⅰ. U415.12; U418

中国国家版本馆CIP数据核字第2025MM8009号

责任编辑：李旺鹏　吕梦瑶　　　文字编辑：冯国庆
责任校对：宋　夏　　　　　　　装帧设计：刘丽华

出版发行：化学工业出版社（北京市东城区青年湖南街13号 邮政编码100011）
印　　装：北京科印技术咨询服务有限公司数码印刷分部
710mm×1000mm　1/16　印张 17½　字数 274 千字　2026 年 1 月北京第 1 版第 1 次印刷

购书咨询：010-64518888　　　售后服务：010-64518899
网　　址：http://www.cip.com.cn
凡购买本书，如有缺损质量问题，本社销售中心负责调换。

定　　价：98.00元

前　言

在全球经济一体化进程不断加速的当下，公路作为交通运输体系的主动脉，其重要地位越发显著。公路工程不仅是连接区域经济、推动产业协同发展的关键纽带，更是促进社会资源合理流动、提升民众生活品质的重要支撑。随着城市化进程的不断推进以及交通运输需求的持续增长，公路工程面临着前所未有的挑战。一方面，交通流量的急剧增加对公路的承载能力、通行效率和服务质量提出了更高要求；另一方面，社会对环境保护、交通安全等方面的关注度日益提升，这也促使公路工程在建设与运营过程中必须更加注重可持续发展。因此，深入研究公路工程的施工与养护管理技术，对于提高公路工程质量、延长公路使用寿命、降低运营成本以及实现公路交通的可持续发展具有重要的现实意义。

本书系统且全面地探讨了高速公路从规划建设到全生命周期管理的各个关键环节。开篇对高速公路的效益、设计要点、系统构成及技术标准进行了深入分析，为后续内容奠定了坚实的理论基础。随后，详细阐述了沥青路面、路基工程、桥涵工程及隧道工程的施工技术与质量控制要点，旨在为高速公路的实体建设提供科学、可靠的技术指导。此外，本书还重点介绍了高速公路养护工作，包括路基养护、路面养护、桥涵养护及隧道养护等内容，通过科学的养护策略确保高速公路的长期稳定运行。无论是对于从事高速公路工程设计、施工、养护的专业技术人员，还是对于相关领域的科研工作者与高校师生，本书都具有重要的参考价值。

在本书写作过程中，参考了许多资料以及其他学者的相关研究成果，在此表示由衷的感谢。鉴于水平有限，书中难免出现一些不足之处，因此，恳请广大读者、专家学者能够予以谅解并及时进行指正，以便后续对本书做进一步的修改与完善。

目　录

第一章 高速公路概述

第一节 高速公路的效益与设计要点

一、高速公路的效益

我国20世纪建成的收费公路，尤其是高速公路，具有良好的投资收益，使社会形成了“收费公路收费标准过高、收费期限过长”的普遍看法，社会各界“降低收费标准、缩短收费期限、减轻用户负担”的要求非常强烈。要正确认识并积极化解高速公路项目筹融资领域出现的困难，促进高速公路建设事业的健康稳定发展，需要对高速公路项目投资效益的变化趋势进行客观分析。

（一）早期高速公路项目的投资效益

早期的各个高速公路项目，其具体情况相互之间可能会有一定的差异，但总体都具有“流量大、造价低、投资效益好”的共同特点。

1. 高速公路的特点

（1）交通流量基数大，增长迅速

地处经济发达的区域，交通流量基数大，增长迅速。

第一，项目通车后第一年的初始流量较大，初始流量通常会达到设计饱和流量的50%~70%。

第二，流量增速较快，所在区域发达的经济使项目流量保持着较快的自然增长。

第三，由于区域内当时还没有高等级公路，这些项目还吸引了较大的诱增流量，自然流量和诱增流量的组合使项目在通车后前几年的流量增长通常高达年均20%以上，较高的初始流量和较快的流量增长使这些项目通常在通车后2~3年即达到流量饱和。

（2）建设成本较低

早期的高速公路项目一般都建在地势较平坦的平原地带，大型结构物较少，施工难度较低，加上早期征地拆迁费用较少，项目的建设成本较低。

早期高速公路凭借高流量与低成本的优势，投资回报十分可观。以一条造价3100万元/千米的高速公路为例：初始流量为设计饱和流量的60%，通车后前三年流量每年递增20%，从第四年起，流量稳定在设计饱和流量的120%。收费标准设定为0．4元/千米，每辆小车每次出入另收5元通行次费。

在总投资构成中，65%来自银行贷款，35%为资本金；所得税税率33%，折现率参照长期贷款年利率6．12%；运营成本及营业税遵循行业标准。基于上述设定，经测算，这条经营性高速公路仅需约5年便可还清贷款，7年左右收回全部投资，而收费期限最长可达30年，足见其投资收益之高。

因此，高速公路投资者的收益非常好。早期的各个高速公路项目，其具体情况相互之间可能会有一定的差异，但总体都具有“流量大、造价低、投资效益好”的共同特点。

2. 影响投资效益的主要因素

从21世纪开始，我国的高速公路建设进入了加速发展时期，随着投资力度不断加大，建设步伐逐渐加快，越来越多的高速公路陆续投入运营，高速公路在总体上更好地满足社会经济发展需要的同时，其投资效益开始出现下降的趋势，尤其是后续建成的高速公路项目，受诸多因素的影响，投资效益下降的趋势更为突出。

（1）影响因素

第一，通行能力增长速度远大于交通流量增长速度。

第二，从“瓶颈”状态逐步转变为“超前”状态。

高速公路网从“瓶颈”状态逐步转变为“超前”状态，在更好地满足社会需要的同时，高速公路项目的流量，尤其是后续建成项目的流量相对于早期建成的高速公路则呈现明显下降的趋势。

（2）区域重心正在迅速变化

高速公路建设的区域重心正在迅速变化，由经济发达地区向次发达地区及欠发达地区转移。高速公路建设从省内经济发达地区向经济相对不发达地区推进，受区域经济发展水平的影响，项目交通流量呈逐级下降的趋势。

（3）成本逐年提高

高速公路项目的建设成本逐年提高，单位造价比前期高速公路提高了1～2倍。

（4）成本增高的因素

高速公路的建设成本受诸多因素的影响而大幅上升。

第一，征地拆迁成本大幅增加。与21世纪前的情况相比，近年各地的征地拆迁费用均出现较大幅度的上升，上升幅度高达100%～300%，且其上升趋势今后还将会延续。

第二，原材料价格大幅上涨。自21世纪以来，高速公路建设中的主要原材料，如钢材、水泥、沥青、石料等的价格均出现了30%～50%的上涨，直接导致了建设成本的大幅上升。

第三，工程建设难度加大。随着高速公路建设逐步向丘陵、山区推进，隧道、桥梁明显增多，施工难度不断加大，工程造价也随之上升。

（5）收费政策中的不利因素逐步增多

收费期缩短，收费标准降低且很难再提高，免费通行车辆数量上升。

（6）近年在收费政策中出现的不利因素

第一，最长收费期由原来的30年缩短至25年。

第二，收费标准降低，主要是大型载重货车的收费标准下降了15%～20%。

第三，提高收费标准的难度明显增加。

早些年，高速公路的收费标准可根据连续几年通货膨胀的情况进行相应的上调，但按目前的形势，即使出现连续几年通货膨胀的情况，也很难将高速公路的收费标准进行相应的上调（除非出现大幅的通货膨胀）。显然，收费政策中逐步增多的不利因素均直接使高速公路项目的投资效益出现不同程度的下降。

（二）高速公路项目投资效益的变化趋势分析

和早期相同高速公路项目相比，其他条件不变，仅流量降低50%，投资效益将出现超过50%的下降；仅造价上升1倍，投资效益下降约50%，造价若上升2倍，项目很可能亏损；仅收费期限变短，直接缩短项目盈利期，并有可能造成项目亏损；仅大型载重货车收费标准下降15%~20%，项目收费额下降约10%。若各因素综合影响项目，资本金将无法全部收回，项目严重亏损。

由于近年受“路网逐步过渡到适度超前状态、建设重点逐步进入相对不发达区域、建设成本大幅上升、收费政策中的不利因素逐步增多”等多方面的影响，高速公路项目的投资效益呈明显下降的趋势，为了更直观清晰地把握投资效益下降趋势的变化程度，还需要针对主要的影响因素进行相应的定量分析。

1. 流量下降对投资效益的影响

以浙江省为例，一个较完善的高速公路网络基本形成，高速公路网届时将处于适度超前的状况，“瓶颈”状态下的大流量、高增长不易再现，加之新建成的高速公路又多地处经济相对不发达的地区，故其初始流量较早期的高速公路将出现大幅的下降，可能只有设计饱和流量的20%~30%，通常还不到早期高速公路初始流量的一半，而且这时因周边已有较完善的高速公路网络，也不再有早期高速公路非常明显的诱增效应，通车后，运营期流量的增长速度也将有较大幅的降低。

2. 造价上升对投资效益的影响

和早期的高速公路项目相比，若“初始流量、流量增速、收费标准、税收、运营养护等各条件均不变”，仅仅将其“造价增加一倍，即将造价增至6200万元/千米”，经过计算，该项目的贷款偿还约需9年时间，收回投资约需15年，相对于早期相同项目（其他条件完全相同，仅造价低50%），其投资效益下降了约50%。如果还是这一项目，其他条件保持不变，仅造价增加2倍（通常为双向六车道的项目）达到9300万元/千米，经过计算，该项目的贷款偿还约需13年，回收投资约需 27 年，相对于今后经营性收费公路最长 25 年的收费期限，该项目将会亏损。这也意味着高速公路即使拥有很大的初始流量、较快的流量增速，但当造价过高后，如超过 9000 万元/千米，在现有收费标准和收费期限的情况下，项目将很可能处于亏损状态。

3. 收费政策中的不利因素对投资效益的影响

近年来，在收费政策中出现的诸多不利因素均对投资效益产生了一定程度的影响，如最长收费期由原来的 30 年缩短至 25 年后，就会使原需要十几年或近 20 年能收回投资的项目盈利期大幅缩短，甚至会使原需 25 年多才能收回投资的项目由盈利变成亏损。而大型载重货车收费标准 15%~20%幅度的下降及免费通行车辆数量的上升等因素，则使相应的高速公路项目在流量不变的情况下收费收入下降了大约 10%，使项目的贷款偿还期、投资回收期等均相应延长了 1~2 年，其对高速公路投资效益的影响也不容小觑。

4. 各因素对投资效益的综合影响

以上分析了流量、成本、收费政策等各因素单独对高速公路投资效益所产生的影响，但在实际工作中，上述各因素并非单一孤立地，而是同时综合地影响高速公路。因此，要全面真实地了解目前新建高速公路投资效益的变化趋势，必须对上述各因素的综合影响进行分析。和早期高速公路项目相比，假如新建高速公路：

第一，初始流量调整为早期高速公路的一半（即设计饱和流量的 30%），通车后前 5 年流量年均递增 10%，5 年后流量年均递增 7%直至饱和流量的 120%；

第二，造价增加一倍，即增至 6200 万元/千米；

第三，大型载重货车收费标准 15%~20%幅度的下降，免费通行车辆的上升等（假定使收费收入相应下降了 10%）；

第四，其他如税收、运营养护等条件保持不变，则经过计算，该项目的贷款偿还约需 19 年时间，至 25 年的收费期结束时，还有约 50%的资本金无法收回，项目呈现较严重的亏损。

同样是这个项目，如果造价增至早期高速公路的 3 倍，即造价为 9300 万元/千米，而其他情况和上述综合分析时一致，经过计算，至 25 年收费期结束时，该项目的贷款无法完全偿还，投入的资本金将全部亏损。

综合以上各项分析，可以看出，由于受“建设超前、流量下降、造价上升、收费期限缩短”等多重因素的影响，高速公路的投资效益正呈现大幅下降的趋势。高速公路正逐步由早期的具有良好投资回报的经营性项目转变为今后的仅能勉强收回投资而无合理回报的准经营性项目，甚至成为无法收回投资的半公益性项目。高速公路项目投资效益的这个变化趋势明显增加了近期在建高速公路项目建设资金筹措的难度，加大了招商引资的困难，也开始影响到国有交通资产的保值和增值，需要引起足够的重视，并需要政府有关部门在今后的政策制定及建设资金的筹措上予以必要的支持，以确保我国交通建设事业健康发展。

二、高速公路的设计要点

近年来，中国公路交通建设事业突飞猛进，自中国开始建设高速公路以来，就向世界前列高速发展。

（一）高速公路的路面设计要点

1. 沥青路面设计概要

沥青路面由于其良好的行驶性能，已经成为各种高等级公路和主干道路的首选结构形式，占比为80%~90%。

（1）主要形式

由于我国气候和自然环境十分复杂，加上近年来超载运输现象十分严重，建成通车的高等级公路上出现了较大面积的路面早期损坏，其主要形式包括：

第一，半刚性基层沥青路面出现反射裂缝；

第二，沥青面层水稳定性损坏（松散、坑槽等）；

第三，高温稳定性病害（车辙）。

路面的早期损坏不仅造成了巨大的经济损失，而且影响到交通行业的社会形象和可持续发展。

（2）设计方法

世界各国的沥青路面设计方法主要分为经验法和力学经验法两大类。我国现行《公路沥青路面设计规范》（JTG D50-2017）采用力学经验法中的弹性层状体系作为理论基础，具体从以下方面开展设计工作。

① 力学分析与设计指标

以双圆垂直均布荷载作用下的路面整体沉降（弯沉）和结构层层底拉应力作为核心设计指标，基于疲劳效应原理，处理轴载标准化转换及轴载多次重复作用带来的影响。该理论体系通过量化力学参数，为路面结构强度和稳定性设计提供科学依据，确保路面在长期车辆荷载作用下的性能。

② 路面工程

路面工程应根据使用要求及气候、水文、土质等自然条件，密切结合本地区实践经验，在满足交通量和使用要求的前提下，遵循因地制宜、合理选材、方便施工、利于养护、节约投资的原则，对可选方案经过全面的技术经济比较，确定最佳设计方案。设计中须采用对不同基层材料组成设计试验，确定最佳设计配合比，以减轻路面的早期反射裂缝、唧浆等破坏，延长路面的使用寿命。

③ 沥青路面面层应注意事项

沥青路面面层应注意高（低）温下的稳定性、耐久性、抗滑能力和抗渗能力，设计中通过合理选用面层结构材料、优化骨料级配等措施来保障这些性能。

④ 合理、慎重地使用新材料、新技术

合理、慎重地使用改性沥青等新材料、新技术，改善路面整体使用性能。然而，对于现有的国内外沥青路面设计规范主要是以经济为主，并没有考虑到道路的重载、超载以及交通量的迅速发展。因此，随着经济的快速发展，设计一条既能符合交通需求，又能满足经济效益的高速公路是道路发展的当务之急。

2. 选线设计要点

在公路路线设计及选择时，应尽可能地利用荒坡、荒地、滩涂等荒芜土地，而少占耕地，少拆迁。一般来说，应根据沿线具体情况来选择选线的侧重点。

（1）山区公路

对山区公路来说，往往侧重于地质灾害的可治性以及灾害发生后的处理成本却对耕地资源保护不重视，导致工程建设中耕地占用量增加。

（2）山区耕地

山区耕地形状一般极不规则，如果修筑公路，会使其变得更加支离破碎。因此，在路线选择时，要充分顺应地形、地貌，确保山体平衡体系不被破坏，避免大挖大填，加强桥梁隧道的设计，使路线与周围环境融为一体。

（3）平原地区

相对于山区来说，平原地区的地质条件要好得多。然而平原地区有大量的耕地、房屋，一旦修筑公路，就会占用大量的耕地，甚至造成拆迁。所以设计路线时应特别注意对土地尤其是耕地资源的影响。

（4）少占耕地，少拆迁

在路线的控制节点确定之后，应综合考虑各种因素，尽可能少占用耕地，少拆迁。可将避开高产良田作为设计线路的重要因素，尽量选择荒地或低产田通过，节约耕地以保护环境。

3. 面层组合设计

国外的耐久性路面（也称作长寿命路面）以 50 年为设计寿命目标，即 50 年内无须进行结构性维修。其面层组合设计围绕“分层功能化”原则构建，通过各结构层的协同作用实现长期稳定性，主要特点如下。

（1）上面层（40～60mm）

采用改性沥青混合料，需具备优异的抗滑性、抗渗性和低温抗裂性。表面构造深度需达到 0. 8m 以上，以保障雨天行车安全；同时通过添加抗剥落剂提升水稳定性，避免雨水渗入基层引发结构损坏。该层直接承受车辆作用损耗与气候侵蚀，是路面功能的直接体现层。

（2）中面层（100～150mm）

作为荷载扩散的核心层，采用高模量沥青混凝土，设计动态模量不低于 3000MPa。通过优化骨料级配（骨架密实型）增强抗车辙能力，在高温环境下可有效抑制永久变形，同时需具备一定柔韧性以缓解基层反射裂缝向上传递。

（3）下面层（150～200mm）

选用间断级配的沥青稳定碎石，侧重抗疲劳性能与结构整体性。通过增大粗骨料比例（65%～75%）形成刚性骨架，配合高黏度沥青胶结料提升层间黏结力，可将轮应力向基层均匀扩散，减少基层承受的竖向压力。

（4）功能层协同

各面层间设置同步碎石封层作为黏结层，确保层间抗剪强度不低于0．8MP；上面层与中面层采用连续级配过渡，避免界面应力集中；整体组合厚度控制在300～400mm，通过“刚性骨架+柔性缓冲”的复合结构，实现抗变形能力与抗裂性能的平衡。

（二）高速公路路线设计的概述

1．传统的路线设计概念

（1）公路平面线形设计

公路平面线形设计是指通过正确地运用平面技术标准，确定公路的平面几何尺寸。

（2）合理采用纵坡技术标准，定出纵面的几何尺寸

这两个方面的技术标准运用好，几何尺寸定出来，就算路线设计好了。

（3）汽车保有量快速攀升

伴随着公路交通行业及汽车行业的迅猛发展，现今的汽车保有量正处于一个快速攀升的阶段，导致公路的实际交通量不断增加，使得越发频繁地出现各类交通事故。

（4）工程学以及设计学

合理的公路线路设计不能仅仅停留在几何的角度，其还涉及工程学以及设计学等领域。可见，进行高速公路路线设计应该在充分符合汽车行驶所需力学条件的基础上力求满足驾驶员的生理条件。

（5）针对地形地物进行设计

应该针对地形地物等情况来进行设计，使得设计能够兼顾到各种因素的影响，比如保护环境以及实现合理有效的经济运营等多方面因素。因此，高速公路的线路设计工作是非常重要的。

（6）线路的设计至关重要

对公路进行设计，其线路的设计是非常重要的一关。以高速公路为例，只要路线建设好了，就会影响到本地路段的社会与经济效益，说明高速公路线路的设

计是影响到所涉地区经济和民生的大事。公路路线设计的从业人员在进行路线设计时，应该考虑到所涉当地的实际情况，比如是否影响当地生态环境等因素。所以在进行公路建设的时候，设计正确的路线是非常重要的。

2. 影响高速公路线路设计的相关因素

对高速公路进行设计时，其设计方案的确定是受很多方面影响的。总体来说，受到地质、地形以及环境保护等因素的影响，公路路线的一些施工方案在进行设计时都是必须进行考虑及考量的。这就要求根据实际的情况及影响程度进行具体分析，设计出合理、经济的公路路线。

（1）地质因素影响

在对高速公路进行建设时会遇到很多地质方面的问题，其中就包括软土与软弱土等土质、滑坡、坍塌与泥石流等情况。对于这些问题来说，对公路安全的危害非常大，对其后期养护和运行的影响也非常大，地质的因素对整个方案都是起决定性作用的。不好的地质在影响整个路段分布的同时，纵面地形的分布也影响了整体的方案。所以，在建设高速公路时地质勘测是必不可少的，也反映了高速公路路线设计的重要性。

（2）地形因素影响

近年来，中国的高速公路建设速度非常快，很多路段都铺设在山区之中。这些地方的地形特别复杂，地表陡且不平，建设任务十分艰巨。假如要降低工程的难度与投资，就必须让路段适应山区的地形。例如，一些路面需要沿着河流进行铺设，一些路线必须从山区穿过。总体来说，不管是哪种地形，最开始就必须合理进行利用。一些地形很复杂，但是只要合理利用，最终的效果就会很好。因此，挑选适当的地形对高速公路的设计人员来说是非常重要的。

（3）环境保护因素的影响

以往的工程建设理念把太多的精力都放在功能与经济方面，对环境方面并没有太多的考虑。高速公路的工程实施对于生态的破坏是非常严重的，造成了很多负面的影响。大面积使用林地与耕地，很多庄稼都损失了，还对绿化造成一定程度的破坏，影响了自然的生态平衡。对高速公路进行设计的时候，大多数选择直接穿过某些特殊的环境区。

例如湿地以及保护区，如果没有办法避开，若没有使用相应的方法对其进行保护，则对于整个自然状态的影响就非常明显了。在选择高速公路工程实施方案的时候，并不会进行文物的勘察，更别说公路沿路的古物了，遇到这些情况时没有相应的解决措施，由此可见正确的公路路线的设计对环境和文物保护的重要性。

（三）设计中需要注意的相关问题

1. 平、纵、横同步的精细设计

公路是三维的带状构造物，平、纵、横的设计信息集中在一起才能反映真实的设计情况。公路地形在很小的范围内也可能产生很大的变化，路线平、纵面稍微移动就能产生截然不同的结果，这就要求路线设计应该平、纵、横同步精细进行，以互相检验设计的合理性，这在局部路线优化时尤为重要。

（1）采用曲线形设计法

在当前高速公路的建设中多采用曲线形设计法。所谓曲线形设计方法，即根据线形布设的技术标准要求、平纵线形组合的均衡要求、地形地物及自然环境的约束要求，采用曲线单元并选用合理的线形参数来布设路线。

（2）曲线形设计方法的作用

采用曲线形设计方法进行路线设计，既能使道路线形美观，也可以使道路本身和沿线景观相协调，更重要的是曲线形道路相比直线道路更容易让驾驶员在开车时注意力集中，从而减少交通事故。当然，直线设计方法也并不是要完全杜绝，只是在设计过程中要注意一些问题。

（3）灵活运用线形指标

线形指标的选用不仅关系到公路使用的安全性和舒适性，还影响到工程的造价和区域的自然环境。在路线设计技术指标的运用上，应结合地形、地物、地质、水文、气象等自然条件，特别是要注重总体设计，要注意保证前后路线线形的均衡性和连续性。因此，设计人员必须加强对标准规范的理解，做到灵活运用技术指标。

2. 加强环境保护

对高速路段进行设计时应该选择对环境负面影响最小的设计方案。

（1）考虑因素

公路路线设计必须结合实际施工地点的环境因素，实施时要考虑到文物、水利、保护区与湿地等众多因素，力求在公路建设时生态与经济共同进步与发展。

（2）注意事项

公路路线设计的相关注意事项，在高速公路交通建设中非常重要，其不仅可以减少建筑中遇到的困难以及降低成本，还可以推动高速公路的建筑品质变得更可靠，促进人们出行环境的优化。

近年来，随着国内经济的飞速前进，国内公路的建筑及公路线路设计水准有了很大的进步，同时人们对高速公路方面的要求也越来越高。在高速公路的路线设计中，其设计对全部工程项目的品质、成本及执行来讲，都起着重要的作用。因此制定良好的高速公路设计方案不仅可以减少建筑中遇到的困难以及降低成本，还可以推动高速公路的建筑品质变得更可靠，促进人们出行环境的优化。所以制定最佳的高速公路设计方案可以达到多赢的局面，并且推动人和人以及人与自然的相处，从而达到社会的和谐。

第二节　高速公路的三大系统与技术标准

一、高速公路的三大系统

高速公路的三大系统一般包括交通监控系统、收费系统和通信系统，三者是密切相关的。在建设和发展过程中，这三个系统是同步进行、协调发展的，在高速公路网建成后，能够达到统一运行、统一管理、统一组织收费和管理交通的目的。根据目前的发展趋势，有些业主也会把供配电照明和管道等列入机电工程实施项目。

（一）交通监控系统

交通监控系统一般由监控中心和外场设备两部分组成。

1. 监控中心

监控中心由计算机系统、闭路电视监视控制设备、投影设备、不间断电源系统等组成。监控中心计算机系统采用局域网结构，能接入视频、数据和紧急电话语音信息，构成一个多媒体的信息平台，具备方便的扩展性。计算机系统具有24h连续工作的能力。

（1）监控软件工程

监控软件工程是交通监控系统的灵魂工程，它采集外场设备检测到的信息，进行分析处理，生成相应的控制方案，通过外场的情报板等设备发布消息，告知司机高速公路交通状况或诱导其行车路线，并根据公路管理部门的反馈意见，尽可能多地考虑可能发生的交通异常情况，事先制定多种控制预案，使高速公路的管理更加方便，对交通状况的控制更加完善，为道路使用者提供更为高效、安全、快捷、舒适的服务。

（2）闭路电视控制

监控中心的闭路电视控制设备包括视频切换矩阵和监视器墙或投影设备等。它们控制外场摄像机，接收摄像机传输回来的图像，利用彩色监视器墙和投影设备实时观察相关路段的交通流状态，监视器也可切换到事件发生地点的画面，控制摄像机自动录像，并自动记录摄像机的编号、事故发生时间等信息。监控分中心的值班人员可以根据图像显示的信息做出相应的控制决策。

2. 外场设备

监控的外场设备一般包括车辆检测器、气象监测器、可变情报板、可变限速板和外场摄像机等。

（1）车辆检测器

车辆检测器主要用于采集高速公路的交通流量信息和行驶车辆的变化情况，可以检测车流量、车速、占有率等参数，从而判断出交通的拥挤、堵塞、畅通等状况，以供监控中心软件给出各种控制方案。

（2）气象监测器

气象监测器一般安装在立交、山区、湖泊区等气候情况比较复杂的地方，用于监测当地的能见度、雨雪量等信息，相关部门可以根据这些信息对当地的车辆行驶采取及时、有效的限制措施。

（3）可变情报板和可变限速板

可变情报板和可变限速板是控制方案或措施的发布设备，通过这些设备可以告知司机交通信息和诱导行车路线。

（4）外场摄像机

外场摄像机是交通监控系统的“眼睛”，可实时动态观察高速公路的交通状况，在其他设备检测到相关信息时也可以通过摄像机进行确认，以采取必要的控制措施。

除了以上的信息收集、信息处理显示、交通控制、事件处理等功能外，交通监控系统还具有报表统计与打印、查询，自动数据备份和系统恢复，系统自诊断，交通信息共享，安全防护以及省域联网等功能，还可加入其他信息源或发布渠道，如广播、电台、新闻媒体、网站等，从而形成一个功能完善的系统。

（二）收费系统

高速公路收费系统是高速公路建设费用回收的最重要途径，也是业主最关心的一个系统。

1. 收费系统的收费体制

高速公路收费系统一般采用“收费车道-收费站-各运营公司收费中心-收费结算中心”的四级收费体制。

2. 收费系统的核心

高速公路各级站点的核心都是计算机设备，这些设备通过以太网交换机连成网络。收费车道采集的原始收费数据通过计算机网络实时送至收费站，收费站将采集的数据集中后发送至收费结算中心和相应的运营公司的收费中心。在收费结算中心，对每次出口的收费按照该车辆的车型和实际行驶所通过的路段、里程进行分割计算，得出各路段的应收款，然后存入收费结算中心的数据库，并将得出的结果发送给相应的运营公司的收费中心。

3. 封闭式联网收费系统

一般采用封闭式联网收费系统，采用人工半自动的收费方式，即“人工判型、人工收费、计算机管理、闭路电视监视、检测器校核”的半自动方式。这种收费方式采用非接触式 IC 卡作为收费介质，即入口发行通行卡并写入入口信息，出口按照车型和行驶里程收取通行费或在充值卡内扣款。除此之外，全自动电子不停车收费系统（ETC）已经根据各地的经济发展状况及实际需要逐渐普及。

4. 收费系统的组成

（1）收费车道设备

收费车道设备包括收费员终端、车道控制器、票据打印机、非接触式 IC 卡读写器、雨棚信号灯、手动栏杆、自动栏杆、通行信号灯、黄色闪光报警器、雾灯、费额显示器、车辆检测器及必需的附属设备，根据入、出口车道类型，安装相应的设备。

（2）收费计算机系统硬件

收费计算机系统硬件包括收费中心计算机系统和收费站计算机系统两级。

（3）各级计算机系统

各级计算机系统包括服务器、工作站、以太网交换机、IC 卡读写器、激光打印机等。

（4）收费系统软件

收费系统软件包括收费车道、收费站和收费中心计算机的操作系统、数据库、应用软件以及完成本系统功能的全部应用软件。

（5）收费闭路电视监视系统

收费闭路电视监视系统包括外场设备和收费站监视控制设备。外场设备主要由广场摄像机、入出口车道摄像机、亭内摄像机、视频数据叠加器等组成。收费站监视控制设备设于各个收费站控制室内，主要包括视频控制矩阵、硬盘录像机和彩色监视器等。

（6）对讲系统

对讲系统是指收费站与收费亭内部的有线对讲系统。

（7）安全报警系统

安全报警系统是指收费站和各收费亭的安全报警系统。

(8) 收费附属设施

收费附属设施包括电源、配电箱、设备保护系统、传输介质(电力电缆、信号电缆、光缆)以及设于收费控制室内的控制台、活动椅等。

5. 收费系统的功能

收费车道按照统一的操作流程工作,实时处理各种收费数据,除了对正常车辆进行及时、准确的收费处理外,还按照统一的规定流程对收费过程中出现的各种特殊车辆和异常情况进行处理,如军车、公务车、紧急车、车队、拖车、未付车、违章闯关车、补交款车、无卡车、卡坏车、超时车、出入口车型不一致车等。

(三)通信系统

通信系统主要为高速公路运营管理及监控、收费系统实施提供必要的语音业务及数据、图像信息传输通道,它是保障高速公路安全、高速、畅通、舒适、高效运营及实现现代化交通管理必不可少的手段,起着高速公路管理系统中枢神经的作用。

1. 通信系统实现方法

根据目前的技术水平,通信系统基本采用两种实现方法:一种为同步数字体系(SDH)光纤数字传输系统;另一种为可实现语音、数据、视频三网合一的千兆以太网技术。

SDH 光纤数字传输系统一般根据高速公路上收费站点和服务区、养护工区等设立通信站,在监控和收费中心地点同时设立通信中心。在通信中心布置光线路终端(OLT)设备,在通信站布置光网络单元(ONU)设备,按需采用 STM-1(155Mbit/s)或 STM-4(622Mbit/s)速率等级,用 4 芯光纤组成 2 芯通道保护自愈环状网络。

SDH 可为高速公路机电工程或运营管理采用以下接口,满足高速公路的数据传输要求:155Mbit/s 数字通路;2Mbit/s 数字通路;10M/100M 以太网络;闭路电视(CCTV)视频和控制信号传输通路;信道通路。这些信道通路包括以下几方面。

第一,音频信道。存储程序控制(SPC)远端用户信道、紧急电话系统的远端分支信道、实线信道。

第二，数据信道。收费网络数据信道（2M 或 10M/100M 以太网接口）、监控数据信道（RS232/2M）、收费矩阵联网数据信道（RS232/485）、电源监控数据信道、CCTV 反向控制信道（RS232/485）、ISDN 2B+D 信道、SPC 网管数据信道（DCN）等。

2. 以太网技术的采用

千兆以太网技术采用新近的以太网技术，完成主干通信网络的设置和数据、图像、语音接入设备的设置，实现数据、图像、语音的综合传输（三网合一）。同样，它需要在各个通信站设立节点交换机，通过 4 芯光纤形成自愈环网。目前的监控设备和收费系统一般都可以提供以太网接口，可以就近接入通信站点的以太网。同时由于网络带宽够大，可以把视频模拟信号和语音电话等数字化后接入网络传输。这种方法减少了传输中的接口，可靠性增强，且和电信、公网比有较好的兼容性，扩展性较好，可能是以后高速公路发展的趋势。全线采用光缆作为传输媒介，给施工和调试带来很大方便。

二、高速公路的技术标准

（一）设计车辆与设计车速

1. 设计车辆

（1）原因

设计道路最基本的目的是使车辆能在其上行驶，所以，设计车辆是高速公路设计的重要依据之一。

（2）定义

设计车辆是指设计所采用的代表性车型。

（3）尺寸

如果实际车辆尺寸与设计车辆不一致，则以规定的设计车辆外廓尺寸、重量、转动特性等特征作为道路设计依据。我国的汽车种类很多，随着改革开放和汽车市场的日益国际化，汽车种类会不断增加和变化，设计车辆应能代表这些汽车中的大部分。为了更好地做到这一点，设计车辆实际上并不一定是某一种具体牌号的汽车，其外形尺寸往往是虚构的，但能代表某一类汽车。

（4）作用

设计车辆主要用于制定公路设计各项控制指标，其外形尺寸直接影响公路的平面设计，如曲线半径、车道宽度、弯道加宽、视距及净空高度等。设计车辆的动力性能则与纵断面的最大纵坡、坡长有关。

（5）几种设计车辆

在设计时，必须考虑远景汽车交通情况及有关指标的变化。目前，我国高速公路在设计时主要按小汽车和中型载重汽车考虑。小汽车主要从视距要求考虑，而中型载重汽车主要从外形尺寸和动力性能考虑，考虑到集装箱运输的发展，半挂车也应作为主要设计车辆。

2. 设计车速

为什么设计车速是道路的设计依据？汽车在道路上以一定车速行驶，除了要求车辆本身有良好的性能外，还要求道路提供相应的技术保证。例如行车部分的宽度、道路的平面线形、纵坡的平缓度、道路的几何形状乃至路面质量等均与车辆行驶速度有关，即设计车速是确定公路线形几何设计的基本要素之一。行驶速度不同的车辆，对道路的要求也不相同，因此道路设计前所确定的设计速度是道路设计的一项重要依据。

（1）设计车速的定义

设计车速（又称计算行车速度）是公路设计最基本的设计依据。设计所采用的车速称为计算行车速度，也称为设计车速。它是在气候良好、交通量小、路面干净的条件下，中等技术水平的驾驶员在道路受限制部分能够保持安全、舒适行驶的最大速度。

（2）设计车速的确定

计算行车速度值会影响道路的规模，并影响道路建设投资。

设计车速的确定考虑了汽车行驶的实际需要和经济性，是汽车行驶要求与经济性平衡的结果。

汽车的行驶要求表现为汽车的最高时速，即汽车的机械性能所能达到的最高速度。不同车辆的最高时速是不同的。公路的设计车速不可能也没有必要达到这个速度，但应尽量满足汽车机械性能的发挥需要。

汽车行驶的经济性要求表现为汽车的经济时速，即汽车的机械损耗和燃油消耗最小的车速，汽车越接近经济时速，运营费用越低。但汽车的经济时速较低，从时间效益上考虑，通常驾驶员不会追求以经济时速行驶。因此，设计车速应该是最高时速与经济时速之间的一个速度。

（3）设计车速的取值

设计车速的取值要根据道路类别、级别、地形特征等具体情况抉择，并在道路设计规范或技术标准一类文件中有所规定。远离城市的公路设计车速相对较高，而市郊公路的设计车速则相对较低。公路等级高，则越多考虑行车要求；公路等级低，则越多考虑经济性。平原区公路工程实施较容易，设计车速定得较高，山岭区地形起伏，工程实施困难，设计车速定得较低。

（4）高速公路设计车速

根据高速公路的运营要求与交通需求的变化，以及上述确定设计车速的原则，我国《公路工程技术标准》（JTG B01—2014）规定如下。

高速公路设计速度不宜低于100km/h，受地形、地质等条件限制时，可以选用80km/h。

作为干线的一级公路，设计速度宜采用100km/h；受地形、地质等条件限制时，可采用80km/h。作为集散的一级公路，设计速度宜采用80km/h；受地形、地质等条件限制时，可采用60km/h。

高速公路和作为干线的一级公路的特殊困难局部路段，因新建工程可能诱发工程质地病害时，经论证，该局部路段的设计速度可采用60km/h，但长度不宜大于15km，或仅限于相邻两个互通式立体交叉之间的路段。

作为干线的二级公路，设计速度宜采用80km/h；受地形、地质等条件限制时，可采用60km/h。作为集散的二级公路，设计速度宜采用60km/h；受地形、地质等条件限制时，可采用40km/h。

三级公路设计速度宜采用40km/h；受地形、地质等条件限制时，可采用 30km/h。

四级公路设计速度宜采用 30km/h；受地形、地质等条件限制时，可采用 20km/h。

（二）交通量的设定

1. 概念

交通量是指在单位时间内通过道路某一地点或某一断面的车辆数量或行人数量。前者称车流量，后者称人流量。

2. 交通量的作用、影响因素及常用交通量

（1）作用

交通量是道路规划、设计和交通规划、交通管理的依据。

（2）影响因素

交通量的大小与经济发展速度、文化生活水平、气候、物产等多方面因素有关，而且时间不同，交通量也不同。

（3）常用交通量

① 平均交通量

交通量不是一个静止的量，它是随时间变化的，在表达方式上通常取某一时段内的平均值作为该时段的代表交通量。例如年平均日交通量就是将一年内的交通量总数除以当年的总天数所得出的平均值。常用的平均日交通量还有月平均日交通量、周平均日交通量以及任意期间（依特定分析目的而定）的平均日交通量等。

② 高峰小时交通量

一天中各小时的交通量不均衡，一般上、下午各有一个高峰，交通量呈现高峰的那一个小时称为高峰小时。所以，一定时间内（通常指一日或上午）交通量出现的最大小时交通量称为高峰小时交通量（指一天内的交通高峰期间连续一小时的最大小时交通量）。

③ 第 30 位小时交通量

将一年当中 8760h 的小时交通量按大小次序排列，从大到小排列第 30 位小时的交通量，称为第 30 位小时交通量。将一年中 8760h 交通量依大小次序排列，然后计算出每小时交通量与年平均日交通量的比值，这个比值称为小时交通量系

数，以此为纵坐标，以排列次序为横坐标，可以绘制出一年中小时交通量曲线图。

3. 设计交通量

作为道路规划和设计依据的交通量，称为设计交通量。进行道路规划和设计，必须考虑交通量随时间变化出现高峰的特点。若以平均日交通量或平均时交通量作为设计依据，必将在很大一部分时间内不能满足实际交通量的通行要求而发生交通拥挤堵塞；若按年最大的小时交通量作为设计依据，又会偏大而造成浪费。有研究认为，应取一年的第 30 位最大小时交通量作为设计小时交通量。

（三）道路路段通行能力

1. 通行能力

（1）基本概念

通行能力通常定义为在一定的道路、交通状态和环境下，单位时间内（良好的天气情况下），一条车行道或道路的某一断面上能够通过的最大车辆或行人数量，也称为道路容量、交通容量。一般以辆/小时、人/小时表示，也有用辆/昼夜或辆/秒表示的。车辆多指小汽车，当有其他车辆混入时，均采用等效通行能力的当量小客车单位。

（2）注意事项

在我国公路方面，采用当量解放牌汽车为单位，对于城市，采用当量小汽车为单位。注意以下几点。

第一，特定的道路和交通条件下。

第二，车辆数（车辆中有混合交通时，则采用当量交通量）。

第三，与交通量的关系。

区别：道路通行能力与交通量概念不同，交通量指某时段内实际通过的车辆数，道路通行能力指一定条件下通过车辆的极限值，不同的道路条件和交通条件下，有不同的通行能力。

联系：在一般情况下，交通量均小于道路的通行能力。

第四，在交通量小得多的情况下，驾驶员可以自由行驶，可以变更车速、转移车道，还可以超车。

第五，交通量等于或接近于道路通行能力时，车辆行驶的自由度就明显降低，一般只能以同一速度列队循序行进。

第六，当交通量超过通行能力时，车辆会出现拥挤甚至堵塞。所以，道路通行能力是在一定条件下通过车辆的极限值，在不同的道路条件和交通条件下，有不同的通行能力。

第七，通常在交通拥挤、经常受阻的路段上，应力求改善道路或交通条件，以期提高通行能力。

（3）影响因素

影响道路通行能力的主要因素有道路状况、车辆性能、交通条件、交通管理、环境、驾驶员技术和气候等。此外，还有些影响因素至今尚未能对其做出定量的分析。因此，目前国内外不少专家学者都致力于确定和提高通行能力的研究。

2. 机动车基本通行能力的类别

机动车基本通行能力是指道路与交通处于理想情况下，每一条车道（或每一条道路）在单位时间内能够通过的最大交通量。理想的道路条件主要包括：车道宽度不小于3.65m，路旁的侧向余宽不小于1.75m，纵坡平缓并有开阔的视野、良好的平面线形和路面状况。

交通的理想条件主要包括：车辆组成为单一的标准型汽车，在一条车道上以相同的速度连续不断地行驶，各车辆之间保持与车速相适应的最小车头间隔，且无任何方向的干扰。

第三节　高速公路的规划与建设

一、高速公路规划的意义、任务及原则

（一）高速公路规划的意义

高速公路规划的目的是根据规划区域社会经济的发展和公路交通客货流分布

的特点，科学预测交通量，提出高速公路发展的总目标，并根据规划确定路线的控制点和分期实施建设步骤，提出确保实现规划目标的政策与措施。

高速公路规划的重要意义概括如下。

第一，高速公路规划是我国公路网规划的重要内容。

第二，高速公路规划可以起到合理利用资金、加快高速公路建设发展的作用。

第三，高速公路的合理规划将有利于促进综合运输网的合理构成，使高速公路建设更好地结合地区的社会经济发展，促进经济繁荣。

（二）高速公路规划的任务

高速公路规划旨在对规划区域的公路网络进行合理布局。高速公路网络作为区域公路干线网系统的主骨架，其规划既是区域干线公路网的关键内容，也是区域交通运输系统规划的重要组成部分。作为公路建设的重要前期工作，高速公路规划是支撑公路网宏观规划与决策的重要系统。其核心目标是通过系统分析公路现状、科学预测交通需求、合理布局线路、有序安排建设序列，规避建设决策与布局中的随意性、盲目性及重复性，使高速公路建设适应社会经济发展需要，同时推动管理工作实现程序化、规范化与科学化。

高速公路规划的主要任务如下。

第一，通过深入细致的调查研究，系统地分析和评价现有公路交通状况。

第二，根据区域社会经济发展与公路交通客货流分布特点，科学预测交通量发展趋势，提出高速公路发展的总目标和总布局。

第三，对高速公路路线走向及重要控制点的选择制定出多种布局方案，通过比较，从中选优。

第四，在布局优化的基础上，再根据规划期内建设资金、路网交通量分布及路线的地位、功能与作用等条件，合理确定各条路线、路段分期实施的建设顺序。

（三）高速公路规划的原则

1. 先行于社会经济发展原则

高速公路是国民经济的重要基础设施，是发展社会主义商品经济的主要环节和必要条件。在进行高速公路规划时，要对区域的土地利用、社会经济发展及城镇布局规划等进行全面了解和预测。只有超前规划和建设，做好战略性的长远规划，才能提高交通建设的连续性和系统性。也就是说，要按照社会经济发展的未来总目标要求，提出高速公路规划先行于社会经济发展的战略思想，由此制定出高速公路规划的总体布局。

2. 系统协调与长远发展原则

高速公路规划必须与区域内外的公路运输及其他运输方式视为相互联系的有机整体，彼此相互协调。同时，在规划高速公路过程中要有“高瞻远瞩、合理布局、科学安排”的思想，这样就能避免建设决策及建设布局的随意性、重复性与盲目性。

3. 工程经济性原则

高速公路建设占地多、投资大、造价高，在制定规划时，应注意在满足发展目标、技术要求的前提下，尽量珍惜土地资源，节约建设费用，使规划方案具有良好的工程经济性。

4. 环境保护原则

规划中要注意施工过程中的环境保护和运营时的汽车废气、噪声污染及路面污水排放导流等问题。

二、高速公路规划的内容、方法及程序

（一）高速公路规划的内容

1. 公路网现状分析与评价

对高速公路规划涉及区域的自然地理条件和特征、社会经济发展水平、综合交通运输格局等做出宏观系统分析，特别是对现状公路网的等级、交通现状、建设与管理状况等应进行详细调查和剖析，并做出评价。

2. 社会经济发展趋势预测

通过对规划区域的自然资源及生产力布局、城镇及人口分布、产业结构与经

济发展水平的充分调查与综合分析，运用多种方法对社会经济发展的总趋势和新特点做出科学预测，指出在规划期内公路运输将面临的新形势和客、货流状况，并明确因此可能产生的新变化和新特点。

3. 公路交通量预测

在对区域社会经济发展趋势的分析和预测基础上，研究综合运输与社会经济发展的相互关系。依据历史资料，采用多种方法建立不同的数学模型，对规划区内的综合运输量、旅客运量和流向、大宗货物流量和流向及公路运输工具等，做出预测，其中尤以公路运输为重点。

4. 高速公路布局优化

根据社会经济发展，紧密结合生产力布局、城镇分布及公路网现状特点，依据一定原理，对高速公路路线走向及重要控制点选择做出多种布局方案，通过比较，从中选优。

5. 高速公路规划分期实施

在高速公路布局优化的基础上，根据规划期内建设资金、路网交通流量分布及路线地位、功能、作用等条件，对布局规划优化方案中的各条路线、路段等做出建设序列安排。

6. 实施高速公路规划的对策与措施

针对高速公路规划实施过程中面临的资金、技术、材料及其他重要问题，须在其前期的可行性研究工作中进行详细的研究和论证。同时，应该对高速公路规划实施的管理体制提出基本对策与措施。

7. 高速公路规划的综合评价

高速公路规划的综合评价主要包括技术评价、经济评价、社会发展影响评价、国防安全评价、环境影响评价等。通过对高速公路规划实施可能产生的各种影响（正面或负面）进行全面分析，对高速公路规划方案做出综合性的评价。

8. 跟踪调整

由于高速公路规划实施周期长，在此期间，经济发展速度、生产力布局、投资结构或国家有关政策发生变化，会导致运输结构和公路交通需求与预期情况不符，致使路网结构、规模及路线等级对运输需求的适用性发生变化。此时，应区别情况，对所做规划进行全网、区域、局部或个别路线路段的调整，以便充分利用有限资源，使运输供给最大可能地满足运输需求的变化。

（二）高速公路规划的基本方法

高速公路的规划属于公路网规划的范畴，因此，高速公路的规划方法可以借鉴公路网的规划方法，而且国内外已有很多成熟的公路网络规划方法。由于交通专业的很多教材有公路网络规划方法介绍，关于规划资料的调查、调查方法及其他的规划方法等内容可以参考相关教材，这里只简单讲解规划方法中较为成熟的四阶段法。

四阶段法的核心思想以调查得到的路网现状起站点（OD）矩阵为基础，并预测未来的客货流的分布，进行路段交通量的分配，最后根据路段上的交通量对高速公路规划方案进行设计。交通量预测分为以下四个主要阶段。

第一，预测远景年规划区域内各区域的交通发生量。

第二，以各规划区交通 OD 现状调查资料为基础，分析预测远景年份区域交通分布情况。

第三，在区域交通分布预测结果的基础上，进一步分析确定各种运输方式承担的运量。

第四，根据交通量分布预测结果（各小区间交通量），按照一定方法分配到小区间的各条公路上，最终获得规划高速公路（或路网）上各个路段的交通量。

（三）高速公路规划的基本程序

高速公路规划涉及社会经济、交通运输、工程技术、运筹学原理等，是一项复杂的系统工程。必须从制定规划目标开始，以区域交通运输现状分析为基础，根据交通量预测，确定合理的发展规模和建设系列安排，并对规划方案进行综合评价。

三、高速公路建设

（一）高速公路建设的基本程序

高速公路建设有着细致的分工和广泛的外部协作关系，一条高速公路从计划建设到竣工交付使用，要经过许多阶段和环节。这些阶段和环节都有机地联系在一起，有着内在的规律性和客观必然的先后顺序。高速公路一般的建设过程要经过调查和勘测（了解和掌握地质、地貌、水文等情况）、设计并编写概算、施工、竣工验收等阶段。其基本程序如下。

1. 根据可行性研究，编制设计任务书

可行性研究是指在公路建设项目决定之前，对建设项目上与项目有关的各项主要问题进行比较细致的调查分析，然后提出多种比较方案，从技术、经济、物资设备等不同方面对各方案进行比较，在分析、研究、比较的基础上，选出最佳方案，并提出可行性研究报告。可行性研究是建设项目决策的基础和依据，是科学地进行建设、加快工程进度、缩短工期、提高工程效益的重要手段。

做了可行性研究后，即可根据可行性报告编写设计任务书。设计任务书是确定基本建设项目、编制设计文件的主要依据。由公路建设管理部门会同勘测、设计单位编制，经交通主管部门批准后报计划部门审批。

公路工程设计任务书一般包括以下内容。

第一，建设目的和依据。

第二，建设规模，包括路线、桥梁长度、起讫及主要控制点。

第三，建设标准，如线路等级、路面等级、桥梁宽度等。

第四，技术水平和经济效益，如建成后的通行能力、载重标准、结构形式、微观和宏观经济效益等。如果是改建工程，还应说明对原有公路的利用情况。

第五，水文、地质、材料、燃料、动力、运输等协作条件。

第六，占用的土地。

第七，防震要求。

第八，建设工期。

第九，投资控制数及资金来源。

设计任务书还应有必需的附件。例如可行性报告，有关县和乡对土地占用的意见，水利、地质等部门的水文、地质资料，材料、燃料、动力、运输等有关协作单位的意见或协议等。

2. 设计和编制概预算

设计是从技术和经济上对计划建设工程的全面规划，是具体指导工程建设的蓝图。在计划任务书被批准后，即可委托设计单位进行设计。公路工程的设计按照单项投资的多少和技术的繁简程度分为一阶段设计、二阶段设计和三阶段设计。

工程概预算是表明建设工程全部建设费用的文件，是设计文件的一个重要组成部分。交通主管部门根据批准的概预算编制基本建设计划，银行根据概预算控制工程拨款。工程概预算不仅对于精确地确定投资计划、控制建设费用、加强用款监督、进行财务结算有重要的作用，而且对于促进建设单位和施工单位合理使用人力、财力、物力，改善经营管理、降低成本、提高工程效益也有重要的作用。工程概预算包括以下内容。

总概预算：是关于建设项目全部建设费用的计算文件，由各个分项概预算汇总编制而成。

分项概预算：是建设项目内一个单项工程的建设费用的文件，如某公路工程中的某座桥梁、涵洞、隧道等。根据工程数量、工程单价、设备使用数量和设备使用价格及间接费用定额编制。

其他工程和费用概算：是不能在分项工程中分摊的各项工程和费用的计算文件，如建设场地的准备费、完工后的清理费、建设单位的管理费等。

3. 列入年度基本建设计划

建设项目必须有经过批准的初步设计和总概算，并经过计划部门综合平衡，在资金、材料和施工力量有保证的情况下，才能列入年度基本建设计划。年度基本建设计划是确定年度基本建设任务和进行建设拨款的依据。

4. 施工

工程列入年度计划后即可开始招标，由中标单位开始施工准备；如果公路部门自己施工，列入年度计划后，即可开始施工准备，在施工图设计获得批准和准备就绪后开工。开工要有开工报告。公路工程的地下工程和隐蔽工程，无论由公路部门自己施工还是招标承包，开工后都要特别注意做好原始记录，并经检验合格后进行下一道工序。施工一定要严格执行公路施工规范，确保工程质量，不留隐患。

5. 竣工验收，交付使用

公路工程按设计文件规定的内容完成，能正常交付使用后，就可进行验收。

竣工验收是指全面考核公路工程建设成果、检验公路工程质量的重要环节，对于确保工程质量、及时交付使用、发挥投资效益、总结经验教训、提高施工水平有着重要作用。所有公路工程在完工后都必须验收。正式验收前，建设单位要组织设计单位、施工单位进行交工验收，即初验，并提出交工验收报告，留给竣工验收单位。经过交工验收，符合设计要求后，即可绘制竣工图表，编制竣工决算，进行竣工验收，并办理交接手续。

竣工决算是计算工程施工实际耗费的全部费用。通过决算可以分析概算执行情况，考核资金使用效果。如果在竣工验收时由于特殊原因，可暂缓提交竣工决算，但必须提交劳力、材料、施工机械的使用消耗和财务开支的实际统计资料，并于验收后尽快补报。

（二）高速公路建设管理

高速公路建设管理是以高速公路工程项目为对象，对其建设过程中的所有活动进行决策、计划、组织、协调和控制的过程。从上述高速公路建设程序可以看出，其管理分为广义和狭义两种。广义的高速公路建设管理包括对高速公路项目前期工作、施工建设过程和项目后评价的全过程管理，属于交通主管部门进行的具有一定行政性质的宏观调控管理工作；而狭义的高速公路建设管理，则是对公路工程项目从准备施工到竣工验收全过程中，有关具体业务（如组建项目管理机构、施工管理基础工作、质量管理、材料设备管理、技术管理、成本管理等）进行的管理，属于各种经济利益主体对高速公路建设有关经济活动进行的微观经济管理。

四、高速公路建设投资与融资

（一）我国高速公路建设基本投资与融资方式

高速公路属于准公共物品的范畴，需要政府和市场共同推进。在一定条件下，其建设资金可以由政府提供，也可以由市场提供，或者由两者联合提供。当由市场提供建设资金时，政府必须实行授权制度，并有严格的监管措施。由于高速公路项目的财务效益特点决定了绝大多数项目需要政府在资金上给予支持，尤其是在建设期和项目运营初期，所以在一般情况下，政府必须保证对高速公路建设投入足够比例的国家资金。但是，由于高速公路建设资金需求量大、建设周期长、投资风险大，完全依靠政府投资是不现实的。因为政府用于高速公路建设的资金是有限的，并且要照顾到整个公路网的发展。如果仅靠政府投资，高速公路建设就会受到资金的严重制约。高速公路的受益者是公路的使用者，采用“谁受益、谁投资”的原则，既符合市场经济的运作规律，也可以调动社会各界修建高速公路的积极性，增加高速公路建设的资金来源。世界上不少国家，如日本、法国、意大利等，都制定了由企业面向社会集资修建高速公路并收费还贷的特许经营政策，即由政府部门和投资企业签订特许经营合同，政府授予企业一定时期的特许经营权，主要是高速公路收费和管理权，由企业负责筹资、建设、经营管理和维修养护，特许经营期满后，投资企业将完好的高速公路移交给政府。这项政策的实施也大大加快了这些国家高速公路的发展。

我国的公路建设经历了由政府大包大揽到投资主体多元化的转变，逐步建立了“国家投资、地方筹资、社会集资、利用外资”和“贷款修路、收费还贷、滚动发展”的投资机制，严格执行国家基本建设程序，按“统筹投资、条块结合、分层负责、联合建设”和“贷款修路、收费还贷、滚动发展”等原则进行项目筹资。

我国目前高速公路建设项目资金来源有政府投资、国内银行贷款、国际金融组织贷款、项目融资（包括 BOT 融资、ABS 融资等方式）、高速公路经营权有偿转让融资和证券市场融资（包括股票融资与债券融资）等。

（二）传统高速公路建设投资与融资体制的特征

我国传统的投资体制是计划经济的产物，是以政府直接干预、决定一切、控制全过程为特征的投资体制。在交通基础建设方面，铁路、港口、机场的建设基本上都是由中央政府统一安排资金，而公路建设的资金来源只能采取挤占公路养路费、民工建勤、以工代收等方法。其结果是公路建设资金长期落后于经济发展，成为制约国民经济发展的重要因素。传统高速公路建设投资与融资的特征如下。

第一，投资决策权高度集中在政府，尤其是地方政府手中。

第二，投资主体和资金渠道单一。政府是唯一的投资主体，私人投资被完全排斥。

第三，投入要素按计划安排使用。对公路建设投资所需要的资金、设备、建筑材料和动力等实行按计划分配使用，直接以指令性计划和行政命令（红头文件）管工程、管拨款、管调配物资、管施工队伍。

第四，没有投资责任约束。传统的公路建设投资体制对投资决策没有任何约束力。道路建设没有明确直接责任者，如果出现事故也无法追究责任。

（三）我国公路建设投资与融资体制改革的目标

为了更好地促进国民经济发展，解决长期传统的公路建设投资与融资体制的弊端，需要对传统的公路建设投融资体制进行改革。具体改革目标如下。

第一，以国家政策性投资为基础。一般来说，国家承担的投资项目是关系国民经济全局的、跨地区的、为全社会服务的重大项目，公路交通建设项目就是这样的项目。

第二，以市场型投资、融资为主导。建立和完善公路建设要素市场体系，使市场在公路建设资源配置中起到基础性作用。一个完整的公路要素市场包括资金市场、劳务市场、物资市场、人才市场、技术市场、信息市场、公路咨询、设计、施工、建材等。而其中资金市场是公路投入诸多要素市场中最主要的市场。资金是公路建设的第一推动力。

第三，多层次投资。要打破过去公路建设只有一个投资主体的旧模式，建立起国家、地方、企业、个人及外商等多元投资主体，真正实现投资—拥有产权—承担风险—收益一体化的经营思想，展开市场竞争。

第四，多渠道投资。开辟多个公路筹资、集资的途径和来源，改变过去只有政府拨款和提供养路费的单一渠道，还可以通过银行贷款、金融市场等多种途径扩大公路建设资金来源。

第五，多形式投资。增加公路建设投资的形式，如货币资金投资形式，股票、债券投资形式，物资投资形式，以工代赈投资形式，技术投资形式等。

（四）高速公路建设投资主体与结构分析

1978 年以前，我国公路建设是由各级政府作为投资主体，其资金来源于地方政府财政及养路费。改革开放后，公路建设投资政策发生了巨大的变化，投资主体多元化，资金来源渠道不断拓宽，公路建设投资也被划分为非经营性公路和经营性公路，而两者的投资主体和资金来源差异很大，因此以下将分别予以叙述。

1. 非经营性公路投资主体

大部分非经营性公路是普通公路，不收费，主要体现了公路的社会公益性，其投资主体包括以下几个。

第一，中央政府。中央政府是非经营性公路最高层次的投资者和管理者，负责全国公路交通发展规划的制定、实施、协调与管理，并对全国重点公路建设项目进行投资。

第二，地方政府。地方各级政府对本地区公路项目，特别是对非经营性普通公路的修建和养护进行投资。

第三，民工建勤，以工代赈。此种方法主要用于修建县、乡级道路，可以将这种投资的主体归为县、乡、村。《中华人民共和国公路管理条例》第九条规定“公路建设还可以采取民工建勤、民办公助和以工代赈的办法”，明确了在社会主义市场经济条件下这种投资方式的法律地位。

第四，企业、社会组织、个人的捐资。主要是企业、社会组织、个人对高速公路建设资金的赠予。

2. 经营性公路投资主体

经营性公路项目体现了公路建设项目的基础性和竞争性。中央政府允许并鼓励各行各业、各种经济成分对经营性道路进行投资，公路建设投资主体的多层次主要表现在经营性公路项目上。经营性公路的投资主体包括以下几种。

（1）政府投资主体

各级政府通过预算拨款、政策性收费和交通规费所筹集的资金，除部分用于非经营性投资项目外，其余可作为资本金，成立公路建设投资开发公司，公路建设投资开发公司按照国家有关法律对高速公路投资资金进行统筹安排、分级经营、分成回收和滚动发展，对于高等级公路建设收费项目的经营性投资资金全部实行有偿使用。

在与其他经济成分（包括外商）联合投资筑路修桥，或与原有旧路入股合作时，经产权界定、资产评估，公路建设投资开发公司以企业法人的资格代表交通管理部门参股，成立相应的董事会，共同进行建设、经营、管理及收益分红。

公路建设投资开发公司的资金来源，除政府投入外，主要靠银行贷款及市场融资。当然，公司须承担贷款和市场融资的还本付息责任。

（2）企业投资主体

随着经济的发展和企业实力的增强，公路建设日益成为企业投资的一个热点。另外，政府也常常制定一些鼓励企业向公路建设投资的优惠政策。例如地方政府划拨土地给企业开发，鼓励企业向公路投资；政府为了修建某条高速公路而拍卖该公路沿线的土地使用权，并将建设该条公路的投资作为附加条件等。这些做法在全国各地已多有尝试，吸引了不少企业向公路投入资金，企业已成为公路建设中的一个重要的投资主体。

（3）外商投资主体

近年来，外商对公路等交通运输基础设施的投资发展很快，特别是“九届全国人大”之后，很多外商已把交通基础设施建设作为一个投资热点。投资项目涉及公路、桥梁、机场、港口等，投资规模不断扩大，投资的形式包括借贷款、入股、购买公路经营权及合资开发等。外资已逐渐成为补充公路基础设施建设资金的重要来源。

（4）其他投资主体

随着我国经济的发展，人民生活逐渐富裕起来，我国城乡居民的个人储蓄已达到数万亿元，这些都是公路建设重要的潜在资金来源。

3. 公路投资结构分析

所谓公路投资结构，就是不同渠道对公路建设投资数量在总投资中所占的比例。从投资结构分析中，可以得出划分各类投资主体的合理负担规律，形成符合我国国情的公路交通行业特点的多元化公路建设投资格局。划分各类投资主体并进行合理分工，首先要确定政府投资的领域，其次是合理划分各级政府的投资范围。

第二章　高速公路路基工程施工

第一节　高速公路路堤施工

路堤施工是公路工程施工中一个非常重要的环节，需要精心组织、精心施工，以确保工程质量。对于高速公路这种具有特殊交通功能的公路，要对路基施工质量有更高的要求。因此，路堤施工必须从基底处理、填料选择、压实、排水、防护等各方面加以重视，依靠科技，采用新技术、新材料、新检测手段，保证路基具有足够的稳定性和耐久性。

一、高速公路路堤施工的特点

（一）高速公路路堤基底处理

高速公路路堤是在天然地基上人为构筑的，破坏原有状态而以一定要求填堆的土体，并与原面接触而呈结合状态。它对路基质量有着重要的影响，特别是对路基的稳定性影响很大，需要根据地形和土质条件做适当的处理。正式施工前，除了必须伐树除根、清除杂草垃圾及不稳定的石块外，横坡较大时，还需要做表土翻松，开挖台阶或凿毛（石质基底）。对于特殊土质（如软土）、沙滩和有地下水上溢的地段，必须做进一步的稳定处理或换土。

（二）高速公路填土要求

路堤对填土要求很严格，使用不合适的土填筑会直接影响路堤的稳定性和强度。例如使用淤泥或腐殖质含量较高的土料填筑的路堤，会产生路堤整段或局部的变形，也可能因自重的原因发生滑坡，严重时将影响道路的使用。因此，一般最好采用强度高、水稳定性好的材料作为填料。另外，即使填土材料良好，但由于其所处状态不同，特别是含水率不同，所表现出的结果往往相差很大，解决填土的含水率问题是填筑路堤中一个很重要的环节，在一定程度上左右着工程的施工进度。

（三）高速公路填方压实

路堤的填筑都要经过压实，以使路基土体符合要求的密实度，所以填筑必须是分层作业。同时，由于土的种类以及所处状态不同，施工的作业程序、环节会变得复杂，铺填土料厚度、填土方式、层间结合以及压实机械和压实工艺都成为施工中必须认真对待的问题，这是路堤施工的另一个特点。

二、高速公路基底及填土材料的处理

（一）高速公路路堤基底的处理

1. 伐树除根及表土处理

高速公路路堤填筑时，如果不清除结合面上的草木残株等有害于路堤稳定的杂物，路堤成型后，一旦杂物腐烂变质，地基就会出现松软和不均匀沉降等现象。为了预防这种情况，必须在填土之前做好伐树除根和表层土壤处理工作，特别是当路基填筑高度<1.0m时，应注意将路基范围内的树根、草丛全部挖除。伐树除根和清除草丛作业可采用人工方法或机械方法。

2. 耕地、水田的处理

高速公路路堤通过耕地时，筑填施工之前必须预先填平压实，如其中有机质含量和其他杂质较多，碾压时因弹性过大，不易压实，应换填干土。对于水田，其表面往往存在一层松软薄层，如果直接填土，不但施工机械通行性很差，难以作业，而且填土不能充分压实。若填土厚度大，第一层则要填至0.5~1.0m厚，施工机械才能通行，以后可以按规定厚度铺填，能够充分压实时可不必进行其他处理。若填土层较薄，第一层则不能填得太厚，否则填土无法碾压密实。这时，应当在基底挖沟排水，使填土底层保持干燥，再进行填方压实作业。如果水田水位过高，简单地设置排水沟也不能使水充分外排，不能保证机械通行，且地下水毛细管作用侵入填土，恶化了填土性质，则应在原表土和填土之间加砂垫层，以利于水的排出。

3. 坡面基底的处理

当基底为坡面时，在荷载作用下，粒料极易失稳而沿坡面产生滑移。因此，在施工前必须注意，对基底坡面处理后才能填筑。以往的高速公路施工经验表明，当坡度较小，在（1：10）~（1：5）时，只需清除坡面上的树、草等杂物，将翻松的表层压实后即可保证坡面的稳定。但当坡度较大，在（1：5）~（1：2.5）时，应将坡面做成台阶形，一般宽度不宜<2.0m，高度最小为1.0m，而且台阶顶面应做成向堤内倾斜4%~6%的坡度。当基底坡面超过1：2.5时，则应采用修挡土墙、护脚等措施对外坡脚进行特殊处理。

（二）高速公路路堤填料的选择和处理

1. 含水率调节

一般情况下，当料场土料的自然含水率接近最佳含水率时，只要对挖出的土料及时装卸上堤、及时摊平碾压即可。如果土料含水率过高，应予以翻晒，最好利用松土机或圆盘耙搂翻，增大曝气面，加速水分蒸发。另外，也可在取土场工作面下面挖沟，使地下水位降低，改变土料含水率，这也是一种有效的方法。当含水率过低时，常在材料上人工洒水，洒水率可由自然含水率和最佳含水率之差简单地求出，常用的洒水工具有洒水车和水泵等。在实际工作中，土料的人工湿润可在取土场和堤上进行，由于取土场场地宽阔，工作方便，易控制，能够使洒水均匀，如有洒水过度，也不影响堤上已有的土体，因而这种方法采用较多。在料场湿润土料，对于黏土层垂直孔隙较大的情况，可以采用把取土场用水淹盖起来的方法。作业时，应首先除掉表土植物层，并将土面整平，而后灌水淹盖，直至吸够必需水量为止。所需水量由地面至挖深厚度内全部土体计算，淹水后的土壤不宜立即取用，须让水经一定下沉或蒸发后方可使用。

2. 化学稳定处理

化学稳定处理即利用石灰或水泥做稳定剂对土壤性质进行改良，达到填土要求，这种方法对含水率大、塑性高的材料（如黏土）或强度不足的其他材料（如含有大量细粒砂的砂质土）都有较好的效果。

化学稳定处理的施工方法，是将土和石灰、水泥等添加材料按一定比例混拌均匀后铺平压实。一般采用路拌式稳定土拌和机（灰土拌和机）和平地机等进行作业，也可由设于专门场地的厂拌设备制备。

三、高速公路路堤的填筑作业

（一）路堤填筑方法

路堤填筑是把填料用一定方式运送上堤并进行铺平、碾压密实的过程。路堤填筑分为水平分层填筑法、纵向分层填筑法、横向填筑法和混合填筑法四种。

1. 水平分层填筑法

采用水平分层填筑法进行填筑时，按照横断面全宽分成水平层次，逐层向上填筑。若原地面不平，则应从最低处分层填起，每填一层经过压实符合规定要求后再填上一层。

2. 纵向分层填筑法

纵向分层填筑法宜用于推土机从路堑取料填筑距离较短的路堤，填方侧应按要求，人工开挖土质台阶后，依纵坡方向分层，逐层向上填筑碾压密实。原地面纵坡>12%的地段常采用此法。

3. 横向填筑法

从路基一端或两端同时按横断面的全部高度，逐步推进填筑，仅用于无法自下而上填筑的深谷、陡坡、断岩、泥沼等运土机械无法进场的路堤。横向填筑法因填土过厚，不易压实，施工时须采取以下措施：①选用高效能压实机；②采用沉陷量较小的砂性土或附近开挖路堑的废石方，并一次填足路堤全宽度；③在底部进行拨土夯实。

4. 混合填筑法

混合填筑法即路堤下层用横向填筑，而上层用水平分层填筑，使上部填料经分层压实获得需要的压实度。混合填筑法适用于因地形限制，或填筑堤身较高，不宜采用水平分层填筑法或横向填筑法自始至终进行填筑的情况。

（二）高速公路路堤机械化作业

1. 推土机作业

（1）推土机横向填筑

推土机横向填筑是一种水平分层填筑方法。推土机在路堤一侧或两侧的取土场取土，一般沿线路分段进行，每段距离以20~40m为宜，可以单机作业，也可以多机作业，多在地势平坦或两侧有可利用的山地土场的场合采用。

推土机在路堤单侧取土时，可采用穿梭法进行作业。作业时，推土机铲满土料，推送至路堤的坡脚，卸土后，按原路返回铲挖位置，如此往复在同一路线上。采用槽式作业法送2~3刀就可挖到0.7~0.8m深，然后做斜线倒退，向一侧移位，同样方法可推送相邻土料。整个作业区段完成后，可以沿作业时相反方向侧移，可推净遗留土坡，整平取土坑。

（2）推土机纵向填筑

用推土机进行移挖填土施工时，多采用这种方法（一般多用在丘陵、山地）。可进行纵坡分层，只要挖方土壤符合填土要求即可采用，但以开挖部分坡度不大于1∶2为限。在开挖过程中，应随时注意复核路基标高和宽度，避免超挖和欠挖。

（3）综合作业法

综合作业法是上述两种方法的综合，即在纵横方向联合作业。沿线路分段进行，每段长60~80m，每段中部都设有横向送土道，用横向作业的方式，将两侧土壤送上路堤，再由另外的推土机纵向推送铺平，同时分层压实。

2. 铲运机作业

利用铲运机填筑路堤，其基本方法与推土机作业类似，仅以作业现场条件不同而有所区别。其最大特点是曲线作业散落料少，故有更灵活的作业路线，并适宜于较远距离取土（一般为100m以外，且填筑高度在2m以上）。对于其作业的运行路线，根据地形条件，并考虑施工效率，主要有以下几种基本方式，可在实际工作中灵活应用。

（1）椭圆形运行路线

此方法适用于填土高度为1.5~2m，且工作长度在100m以下的情况。其主要缺点是重载上坡转向角大，转弯半径小；每一个循环，铲运机需要转两次180°大弯。

（2）“8”字形运行路线

该运行路线实际上是上述椭圆形路线的组合，每一个作业循环在同样两次180°大转弯的情况下，可完成两次铲装、运送、卸土的过程，而且允许多机作业，工效比单椭圆形作业路线有一定程度的提高，多用于工作段较长（一般为300~500m）的填筑作业，要求取土场在路堤两侧。作业区段较长时，可以多个“8”字形工作面首尾相连，在整个区段内连续作业。如果各机间隔适当，可使其互相不受干扰，并把每次填挖段与上次的错开，保持作业均衡。其缺点为一次循环的时间较长。

（3）全堤宽循环作业

上述几种方法均在路堤单侧取土（指一个循环内），在两侧取土场同时取土作业时，可采取全堤宽循环作业的方法，即铲运机连续相间地在路堤两侧取土场取土，而在路堤全宽上均匀铺散。这种作业方法适宜于作业区段较长且宽度较大的路堤填筑，铲运机在每次循环中多次装卸土壤，运行路线可均匀错开，因此碾压质量较好。

3. 挖掘机（或装载机）与运输车辆配合作业

用正铲、反铲和抓斗挖掘机或装载机与运输车辆配合进行路堤填筑施工，适用于在取土场较远或特殊地形的施工条件下作业，工作过程比较简单。挖掘机或装载机按其基本作业方法进行挖掘装载，由运输车辆将土料送上路堤，然后由推土机或铲运机按规定厚度铺平，并由压实机械压实。采用这种作业方法，影响工效的主要因素是与一定装载能力的挖掘装载机械相配合的运土车辆数及运行路线。

其他挖掘机和装载机作业时，方法与此相同，不同之处仅在于各种挖掘装载机械的施工条件。如拉铲装车较为困难，要求司机操纵熟练，由于抓斗对土壤适应性差，一般不做直接挖土工作，这些类型的工作装置进行填土作业时，效率不及正铲。

四、高速公路填土边坡施工

（一）一般规定

路堤边坡施工是路堤作业中的重要环节，如果重视不够，不但可能延误工期，降低工程质量，造成经济损失，而且可能给运输安全带来很大的威胁，施工中务必充分重视。

在施工时须注意以下几点。

1. 放样

根据线路中桩和设计图表，通过放样，定出边坡的位置和坡度，确定路基轮廓，要求放样准确可靠。

2. 做好坡度式样

按照规定，首先在适当位置做出边坡式样，作为全面施工的参照，以免沿错误边坡延续施工。

3. 随时测量

对高路堤或深路堑，每做一段距离就要抄平打线一次，发现问题应及时纠正，变坡点处更要注意测量检查。

4. 留有余量

路基修筑（包括路堑、路堤）时，边坡部位要留有一定的余量，以方便进一步修正后达到设计要求的标准，岩石边坡要尽量一次完成。

路基经过填土压实后，要进行整形作业。除路基顶面以外，施工作业中较复杂的是边坡面的整形，可用平地机或推土机进行整形作业。

（二）高速公路平地机坡面整形作业

由于平地机的性能和刮刀长度的限制，当坡面坡度为（1：1.5）～（1：5），坡面在平地机刮刀宽度以内时，可以用一台平地机在一个平面上行驶作业。如果坡面超过刮刀宽度或坡度较缓，一台平地机在一个平面上无法完成全坡面整形，则可采用两台平地机在上下两个平面上同时进行作业，或一台平地机分两次在上下两个平面内分别作业。对于平地机在上下两个平面上仍不能完成整形作业的大坡面，则必须在分层填筑过程中，在适当时候进行修整。

无论采取何种方式进行坡面整形，施工作业前都必须在作业段两端做好标准坡面，以便在刮削时有所参照，或者随时用线绳连接两端标准坡面同一位点并指导、检查平地机作业情况，防止超刮及欠刮。对于有找平装置的平地机，也可以用拉线的方式，设置基准进行作业。

（三）高速公路推土机坡面整形作业

推土机坡面整形作业只适用于坡度较小（<1：2.5）的坡面。一般先用人工做出标准坡面，然后推土机紧靠标准坡面，自下而上或自上而下进行刮削。为了保证推土机不至于远离标准坡面而造成超刮现象，作业段内应有一定数量的标准坡面，以对推土机的作业加以控制，标准坡面布设一般以铲刀宽的4～6倍为宜，即10～15m。

由于推土机进行整形作业是与机车在坡面上行驶同时进行的（平地机是在平面上行驶），因此在推土机作业过程中，虽然可以多布设一些标准坡面，以便对照，但仍然比较难以掌握，对操作人员的技术水平要求较高。可根据推土机行驶的坡度与铲刀切削坡度一致的程度，采用简易的环形测坡仪进行监测，以便控制。一般而言，推土机进行坡面整形作业远不如平地机容易控制。

第二节 高速公路路堑施工

一、高速公路路堑施工的特点

从作业程序上来说，高速公路路堑施工较为简单，按一定要求把土挖掘并运到弃土地点即可，不像路堤填筑有材料选择、分层碾压密实等问题存在。然而，从以往施工经验和公路使用的角度来看，路基上发生的问题却大多出在路堑上。例如路堑施工往往成为整个工程的控制工程，影响工期；施工中常发生塌方、落石等事故。在道路使用过程中，路堑地段又是塌方、滑坡、翻浆、冒泥、冻害等路基病害的多发区段，而这些又在很大程度上与路堑施工得当与否有着密切的关系。如由于开挖坡度不合适或弃土太近，使土体失去平衡而发生塌方；由于排水不良造成土体松软，发生边坡溜滑；由于没有及时修筑挡土墙等防护工程而发生滑坡现象。因此，在路堑施工中，对采取的作业方式、开挖步骤、弃土位置等应予以充分重视，进行全面规划，保证有较高的质量和效率。在挖掘作业特别是深挖掘作业时，应将粗加工和挖掘作业同时进行，使坡面作业尽量减少，并且必须经常检查尺寸。单面挖掘、单面堆土时，应尽量避免土堆太高，即使设计上没有防滑措施，也要将基底面进行阶梯挖掘才比较合理。

二、高速公路路堑的开挖

高速公路路堑开挖前，应做好现场伐树除根等清理工作。如果移挖做填，还须将表层土壤单独掘弃。根据现场施工条件，高速公路路堑的开挖可采用以下几种基本方法。

（一）全断面开挖法

从开挖路堑的一端或两端按断面全宽一次挖到设计标高，逐渐向纵深挖掘，挖出的土方一般都向两侧运送，这种方法适用于深度不大且较短的路堑。

（二）分层横断面挖法

从开挖路堑的一端或两端按横断面分层挖至设计标高，每层都有单独的运土出路和临时排水设施，适用于开挖深而短的路堑。土方工程数量较大时，各层都应纵向拉开，做到多层、多方向出土，可安排较多的劳动力和施工机械，以加快施工进度。每层挖掘深度视工作方便程度和安全性而定，一般为1~2m。

（三）分段纵挖法

当路堑较长、开挖深度不大时，把开挖路堑横断面分成若干段，并沿纵向条形开挖，一般出土于两侧。若是傍山路堑，一侧堑壁不厚，可选择一个或几个地方挖穿路堑壁出土。

（四）分层纵挖法

如果路堑宽度及深度都不大，则可以纵向分层挖掘。在短距离及大坡度时，可用推土机施工，对于较长的宽路堑则宜用铲运机作业。

（五）通道纵挖法

在开挖路堑全长上，沿路堑纵向先挖出一条通道，然后开挖两旁，这是一种快速施工的有效方法，通道可用于机械通行或运输土料车辆运土。

三、高速公路路堑开挖机械化施工

（一）推土机作业

推土机操纵灵活，运转方便，既可开挖土方，又能短距离运输土料，在路堑开挖作业中被广泛应用。

采用推土机开挖路堑，根据具体情况可有两种施工作业方法：

1. 横向开挖法（适用于2m以内浅路堑）

当路堑开挖深度在2m以内时，常采用横向开挖法。施工时，推土机以路堑中线为基准，向两侧开展横向“穿梭”推土作业。具体操作中，推土机沿路堑横向往返推移土壤，将挖掘出的土方直接运送至路堑两侧的弃土堆。待土方基本开挖完成后，再对作业面进行统一清理和平整，确保场地符合施工要求。此方法施工效率高，适用于浅路堑快速开挖，但需注意控制开挖深度，超过2m时需及时与其他机械设备协同作业。

2. 配合开挖法（适用于深度超过2m的路堑）

若路堑开挖深度超过2m，单一推土机作业难以满足施工需求，需与装载机、挖掘机等机械配合。施工初期，推土机先进行表层土方的初步开挖和短距离转运，为后续大型机械创造作业空间；随后，挖掘机或装载机接力完成深层土方挖掘，推土机则持续将土方转运至指定弃土区域。在整个作业过程中，各机械需紧密配合，明确分工。此外，无论采用何种作业路线，都必须严格控制路堑开挖面平整度，严禁出现中部下凹情况，防止积水影响路基质量。同时，要在开挖段设置具有排水方向的坡度，及时排除降雨积水。当开挖接近设计断面时，需反复复核路基标高和宽度，避免超挖或欠挖问题。通常在完成路堑初步开挖后，还需使用平地机对边坡和边沟进行精细整修，确保工程质量达标。

（二）纵向开挖山坡路堑

1. 开挖傍山半路堑

一般多用斜铲推土机进行。开挖时首先由路堑边坡的上部开始，沿线路行驶，渐次由上而下，分段、分层将土推送至坡下填筑路堤处。推土机的水平回转角根据土壤的性质来调整，在Ⅰ、Ⅱ级轻质土壤上作业时，可调至60°；在Ⅲ、Ⅳ级土壤上作业时，可调至45°。由于推土机沿山坡施工，因此要特别注意安全，推土机始终应行驶在坚实稳定的土壤上，填土部保持道路外侧高于内侧，行驶的纵坡角不宜超过推土机最大爬坡角。

2. 开挖深路堑

开挖深路堑，应首先做好准备工作，要在开挖路堑的原地面线顶端各点和填挖之间零点处设置标记，同时挖半小丘，使推土机能顺利进入作业现场。如果推土机能沿斜坡驶至最高点，则可以由路堑的所在坡面上顶点处开始，逐层开挖至路堤处，开挖时可用1～2台推土机沿线路中线的平行线进行纵向推填。当路堑挖到设计深度的一半位置时，再用另外1～2台推土机横向分层推削路堑斜坡。由斜坡上推削下来的土壤，仍由下面的推土机送至填土区段，直至路堑路堤全部完成为止。

（三）铲运机作业

铲运机开挖路堑也有两种作业方法：一是横向弃土开挖；二是纵向移挖做填。路堑应分层开挖，并从两侧开始，每层厚15～20cm。这样做既能控制边坡，又能使取土场保持平整，同时应沿路堑两侧做出排水纵坡。

路堑在以下情形下，宜采用横向开挖：堑顶地面有显著横坡，而上游一侧须设置弃土堆，阻挡地面水流入路堑；路堑中纵向运土距离太长，超过铲运机的经济运距，严重影响工效；不需要利用土方或利用有剩余时；对于长路堑，由于施工条件的限制，机械只承担其中一段，两端又无法纵向送土时。横向开挖路堑的施工运行线路与路堤横向取土填筑类似。

铲运机纵向移挖做填，当路堑须向堑口外相接的路堤处运土填筑时，铲运机应当利用纵坡自路堑端部开始做下坡铲土，并逐渐向堑内段延伸挖土长度，而填筑路堤也应做相应的延伸。

（四）挖掘机作业

用挖掘机开挖路堑，一般是与运输车辆配合作业的。

1. 正铲挖掘机开挖路堑

正铲挖掘机进行路堑开挖作业，可采用全断面开挖和分层开挖两种方法。路堑深度在5m以下时，可采用全断面开挖，挖掘机一次向前开挖路堑全宽至设计标高，运输车辆与挖掘机停在同一平面，且并列布置，或在挖掘机后侧。这种方法施工简单，但挖掘机须横向位移，才能挖到设计标高。

当路堑深度为5m以上时，宜采用分层开挖，即挖掘机在纵向行程中，先把路堑开通一部分，运输车辆在挖掘机一侧布置，并与开挖路线平行，如此往返几个行程，直至将路堑全部开通。第一开挖道高度应以停在路堑边缘的车辆能够装料为准，其余各次开挖道都可以按要求位于同一水平之上，这样可以利用前次挖好的开挖道作为运输车辆的行驶路线。

2. 反铲挖掘机开挖路堑

由于反铲挖掘机只能挖掘停机面以下的土壤，因此做开挖路堑作业时，是停在路堑顶部两侧进行作业，一般只适用于开挖深度在挖掘范围内的路堑，可视现场情况采用沟端、沟侧的作业方法。

3. 拉铲挖掘机开挖路堑

用拉铲挖掘机开挖路堑作业时，如卸料半径能及至两侧弃土堆位置，则挖掘机可停在路堑中心线上，采取沟端挖掘的方法进行；否则，必须采用双开挖道作业。当弃土堆位于路堑一侧时，挖掘机沿路堑边缘移动，为了保证安全，挖掘机内侧履带应与路堑边缘保持 1~1.5m 的距离。

4. 推土机和铲运机联合作业

在组织大型土方机械开挖路堑作业时，往往投入作业的机型很多，各自又有不同的运用范围和作业效果，为多机联合作业提供了可能性。其中，不同功率的推土机和不同斗容量的铲运机联合作业最为常见。

在组织推土机与铲运机联合开挖作业时，应根据它们各自的特点将它们安排在最能发挥各自优势的部位进行作业。

在多机联合作业时，可将中型推土机安排在开挖段的上层，大型推土机放在中层，铲运机放在底层。为了便于排除降雨积水，开挖工作应自下而上进行。为了提高推土机的作业效率，在较硬土质区段最好配备翻松机械或机具协同作业。

四、高速公路边坡作业

高速公路边坡施工的基本要求与填土边坡类似，除边坡坡度符合设计规范外，也应做好放样、布设标准坡面等工作。但是，其与填方边坡相比又有自己的一些特点，首先表现为作业对象多、土壤土质多样。由于路堤边坡是由填土而成的，所以其工程性质差异不大，而路堑边坡则由自然状态的土、石方挖掘形成，土壤土质随线路经过地带不同而有较大变化，其工程性质不仅不同，有时还差别很大，施工作业难易程度也就有一定的区别。根据以往施工经历，以下介绍路堑开挖边坡的几种类型及其施工要点。

（一）砂土边坡

挖出的斜坡要留有足够的余量，然后打桩定线进行坡面整修。具体做法是，先用机械开挖，留有20~30cm的余量，后用人工修整或平地机修整，也可用小型反铲挖掘机修整。如果采用挖掘机修整边坡，则要求操作人员有较高的技术水平，否则很容易造成超挖或欠挖。

（二）岩石边坡

如果坡面是软岩，可用镐或风镐开挖；如果是硬质岩石，则要用手动冲击式钻机沿着需要修整的坡面先开炮孔，注意不要使剩下的岩盘松动，然后装少量炸药进行爆破。在大型工程中，也可直接爆破成斜面，然后进行放坡作业。

（三）碎石类土边坡

影响碎石类土挖方边坡的因素，主要是土体结合的紧密程度。其坡度要结合土壤、地质水文等条件确定。

碎石类土的潮湿程度及边坡高度对边坡的稳定有较大影响。一般湿度大、边坡高时，宜采用较缓坡度；对于密实度差的土体，应避免深挖。同时要注意，边坡过缓时，受雨水作用面积增大，故不宜过缓。除此之外，应根据具体情况采取边坡防护和加固措施，做好排水工作，以免影响边坡稳定。

五、高速公路石质路堑开挖

（一）爆破法开挖

爆破法是利用炸药爆炸的能量将土石炸碎以利于挖运，或借助爆炸能量将土石移到预定位置。用这种方法开挖石质路堑具有工效高、速度快、劳动力消耗少、施工成本低等优点。对于岩质坚硬，不可能用人工或机械开挖的石质路堑，通常需要采用爆破法开挖，爆破后用机械清方，这是非常有效的路堑开挖方法。

根据炸药用量的多少，爆破法分为中小型爆破和大爆破，其中使用频率最高的是中小型爆破，大爆破的应用则受多种因素的限制。例如，开挖山岭地带的石方路堑时，若岩层不太破碎，路堑较深且路线通过凸出的山嘴，采用大爆破开挖可有效提高施工效率。但如果路堑位于页岩、片岩、砂岩、砾岩等非整体性岩体路段，则不应采用大爆破开挖。尤其是路堑位于岩石倾斜朝向路线且有夹砂层、黏土层的软弱地段及易坍塌的堆积层路段时，禁止采用大爆破开挖，以免对路基稳定性造成危害。

爆破对山体破坏较大，对周围环境也有较大影响，因此必须按有关施工规定和安全规程进行作业，严格按设计文件实施。通常应做试爆分析，其结果作为指导施工的依据。

（二）松土法开挖

松土法开挖是指充分利用岩体的各种裂缝和结构面，先用推土机牵引松土器将岩体翻松，再用推土机或装载机与自卸汽车配合将翻松的岩块搬运到指定地点。松土法开挖避免了爆破作业的危险性，而且有利于挖方边坡的稳定和附近建筑设施的安全。凡能用松土法开挖的石方路堑，应尽量不采用爆破法施工。随着大功率施工机械的使用，松土法越来越多地被应用于石质路堑的开挖，而且开挖的效率也越来越高，能够用松土法施工的范围也不断扩大。

松土法开挖的效率与岩体破裂面情况及风化程度有关，岩体被破碎岩石分隔成较大块体时，松开效率较高。当岩体已裂成小石块或呈粒状时，松土只能劈成沟槽，效率较低。砂岩、石灰岩、页岩等沉积岩有沉积层面，是比较容易松开的岩石，沉积层越薄越容易松开。片麻石、片岩、石英岩等变质岩，松开的难易程度要视其破裂面发育程度而定。花岗岩、玄武岩、安山岩等岩浆岩不呈层状或带状时，松开比较困难。

多齿松土器适用于松动较破碎的薄层岩体。单齿松土器则适用于松动较坚硬的厚层岩体。松土器型号及松土间隔应根据岩石的强度、裂隙情况、推土机功率等进行选择，最好通过现场松土器劈裂试验来确定。遇到较坚硬的岩石，松土器难以贯入，引起推土机后部翘起或履带打滑时，可用另一台推土机在松土器后面顶推。坚硬完整的岩石难以翻松，可进行适当的浅孔松动爆破，再进行松土作业。

（三）破碎法开挖

破碎法开挖是指利用破碎机凿碎岩块，然后进行挖运等作业。这种方法是将凿子安装在推土机或挖土机上，利用活塞的冲击作用使凿子产生冲击力以凿碎岩石，其破碎岩石的能力取决于活塞的大小。破碎法主要用于岩体裂缝较多、岩块体积小、抗压强度低于100MPa的岩石。由于开挖效率不高，只能用于前述两种方法不能使用的场合，作为爆破法和松土法的辅助作业方式。

以上三种开挖方法各有特点，应视施工条件合理选用。

六、高速公路深挖路堑的作业

路堑边坡高度≥20m时称为深挖路堑，深挖路堑的施工方法与一般路堑的施工方法基本相同，但有一些特殊问题和要求需要注意。

（一）施工前的准备

因为深挖路堑的边坡较高，易于坍塌，且工程数量大，常是影响全线按期完工的重点工程。因此，施工前准备工作的一个重要任务，就是要详细复查设计文件所确定的深挖路堑地段的工程地质资料及路堑边坡，收集并了解土石界限、工程等级、岩层风化厚度及破碎程度等岩层工程特征。若路堑为砂类土，应了解其颗粒级配、密实程度和稳定角；若路堑为细粒土，应了解含水率和物理力学性质，以及不良地质情况、地下水及其存在形式等。根据详细掌握的工程地质条件、工程量规模及工期要求，制定施工组织方案，明确机械设备配置类型、劳动力组织方案等内容。这个环节对保障工程质量、确保按期完工具有重要意义。

施工前准备工作的另一个重要任务是对工程地质进行补探。过去有些深挖路堑常缺乏工程地质资料或者仅有地表面1～2m深的探坑地质资料，有些资料只根据天然露头确定工程难易等级，这对保证深挖路堑边坡稳定的论证是不够的，更不能以此编制施工组织设计和指导施工。因此，在施工前必须进行工程地质补探工作（补做工程地质勘探时应以钻探为主），解决原设计文件中工程地质资料缺乏或严重不足的问题。在补做工程地质勘探并验算后，若高路堑边坡难以稳定，则会造成长期后患，应按补做的地质资料进行方案的选择，并报请审批后实施。

（二）土质高路堑

影响深挖路堑边坡稳定的因素很多，其中最主要的是边坡坡度大小。若坡度小，边坡平缓，则易于稳定；反之，则不稳定。同时边坡稳定也与气候有关，因此要求边坡严格按照设计坡度施工，但遇到土质情况与设计资料不符，特别是土质较设计松散时，应向有关方面提出修改设计的意见，批准后实施，以保证路堑边坡的稳定。

路堑边坡按一定高度设平台，与从上至下一个面坡相比，虽然所设平台的综合坡度与一面坡的坡度相同，但前者边坡较稳定些。此外，分层设有平台还可起到碎落台作用。因此，在施工高路堑边坡时，应每隔6~10m高度设置一个平台，平台宽度：人工施工不应小于2m，机械施工不应小于3m。平台表面横向坡度应向内倾斜，坡度为0.5%~1%；纵向坡度应与路线平行，平台上的排水设施应与排水系统连通。

施工过程中修建平台后的边坡如果仍然不能稳定，应根据其不稳定因素，如设计边坡过陡、过大造成含水率增加，土的内摩擦角减小，边坡中地下水的影响等，采用修建石砌护坡、边坡上植草皮或做挡墙等防护措施，若边坡上有地下水渗出，还应根据地下水渗出的位置、流量，修建排水设施将渗出水排走。

土质单边坡和双边坡深挖路堑的施工方法，与一般高度的平边坡路堑的施工方法基本相同，只不过需多分几层施工。

（三）石质高路堑

石质高路堑宜采用中小爆破法施工，只有当路线穿过独山丘，开挖后边坡不高于6m，且根据岩石产状和风化程度，确认开挖后边坡稳定，才可考虑大爆破方案。

单边坡石质深路堑已有一面临空，为了使爆破后的石块较小，便于推土机清方，绝对不能采用松动爆破、减弱松动爆破或药室爆破。前两种爆破方法虽然能节约炸药，但爆破后石块太大，有些大石块还要重新钻眼爆破，将石块炸小（二次爆破），或需人工用撬棍将大石块慢慢移走，无法使用机械施工，导致施工进度减慢。药室爆破虽然爆破方量较大，但可能将边坡炸松，而且构建药室时都是人工操作，花费时间多。正确的做法是采用深粗炮眼、分层、多排、多药量、群炮、光面、微差爆破方法。其原则是打炮眼时尽量使用机械，可使爆破后的石块小一些，便于机械清除。若最后一排炮眼靠近边坡，应采用光面爆破设计施工。

双边坡石质深挖路堑的施工较单边坡的困难一些。首先须用纵向挖掘法在横断面中部每层开辟一条较宽的纵向通道，以便运走爆破后的石料，同时成为两侧未炸石方的临空面，其次横断面两侧按单边坡石质路堑的施工方法作业。

第三节　高速公路特殊路基处理

特殊路基施工，应进行必要的基础试验，编制专项施工组织设计，经批准后方可实施。施工中若实际地质情况与设计不符或设计处治方案因故不能实施，应及时向监理、业主、设计院反映，申请设计变更。采用新技术、新工艺、新设备、新材料时，必须制定相应的工艺、质量标准。用湿黏土、红黏土和中、弱膨胀土作为填料直接填筑时，应符合以下规定：第一，液限为40%~70%，塑性指数为18~26；第二，采用湿土法制作试件，试件的CBR值要满足规范要求；第三，不得作为零填及挖方路基0~0.80m范围内的填料。

一、高速公路黏土填筑路基施工

高速公路黏土填筑路基施工要点如下。

当湿黏土液限不为40%~70%、塑性指数不为18~26时，应进行处理，处理后CBR值和粒径大小应符合相关要求，且压实质量应符合规范规定。

当基底为软土时，应按设计要求进行处理。

不同类的填料，不得填筑在同一压实层上。

路堤填筑时，每层宜设2%~3%的横坡；当天的填土宜当天完成压实。

填筑层压实后，应采取措施防止路基工作面暴晒失水。

水稻田地段路基施工，要符合以下规定。第一，水稻田地段路基施工，不得影响农田排灌。第二，施工前应采取措施排除公路用地范围内的地表水，疏干地表水确有困难时，应按设计要求进行处理。第三，二级及二级以上公路路堑段，应在边坡顶适当距离外筑埋并挖截水沟；土质、风化岩石边坡，应浆砌护墙或护坡；路堑路段宜加大边沟尺寸并采用浆砌。

河、塘、湖地段路堤施工应符合以下规定。第一，受水浸润作用的路堤部分，宜用水稳性好、塑性指数不大于6、压缩性小、不易风化的透水性填料填筑。第二，在洪水淹没地段的路堤两侧不得取土，对于三、四级公路，在特殊情况下，可在下游侧距路堤安全距离外取土。第三，两侧水位差较大的河滩路堤，根据具体情况，宜放缓下游一侧边坡，设滤水坝趾和反滤层，在基底设隔渗墙或隔渗层。第四，防洪工程应在洪水期前完成，施工期间应注意防洪。

多雨潮湿地区路基施工应符合以下规定：第一，多雨潮湿地区施工应注意排水，机具停放地、库房、生活区域应选在地势较高且不易被水淹的地点，并有完善的排水防洪设施；第二，多雨潮湿地区，应按设计要求对基底过湿土层进行处理。

二、高速公路软土地基路基施工

软土一般指淤泥、泥炭土、流泥、沼泽土和湿陷性大的黄土、黑土等。通常其含水率大、承载力小、压缩性高，尤其是沼泽地，水分过多、强度很低，常规施工机械在软土地面上行进和作业都很困难。

（一）软土工程地质特性

对于软土，目前尚无统一的定义。一般路基工程中软土是指相对密度<0.33的松砂土和天然含水率大于液限、孔隙比≥1.0的黏性土。由软土作为地基时称软土地基，其具有松软、易于变形的特征。

（二）填土的稳定与沉降

在道路工程中修筑路堤和其他构造物，是为上层路面提供一个均匀而坚固的基础，同时保持路面平整及处于良好的状态。在软土地基上筑填路堤或进行开挖作业，除了可能产生不均匀沉陷外，还可能由于软土的蠕变而导致路基或其他构筑物失稳。

首先，在软土上面填土，当超过某一高度时，可能使填土的部分发生崩塌、坡脚外侧地基隆起等，这种现象的产生势必造成工程的大范围返工。如果坡脚附近有房屋、水管或其他工程设施，也将受到严重威胁，甚至被破坏或造成人身伤亡事故。

其次，即使不发生滑塌，但施工过程中，甚至填土完成以后，沉降将在相当长的时间内持续发展，即所谓的地基沉降。这种现象严重时，不仅增加填土工程量，而且靠近填土部位的挡土墙、涵洞等会受到沉降或水平移动的影响。另外，完成铺装路面后的沉降，不仅会对路面的纵横断面造成影响，不能保证其平整性，而且会引起路面结构的破坏。边沟等排水设施也将受到不利影响，特别是桥梁、涵洞等结构物与填土相连接部分的不均匀沉陷，成为车辆行驶中的阻碍和发生事故的原因。

（三）软土地基的处理

软土地基施工措施，按照其原理不同，可采取多种不同的方法，各种方法的施工要点如下。

1. 表层排水法

表层排水法是在路基填筑前，在地面开挖水沟，以排除地表水，同时降低地基表层的含水率，确保施工机械的作业条件。为了使开挖水沟在施工中发挥盲沟作用，常用透水性良好的砂砾回填。

（1）水沟的布设

水沟的布设应全面考虑地形与土质情况，使排水畅通。

（2）水沟的构造

水沟尺寸一般可取宽 0.5m、深 0.5～1m，路堤填筑前，宜用砂砾回填成盲沟，若埋设管道，必须用良好的过滤材料保护。

2. 砂垫层法

砂垫层法是指在软土地基上铺设厚度为0.5～1.2m的砂层（砂垫层），其作用是：作为软土层固结所需要的上部排水层和路堤内的地下排水层，以降低堤内水位，改善施工时重型机械的作业条件。

施工时要设置与砂垫层厚度相同的放样桩，一般用自卸汽车及推土机配合摊铺，应做到摊铺均匀，注意不要有很大的集中载荷作用。当路堤为粉土，透水性不好时，路堤坡脚附近砂垫层被路堤覆盖，有可能阻碍侧向排水，必须注意做好砂垫层端部的处理。

3. 稳定剂处治法

稳定剂处治法即用生石灰、熟石灰、水泥等稳定材料，掺入软弱的表层黏土中，以改善地基的压缩性和强度特性，保证机械作业条件，提高路堤填土稳定及压实效果。

施工中应注意以下几点。

（1）稳定剂贮存

工地存放的水泥、石灰不可太多，以一天使用量为宜，最长不宜超过三天的使用量，同时应做好防水、防潮措施。

（2）压实与养护

压实要达到规定压实度，用水泥或熟石灰稳定土应在最后一次拌和后立即压实；而用生石灰稳定土的压实，必须有拌和时的初碾压和生石灰消解结束后的再次碾压。压实后若能获得足够的强度，可不必进行专门养护，但由于土质与施工条件不同，处治土强度增长不均衡，则应做约一周时间的养护。

4. 开挖换填法

开挖换填法即在一定范围内，把软土挖除，用无侵蚀作用的低压缩散体材料置换，分层夯实。按软土层的分布形态与开挖部位分类，有全面开挖换填和局部开挖换填两种。

（1）选择良好的填料

选择填料时，要考虑路堤高度、软土层厚度及地下水位等因素，宜用排水性能好（即使以后处于地下水位以下，仍能保持足够承载力）的砂砾及其他粗粒料。

（2）开挖边坡

根据开挖的深度与土的抗剪强度确定合理的边坡坡度，开挖时若用水泵排水，边坡容易被破坏，从而增加挖方量。因此，如果有不需要压实的良好换填材料（以不排水为宜），为防止边坡塌落，应随时开挖随时填料。

5. 强制换填法

强制换填法按施工方法不同可分为路堤载荷强制换填法和爆破换填法两种。

（1）路堤载荷强制换填法

路堤载荷强制换填法就是依靠路堤载荷将部分软土层强制挤出，用良好的填筑材料置换。施工时，应从中线起逐渐向外侧填筑。但对于宽路堤，由于沉降不一致，从而在路堤下面残留部分软土，完工后会发生不利的不均匀沉降，对此应予以注意。

（2）爆破换填法

爆破换填法就是把炸药装入软土层，通过爆破作用将软土挤出。这种方法对周围影响很大，只限于爆破对周围构造物或设施没有不良影响的地区使用，并且一般要通过几次爆破使路堤逐渐下沉，两侧挤出隆起的软土要及时挖除，保证爆破效果不致降低。

6. 反压护道法

反压护道法主要用于当路堤在施工中达不到要求的滑动破坏安全系数时，反压路堤两侧，以期达到路堤稳定的目的。应用反压护道法时，应注意以下几点：一是避免过高堆填，而应分层铺平，充分压实，并应有一定横坡度，以利于排水；二是反压护道的填筑速度不得低于主路堤的填筑速度；三是主路堤在施工中或完工后，如能确定反压护道下面的地基强度已增长到要求的值，则可以将反压护道设计高度以上的部分挖除，利用这些材料填筑主路堤。

7. 慢速加载法

慢速加载法类似于一般路堤的自然沉降，但要根据土质的剪切破坏情况，控制填土速度，用较长的时间完成填土，不需要特殊的施工机械和材料。在工期充裕的情况下，采用此法最为经济。

8. 砂井排水法

砂井排水法是指在软土层设置垂直排水井，一般由中砂或粗砂构成。方法是用下端装有埋入式桩靴的钢管打入土中，然后从上端灌入砂子，分层夯实，同时将管向上拔起，直至桩孔灌满砂，形成砂井。在黏性土中也可先打入木桩，拔出桩后在孔中填砂夯实。

9. 水泥搅拌桩

在一些桥、涵等结构物台背位置处，为加强地基承载力，有时采用水泥搅拌桩的形式进行地基处理加固。水泥搅拌桩是一种加固饱和软黏土地基的技术，它利用水泥作为固化剂，通过特制的搅拌机械，在地基深处将软土和固化剂强制搅拌，利用固化剂和软土之间所产生的一系列物理化学反应，使软土硬结成具有整体性、水稳定性和一定强度的优质地基。

（四）常规机械开槽施工

软土开挖工程，即要求将软土挖出，达到设计深度、宽度及整出边坡形状，一般采用低比压推土机、水陆两用挖掘机、挖泥船或清淤机进行开挖。但实际施工中，为了充分利用现有机械，降低施工成本，常规土方机械中的推土机、挖掘机可进行部分作业，特别是对小面积、小规模的软土开挖作业，是很有实用意义的，施工方法如下。

1. 推土机作业

以干燥段沟底为起点，采取轻铲小负荷，一铲一趟，斜向推送，类似蚕食桑叶，从软土段边缘开始，逐渐往里，最后将全部软土挖掉。

在软土厚度<60cm、下层是较密实的硬土、两端干燥的情况下，可采用此种推土机施工，但施工时应注意以下几点：第一，推土机行驶中尽量避免停驶、换挡、制动和转向，以免打滑陷车；第二，铲土量不能贪多，尽量少推快推，边推边清理，保持作业面平整，不留残土淤泥；第三，作业面不宜太大，集中机械分段施工，做到当日开挖，当日成型；第四，做好排水工作，将先挖的土修成土围堰以便堵截外水。

2. 挖掘机作业

当施工作业面有硬土层可利用时，常规挖掘机可进行软土开挖，根据硬土层位置可采取沟底开挖或沟边开挖。

例如作业剖面土质分布下硬上软，挖掘机可先在相邻干土地段开挖作为基点，采用正铲或拉铲向前开挖，挖土弃于沟的两岸或装车运走。作业时，可先换用较大铲斗，将软土挖掉，然后改用有齿的铲斗挖掘硬土，在工作面高度大于合理挖掘高度时，应分层开挖。同时，应避免斗臂水平转角加大。

如作业面土为上硬下软，即软土层表层有足以供机车行驶作业的硬土，则可让挖掘机停在硬土上用反铲、拉铲或抓斗在沟边进行开挖作业，挖掘停车位置可视沟的开挖宽度和硬土层情况设在沟的端部、角部或边侧。

三、高速公路膨胀土地区路基施工

高速公路膨胀土地区路基施工应注意以下几点。

第一，在膨胀土地区路基施工前，按图纸和监理工程师的要求，修筑长度不小于200m、全幅路基宽度的试验段，应确定膨胀土路堤施工中的石灰掺量、松铺厚度、最佳含水率、碾压机具以及全部施工工艺，试验结果应报监理工程师批准。

第二，当路堤高度不足1m时，必须挖去地表300~600mm的膨胀土，换填非膨胀土，并按规定压实。当地表潮湿时，必须挖去湿软土层，换填碎砾石土、沙砾或坚硬岩石碎渣，或将土翻开，掺石灰稳定并按规定压实，一般换填深度可控制在1.2m左右。

第三，填土路堤不得采用强膨胀土填筑。高速公路采用中、弱膨胀土做路床填料时，应做改性处理。改性处理后要求胀缩总率不超过0.7，并按试验段报告要求施工。弱膨胀土做填料只能填在路堤下层及中层，边坡表面及路基顶面应以非膨胀土或石灰改性膨胀土包边，包边厚度应符合图纸规定。

第四，膨胀土地区的路堑施工，路床应超挖300~500mm，并应立即用非膨胀土或改性土回填，然后按规定压实。

第五，用改性的膨胀土填筑时，应加强土的粉碎和注意与石灰拌和的均匀性。压实机具应选用重型压路机或振动压路机。碾压时，直线段由两边向中央碾压，超高段由内侧向外侧碾压。考虑到膨胀土路堤的沉降，路堤两侧应各加宽300~500mm。

第六，膨胀土地区路基施工，应避开雨季作业，路堤填筑要连续进行。路堤或路堑两侧边坡的防护封闭工程必须及时完成，做好膨胀土路基的防水、排水工作。

第七，膨胀土地区路基压实标准应符合要求。

四、黄土地区路基施工

黄土地区路基施工应注意以下几点。

第一，黄土路堤应分层填筑，分层压实，大于10cm的土块必须打碎，并应在最佳含水率范围内碾压密实。

第二，路基范围内的回填及碾压的压实度均应符合土方路基压实度标准。

第三，湿陷性黄土路基应采用拦截、排除地表水等措施，并防止地表水下渗。其地下排水构造物及地面排水沟渠必须采取防渗措施。

第四，对于Ⅱ级以上湿陷性黄土地基，应在填筑前进行碾压或采用强夯石灰桩挤密、填土等加固处理。

第五，黄土陷穴地区的路基施工，应对路堤或路堑边坡上侧50m、下侧10~20m的陷穴进行处理。承包人应将陷穴的位置、埋藏深度及大小、所采取的处理措施报监理工程师批准。

第六，对路基路床的陷穴应封堵进口，引排周围地表水，使水不再流向陷穴，并回填砾石夯实或灌注混凝土等。

五、盐渍土地区路基

盐渍土地区路基施工应注意以下几点。

第一，盐渍土路基的施工宜在干旱季节进行。施工前应对该地区地表土层1m内的土质含盐性及含盐量进行控制检测，并报监理工程师审查。

第二，盐渍土路堤应分层填筑、分层碾压，每层松铺厚度不大于200mm，并严格控制含水率，不得大于最佳含水率 1 个百分点。

第三，盐渍土路基的施工应分段一次完成。自清除基底含盐量较大的表土开始，连续施工，一次做到路床设计标高。

第四，当基底含水率超过液限的土层厚度 1m 以内时，必须全部换填渗水性土，并应在路堤下部设置封闭隔水层。

第五，施工中应首先做好排水系统，不应使路基及其附近有积水。无论是填筑黏性土或换填渗水性土，其压实度均应符合土方路基压实度标准。

第四节　高速公路路基压实

一、高速公路土质路基的压实

土质路基的压实过程，其本质上是土体在压力作用下，克服土颗粒间的内聚力和摩擦力，使原有结构受到破坏，固体颗粒重新排列，大颗粒之间的空隙被小颗粒所填充，变成密实状态，达到新的平衡。在施工作业中，表现为土壤的体积被压缩，而达到一定程度后，这个过程不再持续。这是因为在颗粒重新排列后，土中气体被挤出，由快变缓，最终趋于结束。这时，作用于土体的压力只能引起弹性变形，而压力过大时，则可能使土壤产生剪切破坏，影响土体强度。

（一）影响压实效果的主要因素

影响路基压实效果的因素是多方面的，有内因也有外因，但与施工作业有关的主要因素有以下几点。

1. 土的含水率

任何有黏结力的土，在不同的湿度下，用同样压实功能来挤压将获得不同的密实度和不同的强度。压实开始时，原状土相对湿度低，土颗粒之间的内摩阻力大，因而外力难以克服，故压实的干密度小，表现出土的强度高、密度低；当相对湿度缓慢增加时，水分在土粒间起润滑作用，使被压材料（土粒）得以重新调整其排列位置，达到较紧密的程度，但与此同时，由于水的作用，内摩阻力有所减小，因而强度继续下降。当含水率继续增加，超过最优值时，水的润滑作用已经足够，水分过多，使起润滑作用以外的多余水分进入土粒孔隙中，反而促使土粒分离而不易得到良好的压实效果，从而降低了土的干密度。又由于土粒间距增大，内摩阻力与黏结力减小，土的强度也随之减小，在压实曲线中出现“驼峰”形式。这就是说，在一定功能的压实作用下，含水率的变化会导致土的干密度随之变化，在某一含水率（最佳含水率）下，干密度达到最大值（最大干密度）。

2. 土的性质

不同土质的压实性能差别较大。一般来说，非黏性土的压实效果较好，而且最佳含水率较小，最大干密度较大，在静力作用下压缩性较小，在动力作用下，特别是在振动作用下很容易被压实；黏质土、粉质土等分散性土的压实效果较差，主要是由于细分散性的土颗粒的比表面积大、黏聚力大、土粒表面水膜需水量大，最佳含水率偏高，而最大干密度反而偏小。

3. 压实功能

压实功能是由碾压（或锤击）的次数及其单位压力（或荷重）所决定的，若在一定限度内增加压实功能，则可降低含水率数值，提高最佳密实度的数值。

土在不同压实功能作用下的压实性质，是决定压实工作量和选择机具、选择施工方法的依据。

事实上，对任何一种土，当密实度超过某一限值时，若要继续提高它的密实度，降低含水率值，往往需要增加很大的压实功能。而过分加大压实功能，不仅密实度增加幅度小，还往往因所加荷载超过土的抵抗力（即土受压部位承受压力超过土的极限强度）而导致土体破坏。因此，对路基填土的压实，在工艺方法上要注意不使压实功能太大。

4. 碾压时的温度

在路基碾压过程中，温度升高可使被压土中的水黏滞度降低，从而在土粒间起润滑作用，易于压实；但气温过高又会由于水分蒸发太快而不利于压实。温度低于0℃时，因部分水结冰，产生的阻力更大，起润滑作用的水更少，因而得不到理想的压实效果。

5. 压实土层的厚度

土受压时，能够以均匀变形的深度（即有效压实深度）近似等于2倍的压模直径或2倍的压模与土接触表面的最小横向尺寸，超过这个范围，土受到的压力急剧变小，并逐渐趋于零，可认为此时土的密实度没有变化。

6. 地基或下承层强度

在填筑路堤时，若地基没有足够的强度，路堤的第一层难以达到较高的压实度，即使采用重塑压路机或增加碾压遍数，也只能事倍功半，甚至使碾压土层起“弹簧”。因此，对于地基或下承层强度不足的情况，填筑路堤时通常采取以下措施处理：第一，填筑路堤之前，应先碾压地基；第二，若地基有软弱层，则应用砂砾（碎石）层处理地基；第三，路堑处路槽的碾压，先应铲除30~40cm原状土层并碾压地基，再分层填筑压实。

7. 压实机具和方法

压实机具和方法对压实的影响反映在以下几个方面。

第一，压实机具不同，压力传布的有效深度也不同。一般情况下，夯击式机具的压力传布最深，振动式次之，碾压式最浅。根据这一特性即可确定各种机具的最佳压实度。

第二，压实机具的重量较轻时，碾压遍数越多（即时间越长），土的密实度越高。但密实度的增长速度则随碾压遍数的增加而减小，并且密实度的增长有一个限度，达到这个限度后，继续以原来的压实机具对土体增加压实遍数则只能引起弹性变形，而不能进一步提高密实度（一般碾压遍数≤6时，密实度增大明显，6~10遍增长较慢，10遍以后稍有增长，20遍以后基本不增长）。压实机具较重时，土的密实度随碾压遍数增加而迅速增加，但超过某一极限后，土的变形即急剧增加而达到破坏，机具过重以致超过土的强度极限时，将立即引起土体破坏。

第三，碾压速度越快，压实效果越差。应力作用速度越快，变形量越小，土的黏性越大，影响就越显著。因此，为了提高压实效果，施工时压实设备必须保持在合适的行驶速度。

（二）压实标准与碾压控制

1. 压实标准

压实标准包括两个方面：一是确定标准干密度的方法；二是要求的压实度。

标准干密度的确定，主要是采用重型击实试验法。土的最大干密度是土压实的主要指标，与路基的强度和稳定性有密切的关系，一般作为压实质量评价的依据。在路基压实施工中，由于受各种因素的影响和限制（气候、土的天然含水率等），所施工的路基实际干密度不能达到室内重型击实试验求得的最大干密度。但是为了保证压实质量的基本要求，必须规定压实后土基压实度范围。

2. 路基压实工作的控制与检验

（1）确定不同种类填土的最大干密度和最佳含水率

高速公路是带状构造物，一条公路往往连绵数十千米甚至上百千米，用于填挖路基的沿线土石材料的性质往往发生较大变化。在路基填筑施工之前，必须对主要取土场（包括挖方利用方）采取代表性土样，进行土工试验，用规范规定方法求得各个土场土样的最大干密度和最佳含水率，以便指导路基的压实施工。

（2）正确选择和使用压实机械

① 压实机械的选择

压实机械的类型和数量选择是否恰当，直接关系压实质量和工效，选择时应综合考虑以下几点。

第一，土的性质、状态。不同的压实机械对不同土质的压实效果不同。如对于砂性土，以振动式机械效果最好，夯击式次之，碾压式较差；对于黏性土，则以碾压式和夯击式较好，而振动式较差甚至无效。同时，压实机械的单位压力不应超过土的强度极限，否则会立即引起土基破坏。选择机械时，还应考虑土的状态及对压实度的要求。一般情况下，土的含水率小，压实度要求高，应选择重型机械，反之可选轻型机械。

第二，压实工作面。当工作面较大时，可采用碾压机械，较狭窄时宜用夯实机械。

第三，机械的技术特性与生产率。选择机械类型、确定机械数量时应考虑与其他工序的配合，使机械的生产能力互相适应。

② 压实机械的使用

为了能以尽可能小的压实功能获得良好的压实效果，在压实机械的使用上应注意以下两点。

第一，压实机械应先轻后重，以便能适应逐渐增长的土基强度。

第二，碾压速度宜先慢后快，以免松土被压实机械推走，形成不适宜的结构，影响压实质量，尤其是黏性土，高速碾压时，压实效果明显下降。通常压路机进行路基压实作业时行驶速度在 4km/h 以内为宜。

此外，在路基土的压实中，除了运用不同性能的各种专用压实机械外，还应特别注意尽可能利用其他土方施工机械和运输车辆进行分层压实，有计划、有组织地利用运土车辆碾压填方土料。施工中要注意采用合理的技术措施，一般应控制填土厚度不大于 30cm，并用推土机或平地机细致平土，控制合适的含水率；同时，要在机械的运行线路上使各次行程能大体均匀分布到填土土层表面，保证土层表面全部被压到。

（3）分层填筑、分层碾压

① 分层填筑

要把握每层填土厚度的大小。填土层厚度过大，其深部不能获得要求的压实度；填土层厚度过小，会影响工作效率和经济效益。一般认为，对于细粒土，用 12~15t 光轮压路机时，压实厚度不得超过 25cm，用 22~25t 振动（包括液压振动）压路机时，压实厚度不超过 60cm。

② 分层碾压

碾压前应对填土层的松铺厚度、平整度和含水率进行检查，符合要求后方可进行碾压。分层碾压的关键是控制碾压遍数。在大规模施工前，取 100~200m 路基填筑做试验段，确定达到要求压实度所需的碾压遍数。

（4）全宽填筑、全宽碾压

填筑路基时，应要求从基底开始在路基全宽度范围分层向上填土和碾压。压实路线为直线段，宜先两侧后中间，小半径曲线段由内侧向外侧，纵向进退式进行；对于横向接头，振动压路机一般重叠 0.4~0.5m，三轮压路机一般重叠轮宽的1/2，前后相邻两区段（碾压区段之前的平整，预压区段与其后的检验区段）宜纵向重叠1.0~1.5m，使路基各点都得到压实，避免土基产生不均匀沉陷。以往的施工实例表明，凡不注意全宽碾压的，当路堤填筑到一定高度时，均出现程度不同的纵向裂缝，严重的还影响到路面，使之出现纵向裂纹。

使用夯锤压实时，第一遍各夯位宜紧靠，如有间隙则不得大于15cm，第二遍夯位应压在第一遍夯位的缝隙上，如此连续夯实，直至达到规定的压实度。

（5）加强质量检查

① 填方地段基底

路堤填筑前应对基底进行压实，高速公路路堤基底的压实度不应小于90%，当路堤填土高度小于路床厚度（80cm）时，基底的压实度不宜小于路床的压实度标准。

② 路堤

每个压实层均应检验压实度，合格后方可填筑其上一层，否则应查明原因，采取措施进行补压。检验频率为每2000m^{2}检验8个点，不足2000m^{2}时，至少应检验8个点，必要时可根据需要增加检验点，必须每点都符合规定值。

③ 路堑路床

零填及路堑路床的压实，应符合其压实标准的规定，换填超过3m时，按90%的压实标准控制。

④ 桥涵处填土

桥台背后、涵洞两侧与顶部、锥坡背后的填土均应分层压实、分层检查，检查频率为每50m^{2}检验1个点，不足50m^{2}时至少检验1个点，每个点都应合格。每个压实层松铺厚度不宜超过15cm。高速公路桥台、涵身背后和涵洞顶部的填土压实度，从填土基底或涵洞顶部至路床顶面均为96%，以确保不因密实度不足而产生错台，进而影响行车速度与安全。

桥涵处填土的压实采用小型的手扶振动夯或手扶振动压路机，若涵顶填土厚度在50cm内，应采用轻型静载压路机压实，以达到规定的压实度为准。

二、高速公路填石、土石混填及高填方路堤的压实

（一）填石路堤

填石路堤施工过程中的每一压实层，可用试验路段确定的工艺流程和工艺参数控制压实过程，用试验路段确定的沉降差指标检测压实质量。

填石路堤在压实之前，应用大型推土机摊铺平整。个别不平处应用人工配合以细石屑找平，使石块之间无明显高差台阶，以便于压路机碾压，或使夯锤下坠到地面时受力基本均匀，不致使夯锤倾倒。

填石路堤填料石块本身是密实而不能压缩的，压实工作是使各石块之间的松散接触状态变为紧密咬合状态。由于石块粒径和质量较大，只有选用工作质量在18t以上的重型振动压路机、工作质量在2.5t以上的夯锤或工作质量在25t以上的轮胎压路机压（夯）实，才能达到规定的紧密状态。用振动压路机或夯锤压实能在压实时产生振动力和冲击力，可使石块产生瞬时振动而向紧密咬合状态移位，其压实厚度可达1.0m。当缺乏上述两种压实机具，只能采用重型静载光轮压路机或轮胎压路机压实时，应减少每层填筑厚度和石料粒径，其适宜的压实厚度和粒径应通过试验确定，但不应大于50cm。

填石路堤应先压两侧后压中间，对于轮碾，压实路线应纵向互相平行，反复碾压；对于夯锤，压实路线应呈弧形，当夯实密实程度达到要求后，再向后移动一夯锤位置。行与行之间应重叠40~50cm，前后相邻区段应重叠1.0~1.5m，其余注意事项与土质路基压实相同。

（二）土石混填路堤

土石混填路堤的压实方法与技术要求，应根据混合料中巨粒土的含量确定。当混合料中巨粒土（粒径>200mm的颗粒）含量多于70%时，其压实作业接近于填石路堤，应按填石路堤的方法和要求进行；当混合料中巨粒土的含量低于50%时，其压实作业接近于填土路堤，应按前述填土路堤的方法和要求进行。

土石路堤的压实度可采用灌砂法或水袋法检测。其标准干容重应根据每一种

填料的不同含石量用重型击实法求得的最大干容重做出标准干容重曲线，然后根据试坑挖取试样的含石量，从标准干容重曲线上查出对应的标准干容重。当采用灌砂法或水袋法检验有困难时，可根据填石路堤的方法进行检验，即通过18t以上振动压路机压实试验，当压实层顶面稳定，不再下沉（无轮迹）时，可判定为密实状态。

（三）高填方路堤

高填方路堤的基底承受路堤土本身的荷载很大，因此对基底应进行场地清理，并按照设计要求的基底承压强度进行压实。设计无要求时，基底的压实度不应小于90%。当地基松软，仅依靠对厚土压实不能满足设计要求的承压强度时，应进行地基加固处理，以达到设计要求；当基底处于陡峻山坡上或谷底时，应做挖台阶处理，并严格分层填筑压实；当场地狭窄时，压实工作应采用小型的手扶式振动压路机或振动夯进行；当场地较宽广时，应采用自行式12t以上的振动压路机碾压。

第三章　高速公路沥青路面施工

第一节　沥青路面施工准备

一、基层处理

（一）粒料基层用粒料的分类及使用

粒料分为嵌锁型和级配型两种。嵌锁型粒料主要有填隙碎石，适用于各等级公路的底基层和二级以下公路的基层；级配型粒料分为级配碎石和级配砾石、符合级配的天然砂砾以及部分砾石经轧制掺配而成的级配砾、碎石，级配碎石适用于各级公路基层和底基层，其他级配型粒料适用于轻交通的二级和二级以下公路的基层以及各级公路的底基层。

（二）粒料基层用粒料在不同部位使用时的质量要求

级配碎石用作二级和二级以上公路的基层和底基层时，应用预先筛分成几组不同粒径（如 37.5～19mm，19～9.5mm，9.5～4.75mm）的碎石及 4.75mm 以下的石屑组配而成，其粒料的级配组成应符合相应的试验规程的要求，同时，级配曲线宜为圆滑曲线。在其他等级公路上，级配碎石可用未筛分碎石和石屑组配而成。缺少石屑时，可以添加细砂砾或粗砂，也可以用颗粒组成合适的含细集料较多的砂砾与未筛分碎石组配成级配碎砾石。

级配碎石用作二级和二级以下公路的基层时，其最大粒径应控制在 37.5mm 以内；级配碎石用作高速公路和一级公路的基层以及半刚性路面的中间层时，其最大粒径宜控制在 31.5mm 以内。碎石中针片状颗粒的总含量应不超过 20%。碎石中不应有黏土块、植物等杂质。

级配砾石用作基层或底基层时，其颗粒组成应符合相应的试验规程的要求，且级配曲线应为圆滑曲线。天然砂砾符合规定的级配要求，且塑性指数在 6 或 9 以下时，可以直接用作基层。塑性指数偏大的砂砾，可加少量石灰降低其塑性指数，也可以掺配无塑性的砂或石屑，使其塑性指数降低，直至符合要求，或塑性指数与细土（粒径<0.5mm 的颗粒）含量的乘积符合要求。级配砾石用作基层时，砾石的最大粒径应不超过 37.5mm；用作底基层时，其最大粒径应不超过 53mm。

填隙碎石用作基层时，其最大粒径应不超过 53mm；用作底基层时，其最大粒径应不超过 63mm。粗碎石可以用具有一定强度的各种岩石或漂石轧制（宜用石灰岩轧制），其中，漂石的粒径应比粗碎石最大粒径大 3 倍以上，也可以用稳定的矿渣轧制。填隙料可用石屑，也可用最大粒径小于 10mm 的砂砾料或粗砂。

（三）级配碎石层施工规定

颗粒组成曲线应是一条顺滑的曲线。配料必须准确，塑性指数应符合规定。

混合料必须拌和均匀，没有粗、细集料离析现象。

级配碎石应在最佳含水率下进行碾压，用作中间层时，其重型击实标准的压实度应不小于 100%；用作基层时，其重型击实标准的压实度应不小于 98%；用作底基层时，其重型击实标准的压实度应不小于 96%。

对于级配碎石，应使用 12t 以上三轮压路机碾压，每层的压实厚度应不超过 15~18cm。用重型振动压路机和轮胎压路机碾压时，每层的压实厚度应不超过 20cm。

级配碎石基层未喷洒透层沥青或未铺封层时，禁止开放交通，以保护表层不被破坏。

（四）级配砾石层施工规定

颗粒级配应符合规定，配料应准确，塑性指数应符合规定。

混合料应拌和均匀，没有粗、细集料离析现象。

级配砾石或天然砂砾用作基层时，其重型击实标准的压实度应不小于98%；用作底基层时，其重型击实标准的压实度应不小于96%。

对于级配砾石，应用12t以上三轮压路机碾压，每层的压实厚度应不超过15~18cm。用重型振动压路机和轮胎压路机碾压时，每层的压实厚度应不超过20cm。

级配砾石基层未喷洒透层沥青或未铺封层时，禁止开放交通，以保护表层不被破坏。

（五）填隙碎石施工规定

细集料应干燥。

对于填隙碎石，应采用振动轮每米宽质量不小于1.8t的振动压路机进行碾压。碾压后，表面粗碎石间的孔隙应用填隙料填满，但不得使填隙料覆盖粗集料而自成一层，表面应看得见粗碎石。

填隙碎石基层未喷洒透层沥青或未铺封层时，禁止开放交通。

（六）级配碎石路拌法施工工艺

第一，准备下承层。下承层表面应平整、坚实，具有规定的路拱。下承层的平整度和压实度应符合规范规定。下承层宜做成槽式断面。

第二，测量放样。

第三，备料。未筛分碎石和石屑可按预定比例在料场混合，同时洒水加湿，使混合料的含水率超过最佳含水率约1%。

第四，运输集料。集料装车时，应控制每车料的数量基本相等。在同一料场供料的路段内，宜由远到近卸置集料。应严格掌握卸料距离，避免料不够或过多。未筛分碎石和石屑分别运送时，应先运送碎石。料堆每隔一定距离应留一个缺口。集料在下承层上的堆置时间不应过长。运送集料应在摊铺集料工序前数天进行。

第五，摊铺集料。用平地机或其他合适的机具将集料均匀地摊铺在预先设计规划好的宽度范围，摊铺集料的表面应力求平整，并具有规定的路拱。应同时摊铺路肩用料。

第六，拌和及整形。对于二级及二级以上公路，应采用专用稳定土拌和机拌和级配碎石。对于二级以下的公路，在无稳定土拌和机的情况下，可采用平地机或多铧犁与缺口圆盘耙相配合进行拌和。

用稳定土拌和机拌和两遍以上。拌和深度应直到级配碎石层底。在进行最后一遍拌和之前，必要时先用多铧犁紧贴底面翻拌一遍。

拌和结束时，混合料的含水率应均匀，并较最佳含水率大1%左右，同时不应有粗、细集料离析现象。

用平地机将拌和均匀的混合料按规定的路拱进行整平和整形。在整形过程中，应注意消除粗、细集料离析现象。

第七，碾压。整形后，当混合料的含水率等于或略大于最佳含水率时，立即用12t以上三轮压路机、振动压路机或轮胎压路机进行碾压。直线和不设超高的平曲线段，由两侧路肩开始向路中心碾压；设超高的平曲线段，由内侧路肩向外侧路肩进行碾压。碾压时，后轮应重叠1/2轮宽，后轮必须超过两段的接缝处。

含土的级配碎石层都应进行滚浆碾压，一直压到碎石层中无多余细土泛到表面为止。应清除干净滚到表面的浆（或事后变干的薄土层）。

第八，横缝的处理。两作业段的衔接处应搭接拌和。第一段拌和后，留5~8m不进行碾压。第二段施工时，将前段未压部分与第二段一起拌和整平后进行碾压。

第九，纵缝的处理。应避免纵向接缝。在必须分两幅铺筑时，纵缝应搭接拌和。前一幅全宽碾压密实。拌和后一幅时，应将其与相邻的前幅边部（约30cm）搭接拌和，整平后一起碾压密实。

（七）级配碎石集中厂拌法施工工艺

级配碎石用作半刚性路面的中间层以及二级以上公路的基层时，应采用集中厂拌法拌制混合料，并用摊铺机摊铺。

第一，级配碎石混合料可以在中心站用多种机械，如强制式拌和机、卧式双转轴桨叶式拌和机、普通水泥混凝土拌和机等进行集中拌和。

第二，对高速公路和一级公路的级配碎石基层和中间层，宜采用不同粒级的单一尺寸碎石和石屑，按预定配合比在拌和机内拌制级配碎石混合料。

第三，在正式拌制级配碎石混合料之前，必须先调试所用的厂拌设备，使混合料的颗粒组成和含水率都能达到规定的要求。在采用未筛分碎石和石屑时，如未筛分碎石或石屑的颗粒组成发生明显变化，应重新调试设备。

第四，将级配碎石用于高速公路和一级公路时，应用沥青混凝土摊铺机或其他碎石摊铺机摊铺碎石混合料。摊铺机后面应设专人消除粗、细集料离析现象。

第五，用振动压路机、三轮压路机进行碾压，碾压方法同路拌法。

第六，对于集中厂拌法施工时产生的横向接缝，用摊铺机摊铺混合料时，靠近摊铺机当天未压实的混合料可与第二天摊铺的混合料一起碾压，但应注意此部分混合料的含水率。必要时应人工补充洒水，使其含水率达到规定的要求。

第七，应避免纵向接缝。在不能避免纵向接缝的情况下，纵向接缝必须垂直相接，不应斜接。

（八）热拌沥青碎石基层施工注意事项

1. 热拌沥青碎石拌制

第一，沥青混合料必须在沥青拌和场拌制，可采用间歇式拌和机或连续式拌和机拌制。

第二，拌和机拌制的沥青混合料应均匀一致，无花白料，无结团成块或严重的粗、细集料分离现象，不符合要求时不得使用，并应及时调整。

第三，出厂的沥青混合料应逐车用地磅称重。

2. 热拌沥青混合料运输

第一，热拌沥青混合料应采用较大吨位的自卸汽车运输，车厢应清扫干净。为防止沥青与车厢板黏结，车厢侧板和底板可涂一薄层油水（柴油与水的比例可为1：3）混合料，但不得有余液积聚在车厢底部。

第二，从拌和机向运料车上放料时，应每卸一斗混合料挪动一下车辆位置，以减少粗、细集料离析现象。

第三，运料车应用篷布覆盖，以保温、防雨、防污染。

3. 热拌沥青混合料摊铺

第一，热拌沥青混合料应采用机械摊铺。

第二，沥青混合料的摊铺温度应符合规范要求，并应根据沥青标号、黏度、气温、摊铺层厚度选用沥青混合料。

第三，当高速公路和一级公路施工气温低于10℃、其他等级公路施工气温低于5℃时，不宜摊铺热拌沥青混合料。

第四，用机械摊铺的混合料，不应人工反复修整。

第五，可用人工局部找补或更换混合料。摊铺不得中途停顿。

第六，摊铺的沥青混合料应立即碾压，因故不能及时碾压或遇雨时，应停止摊铺。

4. 热拌沥青混合料压实及成型

第一，沥青混合料的分层压实厚度不得大于10cm。

第二，应选择合理的压路机组合方式及碾压步骤，以达到最佳效果。沥青混合料压实宜采用钢筒式静态压路机与轮胎压路机或振动压路机组合的方式。

第三，沥青混合料的压实应按初压、复压、终压（包括成型）三个阶段进行。压路机应以慢而均匀的速度碾压。

（九）沥青贯入式路面施工规定

第一，撒布主层集料后严禁车辆在铺好的集料层上通行。

第二，主层集料撒布后应采用6~8t的钢筒式压路机进行初压，碾压速度宜为2km/h。碾压应自路边缘逐渐移向路中心，每次轮迹重叠约30cm，然后从另一侧以同样方法压至路中心，此为碾压一遍。

第三，主层集料碾压完毕后，应立即浇洒第一层沥青。浇洒方法应按规范进行。沥青的浇洒温度应根据沥青标号及气温情况选择。当采用乳化沥青贯入时，为防止乳液下漏过多，可在主层集料碾压稳定后，先撒布一层嵌缝料，再浇洒主层沥青。乳化沥青在常温下浇洒，当气温偏低需要加快破乳速度时，可将乳液加热后浇洒，但乳液温度不得超过60℃。

第四，主层沥青浇洒后应立即均匀撒布第一层嵌缝料，嵌缝料撒布后应立即扫匀，不足处应找补。使用乳化沥青时，石料撒布必须在乳液破乳前完成。

第五，嵌缝料扫匀后应再立即用8~12t钢筒式压路机进行碾压，轮迹重叠1/2左右，宜碾压4~6遍，直至稳定为止。碾压时随压随扫，使嵌缝料均匀嵌入。因气温过高使碾压过程中发生较大推移现象时，应立即停止碾压，待气温稍低时再继续碾压。

第六，浇洒第二层沥青，撒布第二层嵌缝料，然后碾压，再浇洒第三层沥青。

第七，撒布封层料的施工要求与撒布嵌缝料相同。

第八，最后，宜采用6~8t压路机碾压2~4遍。

（十）乳化沥青碎石基层施工规定

乳化沥青碎石混合料宜采用拌和机拌和。

采用阳离子乳化沥青时，在与乳液拌和前须用水湿润集料，使集料总含水率达到约5%，天气炎热时宜多加水，低温潮湿时可少加水。集料湿润后仍不能与乳液拌和均匀时，应改用破乳速度更慢的乳液，或用1%~3%的氯化钙水溶液代替水预先润湿集料表面。

混合料应具有充分的施工和易性，混合料的拌和、运输和摊铺应在乳液破乳前结束。已拌好的混合料应立即运至现场进行摊铺。拌和与摊铺过程中已破乳的混合料应废弃。

拌制的混合料宜用沥青摊铺机摊铺。当用人工摊铺时，应防止混合料离析。乳化沥青碎石混合料的松铺系数可按规范通过试验确定。

乳化沥青碎石混合料的碾压，可按热拌沥青混合料的规定进行。

第一，混合料摊铺后，应采用6t左右的轻型压路机初压，宜碾压1~2遍，使混合料初步稳定，再用轮胎压路机或轻型筒式压路机碾压1~2遍。初压时应匀速进退，不得在碾压路段上紧急制动或快速启动。

第二，当乳化沥青开始破乳，混合料由褐色转变成黑色时，用 12～15t 轮胎压路机或 10～12t 钢筒式压路机复压。压实过程中有推移现象时应立即停止碾压，待稳定后再碾压。如果当天不能完全压实，应在较高气温状态下补充碾压。

第三，碾压时发现局部混合料有松散或开裂现象时，应立即挖除并换补新料，整平后继续碾压。修补处应保证路面平整。压实成型后的路面应做好早期养护，并封闭交通 2～6h。

第四，阳离子乳化沥青碎石混合料可在下层潮湿的情况下施工，施工过程中遇雨应停止铺筑，以防雨水将乳液冲走。

（十一）无机结合料稳定基层原材料要求

第一，普通硅酸盐水泥、矿渣硅酸盐水泥和火山灰质硅酸盐水泥都可用于制作稳定土，但应选用初凝时间 3h 以上和终凝时间较长（宜在 6h 以上）的水泥；不应使用快硬水泥、早强水泥以及已受潮变质的水泥，宜采用强度等级为 32.5 级或 42.5 级的水泥。

第二，石灰技术指标应符合规范规定，应尽量缩短石灰的存放时间。石灰在野外堆放时间较长时，应采取覆盖措施防潮。使用贝壳石灰、珊瑚石灰等，应进行试验，混合料的强度符合规范的要求时方可使用。对于高速公路和一级公路，宜采用磨细生石灰粉。

第三，粉煤灰中 SiO_2、Al_2O_3 和 Fe_2O_3 的总含量应>70%，粉煤灰的烧失量不应超过 20%。干粉煤灰和湿粉煤灰都可以应用。湿粉煤灰的含水率不宜超过 35%。

第四，集料除应符合压碎值要求外，还要满足级配要求的规定。

第五，当水泥稳定中粒土、粗粒土做基层时，应控制水泥剂量不超过 6%。

第六，采用水泥稳定碎石土、砾石土或含泥量大的砂、砂砾时，宜掺入一定剂量石灰进行综合稳定。当水泥用量的占结合料总量的 30%以上时，应按水泥稳定类进行设计，否则按石灰稳定类设计。

第七，对于水泥稳定粒径均匀且不含或含很少细料的砂砾、碎石以及不含土的砂，宜在集料中添加 20%～40%的粉煤灰或添加 10%～12%的石灰土进行综合稳定。

（十二）水泥稳定土结构层施工规定

第一，土块应尽可能粉碎，土块最大粒径应不大于15mm，配料应准确。路拌法施工时水泥应洒水、拌和均匀，摊铺均匀。

第二，应严格控制基层厚度和高程，其路拱横坡应与面层一致。

第三，水泥稳定类材料的压实度（按重型击实标准）及7d（在非冰冻区25℃、冰冻区20℃条件下湿养6d、浸水1d）龄期的无侧限抗压强度应满足规范的要求。

第四，对于水泥稳定土结构层，应用12t以上的压路机碾压。用12~15t三轮压路机碾压时，每层的压实厚度应不超过15cm；用18~20t三轮压路机和振动压路机碾压时，每层的压实厚度应不超过20cm。对于水泥稳定细粒土，采用能量大的振动压路机碾压时，或对于水泥稳定细粒土，采用振动羊足碾与三轮压路机配合碾压时，每层的压实厚度可以根据试验适当增加。压实厚度超过上述规定时，应分层铺筑，每层的最小压实厚度为10cm，下层宜稍厚。对于稳定细粒土以及用摊铺机摊铺的混合料，都应先轻型、后重型碾压。

第五，路拌法施工时，必须严密组织，采用流水作业法施工，尽可能缩短从加水拌和到碾压终了的延迟时间，总时间应不超过3~4h，并应短于水泥的终凝时间。采用集中厂拌法施工时，延迟时间应不超过2h。

第六，水泥稳定土基层施工时，严禁用薄层贴补法进行找平。

第七，水泥稳定土结构层碾压完成后必须保湿养护，稳定土层表面不应干燥，也不应忽干忽湿。

第八，水泥稳定土基层上未铺封层或面层时，除施工车辆可慢速（不超过30km/h）通行外，禁止一切机动车辆通行。

（十三）石灰稳定土层施工规定

第一，细粒土应尽可能粉碎，土块最大粒径应不大于15mm。配料应准确，路拌法施工时，石灰应摊铺均匀，洒水、拌和应均匀。

第二，应严格控制基层厚度和高程，路拱横坡应与面层一致。

第三，石灰稳定土的压实度（按重型击实标准）及7d（在非冰冻区25℃、冰冻区20℃条件下湿养6d、浸水1d）龄期的无侧限抗压强度应满足规范的要求。

第四，对于石灰稳定土结构层，应用12t以上的压路机碾压。用12～15t三轮压路机碾压时，每层的压实厚度不应超过15cm；用18～20t三轮压路机和振动压路机碾压时，每层的压实厚度不应超过20cm。对于石灰稳定土，采用能量大的振动压路机碾压时，或对于石灰土，采用振动羊足碾与三轮压路机配合碾压时，每层的压实厚度可以根据试验适当增加。压实厚度超过上述规定时，应分层铺筑，每层的最小压实厚度为10cm，下层宜稍厚。对于石灰土，应采用先轻型、后重型碾压。

第五，石灰稳定土层宜在当天碾压完成，碾压完成后必须保湿养护，稳定土层表面不应干燥，也不应过分潮湿。

第六，石灰稳定土层上未铺封层或面层时，禁止开放交通。当施工中断，临时开放交通时，应采取保护措施，不使基层表面遭到破坏。

（十四）石灰工业废渣稳定土结构层施工规定

第一，配料应准确，石灰应摊铺均匀，洒水、拌和应均匀。

第二，应严格控制基层厚度和高程，路拱横坡应与面层一致。

第三，石灰、粉煤灰稳定类材料的压实度（按重型击实标准）及7d（在非冰冻区25℃、冰冻区20℃条件下湿养6d、浸水1d）龄期的无侧限抗压强度应满足规范的要求。

第四，对于石灰工业废渣稳定土，应用12t以上的压路机碾压。用12～15t三轮压路机碾压时，每层的压实厚度应不超过15cm；用18～20t三轮压路机和振动压路机碾压时，每层的压实厚度应不超过20cm。对于二灰级配集料，采用能量大的振动压路机碾压时，或对于二灰土，采用振动羊足碾与三轮压路机配合碾压时，每层的压实厚度可以根据试验适当增加。压实厚度超过上述规定时，应分层铺筑，每层的最小压实厚度为10cm，下层宜稍厚。对于石灰工业废渣稳定土，应先轻型、后重型碾压。

第五，石灰工业废渣稳定土结构层碾压完成后必须保湿养护，石灰工业废渣稳定土层表面不应干燥。

第六，石灰工业废渣稳定土基层上未铺封层或面层时，应封闭交通，保护表层不受破坏。当施工中断，临时开放交通时，必须采取保护措施。

（十五）无机结合料基层路拌法施工摊铺与整形注意事项

1. 摊铺土

应事先通过试验确定土的松铺系数。

摊铺土应在摊铺水泥的前一天进行。摊铺长度按日进度的需要量进行控制，满足次日掺加水泥、拌和、碾压成型需要即可。如第二天有雨，不宜提前摊铺土。

2. 洒水闷料

如已整平的土（含粉碎的旧路面）含水率过低，应在土层上洒水闷料。

细粒土应经一夜闷料。对于综合稳定土，应先将石灰和土拌与后一起进行洒水闷料。

3. 整平和轻压

对人工摊铺的土层整平后，用6~8t两轮压路机碾压1~2遍，使其表面平整，并有一定的压实度。

4. 摆放和摊铺水泥（或石灰）

按计算出的每袋水泥（或石灰）的纵横间距，在土层上做安放标记。用刮板将水泥（或石灰）均匀摊开，并注意使每袋水泥的摊铺面积相等。水泥摊铺完后，应没有空白位置，也没有水泥过分集中的地点。

5. 拌和（干拌）

对二级及二级以上公路，应采用稳定土拌和机进行拌和并设专人跟随拌和机，随时检查拌和深度并配合拌和机操作员调整拌和深度。拌和深度应达稳定层底并宜侵入下承层5~10mm，以利于上下层黏结。严禁在拌和层底部留有素土夹层。通常应拌和两遍以上，在最后一遍拌和之前，必要时可先用多铧犁紧贴底面翻拌一遍。直接铺在土基上的拌和层也应避免素土夹层。

对于三、四级公路，在没有专用拌和机械的情况下，可用农用旋转耕作机与多铧犁或平地机相配合进行拌和，但应注意拌和效果，拌和时间不能过长。

6. 加水并湿拌

在上述拌和过程结束时，如果混合料的含水率不足，应用喷管式洒水车（普通洒水车不适宜用作路面施工）补充洒水。

混合料拌和均匀后应色泽一致，没有灰条、灰团和花面，无明显粗、细集料离析现象，且水分合适。

7. 整形

混合料拌和均匀后，应立即用平地机初步整形。在直线段，平地机由两侧向路中心进行刮平；在平曲线段，平地机由内侧向外侧进行刮平。必要时，再返回刮一遍。

（十六）无机结合料基层路拌法施工碾压过程注意事项

根据路宽、压路机的轮宽和轮距的不同，制定碾压方案，应使各部分碾压次数尽量相同，路面的两侧应多压 2~3 遍。

整形后，当混合料的含水率为最佳含水率±（1%~2%）时，应立即用轻型压路机配合 12t 以上压路机在结构层全宽内进行碾压。直线和不设超高的平曲线段，由两侧路肩向路中心碾压；设超高的平曲线段，由内侧路肩向外侧路肩进行碾压。碾压时，后轮应重叠 1/2 轮宽，后轮必须超过两段的接缝处，后轮压完路面全宽时，即为 1 遍。一般须碾压 6~8 遍。压路机的碾压速度，前两遍以 1.5~1.7km/h 为宜，以后宜为 2.0~2.5km/h。

采用人工摊铺和整形的稳定土层，宜先用拖拉机或 6~8t 两轮压路机或轮胎机碾压 1~2 遍，然后用重型压路机碾压。

同日施工的两工作段的衔接处应采用搭接形式。第一段拌和整形后，留 5~8 m 不进行碾压。第二段施工时，将前段未压部分再加部分水泥重新拌和，并与第二段一起碾压。应注意每天最后一段末端缝（即工作缝和掉头处）的处理。

水泥稳定土层的施工应该避免纵向接缝，在必须分两幅施工时，纵缝必须垂直相接，不应斜接。

（十七）无机结合料稳定土集中拌和法施工规定

1. 混合料拌和

无机结合料稳定土可以在中心站用厂拌设备进行集中拌和。对于高速公路和一级公路，应采用专用稳定土集中厂拌机械拌制。

集中拌和时，应符合以下要求：土块应粉碎，最大粒径不得>15mm；配料应准确，拌和应均匀；含水率宜略大于最佳值，使混合料运到现场摊铺后碾压时的含水率不小于最佳值；不同粒级的碎石或砾石以及细集料（如石屑和砂）应隔离，分别堆放。集料的最大粒径和级配应符合规范要求。

正式拌和之前必须先调试设备，使混合料的颗粒组成和含水率都达到规范要求。当原材料的颗粒组成发生变化时，应重新调整生产配合比。

在潮湿多雨的地区或者其他地区的雨期施工时，应采取措施，保护集料，特别是对细集料，应覆盖，防止雨淋。应根据集料和混合料的含水率大小及时调整加水量。

2. 混合料运输

拌和好的混合料应采用大吨位的翻斗车运输。运输车应备有覆盖苫布以防止混合料因阳光照射失水或被雨淋，降低混合料的质量。

3. 混合料摊铺

第一，采用沥青混凝土摊铺机或稳定土摊铺机摊铺混合料。如果下承层是稳定细粒土，应先将下承层顶面拉毛，再摊铺混合料。

第二，拌和机与摊铺机的生产能力应匹配。高速公路路基较宽，摊铺机须连续作业，因此，拌和机的生产能力宜>400t/h。

第三，当路幅较宽，一台摊铺机不够宽时，为了避免形成纵缝，宜用两台摊铺机一前一后相隔5~10m，同步梯队向前摊铺，并同时碾压。

第四，应根据供料情况控制摊铺机行驶速度，连续稳步前进，以保证摊铺平整度。

第五，摊铺机后面应有人跟随，以负责消除粗、细集料离析现象，铲除局部粗集料“窝”，并及时用新拌制的混合料填补。

第六，在二至四级公路上，没有摊铺机时可以采用摊铺箱摊铺混合料，也可以用自动找平平地机辅以人工整平。

4. 碾压

第一，宜先用轻型两轮压路机跟在摊铺机后及时进行碾压，然后用重型振动压路机、三轮压路机或轮胎压路机继续碾压密实。

第二，当碾压厚度较厚，压实机具不能有效压实整个结构层厚度时，应分两层进行摊铺，但是最小厚度宜不小于 10cm。

第三，碾压机应紧跟摊铺机，及时进行碾压，以防混合料水分挥发，保证结构层在合适的含水率下成型。

5. 横向接缝处理

第一，摊铺机摊铺混合料时，不宜中断。如果因故中断超过 2h，应设置横向接缝，摊铺机应驶离混合料末端。

第二，将末端含水率合适的混合料弄整齐，紧靠混合料放两根方木，方木的高度应与混合料的压实厚度相等，整平紧靠方木的混合料。

第三，方木的另一侧用砂砾或碎石回填约 3m，其高度高出方木几厘米。

第四，将混合料碾压密实。

第五，重新开始摊铺混合料之前，除去砂砾或碎石及方木，并将下承层清理干净。

第六，摊铺机返回已压实层的末端，重新摊铺混合料。

第七，如果摊铺中断，未按上述方法处理横向接缝，且中断时间超过 2h，则应将摊铺机附近及其下面末端未经压实的混合料铲除，并将已压实且高程和平整度符合要求的末端挖成与路中心线垂直向下的断面，然后摊铺新的混合料。

（十八）无机结合料基层养护规定

第一，每一段碾压完成并经压实度检查合格后，应立即开始养护。

第二，对于高速公路和一级公路，基层的养护期不宜少于 7d。对于二级和二级以下的公路，如果养护期少于 7d 即铺筑沥青面层，则应限制重型车辆通行。

第三，水泥稳定土基层也可采用沥青乳液进行养护。

第四，二灰基层宜采用泡水养护法，养护期应为14d。

第五，养护期间，石灰稳定土不应过湿或忽干忽湿。

二、沥青路面施工机械

（一）沥青混凝土摊铺机

沥青混凝土摊铺机是沥青路面专用施工机械。它的作用是将拌制好的沥青混凝土材料均匀地摊铺在路面底基层或基层上，构成沥青混凝土基层或沥青混凝土面层，经压路机进一步碾压成型。沥青混凝土摊铺机能够准确保证摊铺厚度、宽度、路面拱度、平整度，因而广泛用于公路、城市道路、大型货场、停车场、码头和机场等工程中的沥青混凝土摊铺作业，也可用于稳定材料和干硬性水泥混凝土材料（RCC）的摊铺作业。它可大幅降低施工人员的劳动强度，减少压路机的碾压遍数（约减少2/3），加快施工进度，降低工程成本，又可提高所铺路面的质量。

1. 沥青混凝土摊铺机分类

（1）按摊铺宽度分类

按摊铺宽度分类，沥青混凝土摊铺机可分为小型、中型、大型和超大型四种。

第一，小型沥青混凝土摊铺机。最大摊铺宽度一般<3600mm，主要用于路面养护和城市巷道路面修筑工程。

第二，中型沥青混凝土摊铺机。最大摊铺宽度为4000～6000mm，主要用于一般公路路面的修筑和养护工程。

第三，大型沥青混凝土摊铺机。最大摊铺宽度一般为7000～9000mm，主要用于高等级公路路面工程。

第四，超大型沥青混凝土摊铺机。最大摊铺宽度为12000mm，主要用于高速公路路面施工。使用装有自动调平装置的超大型摊铺机摊铺路面，纵向接缝少，整体性及平整度好，摊铺路面表层效果最佳。

（2）按行驶方式分类

按行驶方式分类，沥青混凝土摊铺机分为拖式和自行式两种。其中，自行式又分为履带式和轮胎式两种。

第一，拖式沥青混凝土摊铺机。拖式沥青混凝土摊铺机是将收料、输料、分料和熨平等作业装置安装在一个特制的机架上组成的摊铺作业装置。工作时靠运料自卸车牵引或顶推进行摊铺作业。其结构简单，使用成本低，但摊铺能力小，摊铺质量差，所以仅适用于三级以下公路路面的养护作业。

第二，履带式沥青混凝土摊铺机。履带式沥青混凝土摊铺机的优点是接地比压小、附着力大，摊铺作业时很少出现打滑现象，运行平稳；缺点是机动性差，对路基凸起物吸收能力差，弯道作业时铺层边缘圆滑程度较轮胎式摊铺机低，且结构复杂，制造成本较高。履带式摊铺机多为大型机和超大型机，用于大型公路工程的施工。

第三，轮胎式沥青混凝土摊铺机。轮胎式摊铺机靠轮胎支撑整机并提供附着力，优点是转移运行速度快，机动性好，对路基凸起物吸收能力强，弯道作业易形成圆滑边缘；缺点是附着力小，在摊铺路幅较宽、铺层较厚的路面易发生打滑现象，对路基凹坑较敏感。轮胎式摊铺机主要用于低等级道路修筑与养护作业。

（3）按动力传动方式分类

按动力传动方式分类，沥青混凝土摊铺机可分为机械式和液压式两种。

第一，机械式沥青混凝土摊铺机。机械式沥青混凝土摊铺机的行驶驱动、输料传动、分料传动等主要传动机构都采用机械传动方式。这种摊铺机具有工作可靠、维修方便、传动效率高、制造成本低等优点，但其传动装置复杂，操作不方便，调速性和速度匹配性较差。

第二，液压式沥青混凝土摊铺机。液压式沥青混凝土摊铺机的行驶驱动、输料和分料传动、熨平板延伸、熨平板和振捣器的振动等的主要传动方式是液压传动，从而使摊铺机结构简化、重量减轻、传动冲击和振动减缓、工作速度等性能稳定，而且便于无级调速及采用电液全自动控制。随着液压传动技术可靠性的提高，在摊铺机上采用液压传动的比例迅速增大，并向全液压方向发展。全液压和以液压传动为主的摊铺机均设有电液自动调平装置，具有良好的使用性能和更高的摊铺质量，因而广泛用于高等级公路路面施工。

（4）按熨平板的延伸方式分类

按熨平板的延伸方式分类，沥青混凝土摊铺机可分为机械加长式和液压伸缩式两种。

第一，机械加长式沥青混凝土摊铺机。用螺栓把基本（最小摊铺宽度的）熨平板和若干加长熨平板组装成所需作业宽度的熨平板。其结构简单，整体刚度好，分料螺旋（亦采用机械加长）贯穿整个摊铺槽，能够让摊铺材料得到均匀分布。大型沥青混凝土摊铺机和超大型沥青混凝土摊铺机一般采用机械加长式熨平板，最大摊铺宽度可达12500mm。

第二，液压伸缩式沥青混凝土摊铺机。靠液压缸伸缩无级调整熨平板长度，使其达到要求的摊铺宽度。这种熨平板调整方便、省力，在摊铺宽度有变化的路段施工更能显示其优越性。但与机械加长式熨平板相比，其整体刚性较差，调整不当时，基本熨平板和可伸缩熨平板间易产生铺层高差，并因分料螺旋不能贯穿整个摊铺槽，可能造成混合料不均而影响摊铺质量。因而，采用液压伸缩式熨平板的摊铺机最大摊铺宽度不超过9000mm。

（5）按熨平板的加热方式分类

按熨平板的加热方式分类，沥青混凝土摊铺机可分为电加热式、液化石油气加热式和燃油加热式三种。

第一，电加热式、沥青混凝土摊铺机。通过由沥青混凝土摊铺机的发动机驱动的专用发电机产生的电能来加热。这种加热方式加热均匀、使用方便、无污染，熨平板和振捣器受热变形较小。

第二，液化石油气（主要用丙烷气）加热沥青混凝土摊铺机。这种摊铺机结构简单，使用方便，但火焰加热欠均匀，污染环境，不安全，且燃气喷嘴须经常清洗。

第三，燃油（主要指轻柴油）加热沥青混凝土摊铺机。燃油加热装置主要由小型燃油泵、喷油嘴、自动点火控制器和小型鼓风机等组成。其优点是可以用于各种工况，操作较方便，燃料易解决；缺点是有污染，且结构较复杂。

2. 沥青混凝土摊铺机主要部件

一般来说，沥青混凝土机是由主机和熨平装置两大部分以及连接它们的牵引大臂组成的。主机主要包括柴油发动机及动力传动系统、驾驶控制台、行驶机构、螺旋分料器、刮板输送器、接收料斗、大臂提升液压油缸和调平浮动油缸（即调平系统液压油缸）。主机用以提供摊铺机所需要的动力和支承机架，并接收、储存和输送沥青混合料给螺旋分料器。熨平装置主要包括振动机构、振捣机构、熨平板、厚度调节器、路拱调节器和加热系统。熨平板是对铺层材料进行整形与熨平的基础机件，并以其自重对铺层材料进行预压实。厚度调节器为手动调节装置，用以调节平板底面的纵向仰角，改变铺层的厚度。路拱调节器是位于熨平板中部的螺旋调节装置，用以改变熨平板底面左右两半部分的横向倾角，保证摊铺出符合给定路拱要求的铺层。加热系统用于加热熨平板的底板以及相关运动部件，使之不与沥青混合料相黏合，保证铺层的平整及在较低的气温下也能正常施工。振动机构和振捣机构依次对螺旋分料器分布好的铺层材料进行振捣和振实，予以初步压实。

3. 沥青混凝土摊铺机的工作过程

作业前，首先把沥青混凝土摊铺机调整好，并按所铺路段的宽度、厚度、拱度等的施工要求，调整好沥青混凝土摊铺机各有关机构和装置；装运沥青混合料的自卸车对准接收料斗倒车，直至汽车后轮与沥青混凝土摊铺机料斗前的顶推辊相接触，汽车挂空挡，由沥青混凝土摊铺机顶推其运行，同时自卸车车厢徐徐升起，将沥青混合料缓缓卸入摊铺机的接收料斗内；位于接收料斗底部的刮板输送器在动力传动系统的驱动下以一定的转速运转，将料斗内的沥青混合料连续均匀地向后输送到螺旋分料器前通道内的路基上；螺旋分料器将这些混合料沿沥青混凝土摊铺机的整个摊铺宽度向左右横向输送，分摊在路基上。分摊好的沥青混合料经熨平装置的振捣梁初步捣实，经振动熨平板再次振动预压、整形和熨平而成为一条平整的有一定密实度的铺层，最后经压路机终压而成为合格的路面（或路面基层）。摊铺过程中，自卸车一直挂空挡，由沥青混凝土摊铺机顶推着同步运行，直至车内混合料全部卸完才开走。另一辆运料自卸车立即驶来，重复上述作业，继续给摊铺机供料，使摊铺机不停顿地进行摊铺作业。

4. 沥青混凝土摊铺机选型

沥青混凝土摊铺机的选型就是根据道路的设计宽度、摊铺工艺及摊铺质量等要求，综合选择沥青混凝土摊铺机的最大摊铺宽度、最大摊铺厚度、摊铺速度、摊铺机生产率（t/h）、摊铺成型精度和摊铺成型质量。选型时应考虑以下三方面因素：第一，行驶方式，如拖式、履带式、轮胎式；第二，摊铺能力，如摊铺宽度、速度、厚度；第三，关键部件，如供料、熨平振捣、找平装置等。

5. 沥青混凝土摊铺机摊铺能力选择

沥青混凝土摊铺机的理论摊铺能力一般很大，实际摊铺量取决于摊铺宽度、速度和厚度三个方面。

（1）摊铺宽度

我国现有高速公路路面单幅宽度一般为10~14m，匝道宽度可达到17~20m。过分强调选择摊铺宽度超过12m的大型摊铺机，以达到一次性全幅面无纵向接缝的摊铺方式，摊铺宽度过大，螺旋分料器运送距离较长，会造成粗、细集料的离析；平均到料上的振捣力减小，预压实度减小；初压实度减小，导致重型压路机不能紧跟压实，会严重影响路面平整度。

较有效的摊铺方式是采用双机并行作业。一般建议摊铺机熨平板的宽度不大于9m。路宽>9m时，采用纵向接缝的办法分次摊铺，此时应尽量保证向接纵缝在路面的纵向标志之上，还应注意避免上下层之间纵向接缝的重合。

（2）摊铺速度

由于我国通常采用高密实度的熨平板，故宜采用较低的摊铺速度。实际施工经验表明，4~8m/min的作业速度可使结构层有较好的平整度，作业效率较高。实际施工过程中应尽量保持摊铺速度恒定。必须采用电子控制装置，通过速度传感器不断检测摊铺速度，并和预设的速度进行比较，通过调整行驶变量泵来实现速度的恒定控制。

（3）摊铺厚度

每层沥青混凝土的铺筑厚度一般<150mm，摊铺厚度为0~300mm的沥青混凝土摊铺机就能完全满足施工要求，这与目前沥青混凝土摊铺机的产品性能基本吻合，没必要对摊铺厚度做太高的要求。摊铺厚度大（>250mm）的工况仅适用于基层稳定材料的摊铺，只有少数的沥青混凝土摊铺机（如德国的ABG Titan525）的摊铺厚度能达到400mm。同时，应注意摊铺厚度的增加将导致施工的初压实度减小，施工层的平整度和压实度难以保证。

6. 沥青混凝土摊铺机关键部件选择

（1）供料系统

沥青混凝土摊铺机供料系统的功率占到总功率的50%以上，输料量与生产率之间的匹配影响路面的平整度。有的沥青混凝土摊铺机可以实现螺旋分料器正反向旋转，使料槽内的混合料可以向两边集中或推向单边，不会导致产生离析的阻料现象，且螺旋高度可调。在实际施工过程中，为了保证摊铺的平整度、均匀度和预压实度，必须保证料槽内的料位高度稳定，因此，必须选择性能良好的料位器，超声波、红外线料位器是最佳选择。

（2）熨平板

熨平板有机械加长式和液压伸缩式两种。机械加长式熨平板的整体刚度较好，抗变形能力强，在进行宽幅摊铺时具有一定的优势，因此，在宽幅摊铺和基层大负荷摊铺时应选择机械加长式熨平板。液压伸缩式熨平板具有安装方便的特点，适合在摊铺宽度多变、障碍物较多的场合使用，一般用于市政工程和高速公路的养护。

此外，还应注意熨平板的防爬坡和防沉降等功能，尽量避免停机、开机过程中出现路面台阶。

（3）振捣器

摊铺机大多设有振捣器，用于沥青混凝土摊铺层的初步振实。单振捣梁式沥青混凝土摊铺机结构简单，但预压实效果差；双振捣梁式摊铺机有较好的预压实效果。振捣器的振幅和频率应根据摊铺厚度、混凝土类型、温度及初压实度的要求进行调整。

（4）振动器

摊铺机熨平板内部一般设有振动器，用来激振熨平板，使之产生一定的振幅和频率，从而再一次对摊铺层进行振实。振动器的振幅和频率应容易改变调整。

（5）自动找平系统

自动找平系统的找平方式可以分为挂线控制找平、机械式浮动梁找平、声呐非接触平衡梁找平和 RSS 非接触式激光扫描自动找平，应根据施工路况综合选择自动找平系统。在狭小的区域施工时，应确保滑靴不出现碰撞；在障碍物较多的施工路段，应使用机械式纵坡传感器探测钢钎；对于大范围、长距离的摊铺，使用多探头超声波数字找平仪和长距离激光纵坡传感器，可以保证较长路段整体的平整度。选择自动找平系统时，主要应考虑找平精度、配备电器元件的质量和配套厂家、配备的找平装置基准类型、控制方式的选择等因素。

（二）沥青洒布车

在采用沥青贯入法或沥青表面处治法铺筑、养护沥青（或渣油）路面时，沥青洒布车可用来运输和喷洒各种液态沥青（热态沥青、乳化沥青和渣油等），也可就地向破碎的土壤喷洒沥青结合料，以稳定土路面。

1. 沥青洒布车的分类

沥青洒布车可按其用途、运行方式、喷洒方式及沥青泵的驱动方式等进行分类。

按用途，沥青洒布车可分为养路用和筑路用两种。养路工程使用的沥青洒布车储料箱容量一般不超过 400L，而筑路工程使用的沥青洒布车储料箱容量一般在 1000L 以上，有的高达 6000L。

按运行方式，沥青洒布车可分为手推式、自行式和拖运式三种。

按喷洒方式，沥青洒布车可分为泵压洒布和气压洒布两种。

按沥青泵的驱动方式，沥青洒布车可分为汽车发动机驱动和独立发动机驱动两种。

2. 沥青洒布车基本要求

第一，在沥青熔化基地能将热态沥青吸出，或转输沥青。

第二，能将热态沥青迅速运往工地，并保持其工作温度（146.85～166.85℃），沥青温度降低时能对其重新加热。

第三，撒布沥青时要有足够的喷洒压力（300～500kPa），使沥青喷洒均匀，并能调节洒布率。

第四，洒布作业结束时能抽空管路中的残留沥青，以免沥青凝固堵塞管路和喷嘴。

3. 自行式沥青洒布车的组成及工作流程

（1）组成

自行式沥青洒布车主要由保温沥青箱、加热系统、传动系统、循环撒布系统、操纵机构及检查、计量仪表等组成。

（2）主要工作流程

由沥青泵从沥青熔化池中将热沥青吸入沥青箱并运输到工地现场，通过加热系统将沥青加热到工作温度；操纵控制机构，开启喷洒阀门；通过洒布管、喷嘴，由沥青泵将沥青按一定的洒布率及一定的洒布压力喷洒到路面上。作业结束后，操纵沥青泵反向运转，将循环管路中的残留沥青吸送到沥青箱中。

4. 沥青洒布车使用时须注意的问题

沥青洒布车的正确使用，包括合理操作和正常维护，既是提高其生产率、洒布质量的关键，又是减少其故障、延长其使用寿命的重要保证。由于沥青具有易燃的特性，沥青洒布作业通常是在气温高的情况下进行的。对于沥青洒布车，有时（气温较低时）使用明火烘烤沥青泵等，所以沥青洒布车在使用过程中要特别注意预防火灾的发生。

第一，沥青洒布车在工作前，首先要检查沥青泵是否有被冷沥青凝固的现象，如有，则须用手提喷灯将其烤热熔化，直到泵能运转自如为止。

第二，利用虹吸管或沥青泵对沥青储料箱加注沥青，加注时通过指示器观察沥青混凝土中的液位，加注完毕，将洒布车开到沥青喷洒地段。

第三，根据作业要求将喷管调至合适高度，一般为离地面25cm左右。通过开闭喷嘴开关来完成不同的洒布作业要求。

第四，可根据泵的生产率、洒布宽度及洒布量确定洒布车的行进速度。为保证喷洒质量，应先定出沥青泵在某转速下的流量值，然后调整相应的车速，力求稳定行驶。

第五，工作中若用燃烧器加热沥青，应观察沥青温度，并保证加热的沥青在循环系统中能连续循环。

第六，每次喷洒完毕都要将循环-洒布系统管道中的残余沥青排尽。当天工作完毕，应将沥青储料箱、沥青泵和管道用煤油或柴油冲洗干净。

（三）石屑撒布机

石屑撒布机用于在喷洒完沥青的路基上均匀地撒布一定粒径范围的石屑，以修筑表层路面。拖式石屑撒布机挂在运料自卸车的挂钩上，作业时自卸车倒行顶推撒布机。悬挂式石屑撒布机悬挂在自卸车的料斗口上，车辆倒行进行撒布作业。这两种形式的撒布机结构简单，价格低廉，但作业时观察、操作不方便，一般用于小型工程路面修筑。自行式石屑撒布机机动性好，操作观察方便，容易保证施工质量，适合于工程量较大的路面工程。

石屑撒布机一般由后料斗、皮带输送机、前料斗、撒布器、可控制斗门、发动机、传动系统、操作系统、机架及行驶系统组成。自卸车运来的料倒入后料斗，由皮带输送机送到前料斗，前料斗中设有可调开度的活动斗门和控制石料撒布量的装置。撒布装置位于前料斗的出口下面，主要由拨料辊传动机构、机架等组成，启动拨料辊就可以把石料定量而均匀地撒布在刚洒好的沥青层上面。

三、沥青混合料拌和厂（场、站）

（一）对沥青混合料拌和厂（场、站）的规定

第一，沥青混合料必须在沥青拌和厂（场、站）采用拌和机械拌制。

第二，沥青拌和厂（场、站）的设置必须符合国家有关环境保护、消防、安全等的规定。

第三，沥青拌和厂（场、站）与工地现场的距离应充分考虑交通堵塞的可能，确保混合料的温度下降不超过要求，且不致因颠簸造成混合料离析。

第四，沥青拌和厂（场、站）应具有完备的排水设施。各种集料必须分隔储存，细集料应设防雨顶棚，料场及场内道路应进行硬化处理，严禁泥土污染集料。

第五，沥青混合料可采用间歇式拌和机或连续式拌和机拌制。高速公路和一级公路用沥青混合料宜采用间歇式拌和机拌和。连续式拌和机使用的集料必须稳

定，一个工程从多处进料、料源或质量不稳定时不得采用连续式拌和机。

第六，沥青混合料搅拌设备的各种传感器必须定期检定，周期不少于每年一次。冷料供料装置须经标定得出集料供料曲线。

（二）对间歇式拌和机的要求

第一，总拌和能力满足施工进度要求。间歇式拌和机除尘设备完好，能达到环保要求。

第二，冷料仓的数量满足配合比需要，通常宜不少于5~6个。

第三，具有添加纤维、消石灰等外掺剂的设备。

第四，高速公路和一级公路施工用的间歇式拌和机必须配备计算机设备，拌和过程中逐盘采集，并打印各个传感器测定的材料用量和沥青混合料拌和量、拌和温度等各种参数，每个台班结束时打印出一个台班的统计量，进行沥青混合料生产质量及铺筑厚度的总量检验。总量检验的数据有异常波动时，应立即停止生产，分析原因。

第五，间歇式拌和机的矿粉仓应配备振动装置以防止矿粉起拱。添加消石灰、水泥等外掺剂时，宜增加粉料仓，也可由专用管线和螺旋升送器直接加入拌和锅，与矿粉混合使用时应防止两者因密度不同发生离析。

第六，间歇式拌和机必须有二级除尘装置，经过一级除尘部分粉料可直接回收使用，二级除尘部分粉料可进入回收粉仓使用（或废弃）。对因除尘造成的粉料损失应补充等量的新矿粉。

第七，间歇式拌和机的振动筛规格应与矿料规格相匹配，最大筛孔宜略大于混合料的最大粒径，其余筛的设置应考虑混合料的级配稳定，并尽量使热料仓大体均衡，不同级配混合料必须配置不同的筛孔组合。

第八，间隙式拌和机宜备有保温性能好的成品储料仓。储存过程中混合料温降不得>10℃，且不能有沥青滴漏。普通沥青混合料的储存时间不得超过72h，改性沥青混合料的储存时间不宜超过24h，沥青玛蹄脂碎石混合料（SMA）只限当天使用，开级配沥青磨耗层（OGFC）宜随拌随用。

（三）沥青混凝土搅拌设备及分类

沥青混凝土搅拌设备用于将一定温度下的道路施工用不同粒径的集料（骨料）、填料（矿粉）和一定温度下的沥青按适当的比例要求搅拌，制成符合施工技术规范的沥青混合料，适用于公路、城市道路、机场、码头、停车场、货场等工程部门。沥青混凝土搅拌设备是沥青混凝土路面施工的关键设备之一，其性能直接影响到所铺筑的沥青路面的质量。

沥青混凝土搅拌设备可按生产能力、搬运方式、工艺流程等进行分类。

按生产能力分类，沥青混凝土搅拌设备可分为小型（生产率在40t/h以下）、中型（生产率为40~400t/h）和大型（生产率在400t/h以上）。

按搬运方式分类，沥青混凝土搅拌设备可分为移动式（将设备装置于拖车上，可随施工地点转移，多用于县乡公路和低等级公路工程）、半固定式（将设备装置在几辆拖车上，在施工地点拼装，多用于公路施工）和固定式（设备作业地点固定，又称沥青混凝土加工工厂，适用于工程集中施工、城市道路施工）。

按工艺流程，沥青混凝土搅拌设备可分为间歇强制式（集料的加热烘干和混合料的搅拌连续进行，混合料的搅拌强制周期性进行。按国内外规范要求，高等级公路建设应使用间歇强制式）和连续滚筒式（骨料的加热烘干和混合料的搅拌均在同一个滚筒中连续进行，多用于普通公路、场地建设）。此外，还可分为连续强制式和间歇滚筒式。

（四）间歇强制式沥青混凝土搅拌设备的组成及工作过程

1. 组成

冷骨料预配及输送装置，干燥筒，热骨料提升机，振动筛分装置，矿料储存及供给装置，称量、搅拌及成品料输送系统，除尘系统，气动系统，沥青储存及供给系统，电气控制系统。

2. 工作过程

不同粒径的骨料经冷骨料定量给料装置初配后，由冷骨料输送机输送到干燥筒，加热烘干至一定温度后，由热骨料提升机提升至振动筛分装置进行二次筛分，筛分后的骨料按粒径的大小分别储存在热骨料仓的分隔仓中，在电气控制系统的操纵下，按设定的比例先后进入热骨料称量斗内进行累加式称量，直至达到设定要求。同时，储存在石料储存仓中的矿粉以及储存在沥青供给装置中的热沥青分别由矿粉称量螺旋和沥青循环泵输送至矿粉称量斗与沥青称量斗中。搅拌完成后的骨料、矿粉以及沥青先后投入搅拌器内进行搅拌，搅拌完成后形成的沥青混合料通过成品料输送系统送入成品料储存仓储存或直接卸入运输车辆中。沥青混凝土搅拌设备在运行过程中产生的粉尘、废气和水蒸气经除尘系统过滤后排入大气。

（五）间歇强制式沥青混凝土搅拌设备的优缺点

间歇强制式沥青混凝土搅拌设备能保证矿料的级配，矿料与沥青的比例可达到相当精确的程度，另外也易于根据需要随时变更矿料级配和油石比，所以拌制出的沥青混凝土质量好，可满足各种施工要求。因此，这种设备在国内外使用得较为普遍。其缺点是工艺流程长，设备庞杂，建设投资大，能耗高，搬迁困难，对除尘设备要求高（有时所配除尘设备的投资占整套设备费用的30%~50%）。

（六）连续滚筒式沥青混凝土搅拌设备的组成及工作过程

1. 组成

冷骨料供给及配料计量系统，干燥搅拌滚筒，矿粉储存及计量供给系统，沥青储存及供给系统，除尘系统，成品料输送及储存系统，电气控制系统。

2. 工作过程

不同粒径的骨料经冷骨料供给及配料计量系统计量后，由皮带输送机输送至干燥搅拌滚筒内，骨料在干燥搅拌滚筒的前部被烘干加热至要求的温度，与此同时，石粉供给系统中的矿粉经计量装置计量后，被连续地输送至干燥搅拌滚筒内。经过干燥后的骨料与矿粉以及来自沥青储存及供给系统经过计量的沥青，在干燥搅拌滚筒的后部被混合搅拌，形成的沥青混合料由输送机运至成品料仓中储存待运。在干燥搅拌滚筒产生的油烟和含尘气体经除尘系统过滤后排入大气。需要说明的是，为了提高混合料的配合比精度，冷骨料在进入烘干—搅拌滚筒之前，会由骨料含水率测试仪测试冷骨料含水率的数据，并动态地输入电气控制系统的计算机中，由计算机换算出干骨料的实际质量，并根据干骨料的实际质量动态地自动调节矿粉和沥青的添加量，从而达到准确控制混合料配合比的目的。

（七）间歇强制式沥青混凝土搅拌设备选型

设备选型时应考虑设备形式、生产能力、冷料配料系统、计量系统、搅拌缸、除尘方式、成品料仓、燃油类型八个方面。

（八）间歇强制式沥青混凝土搅拌设备形式选择

对于半固定式和移动式搅拌设备，要求移动性能好，转移工地后能迅速安装，投产时间快。为了移动方便，一般是将组成设备的各部分分成一个或几个移动单元，每个移动单元都有一个金属结构的拖车架。

固定式搅拌设备一般也被设计成模块化结构，大大方便了拆装和搬运。统一生产量的搅拌设备，移动式的比固定式的贵很多。商品沥青混凝土供应基地和高等级公路养护中心一般选择固定式模块化的搅拌设备，而经常要转移工地的公路施工单位则根据需要和实力选购半固定式或移动式搅拌设备。

（九）间歇强制式沥青混凝土搅拌设备冷料配料系统选择

砂石料在进入烘干筒前应进行初配，这关系到砂石料加热温度的稳定性和振动筛分后各热料仓的平衡。按国内当前公路施工的实际情况，一般选用四个冷料仓即可满足需要，但可视实际情况再增加一个细料或添加剂的冷料仓。

砂石料的初级配由在冷骨料下面的给料器完成，要求给料器按一定的流量连续均匀地供料。给料器有往复式、链板式、电磁振动式和皮带式四种。

电磁振动式给料器通过改变振幅来调整供料量，体积小，安装方便，消耗功率小，不需要润滑，便于集中控制，但对于砂石料，连续均匀供料的效果较差，因此，电磁振动给料器一般配碎石料仓用。对砂石料仓采用皮带式给料器，它有强制给料的功能。为了防止湿的砂石料在料仓内结拱、堵塞，在料仓壁上再装置一个振动器，这样就能保证砂石料均匀连续供给。为了保证在砂石料总的输出量变化时各种料的级配比仍保持不变，应选用既能统一控制，又能单个控制的结构。另外，在选择冷料仓的容量时应注意料斗的宽度，以保证装载机铲斗与之相匹配。

（十）间歇强制式沥青混凝土搅拌设备计量系统选择

1. 热骨料计量装置

现代混凝土搅拌设备中，热骨料的计量多采用电子累加质量计量装置。该装置将每次测得的质量经过转换送入电子仪器，放大、显示并输出控制信号。通过在电子仪器上预先选好各种材料的给定值，可以使用自动控制执行机构来启闭各储料斗斗门。

2. 石粉计量装置

石粉的计量多采用电子秤。称量时螺旋供料器与叶轮给料器的电机同时旋转，螺旋供料器给计量斗供料，料量达到设定值后供料螺旋停转，称量斗斗门开启，矿粉被卸至搅拌器内。计量值可从控制台的称量数字显示器上读出。

3. 沥青计量装置

沥青计量可分为称重式计量方法和容积式计量方法。称重式计量方法一般使用不同类型的电子秤进行称量，具有测量误差小、测量灵敏度高的优点，但是结构和线路复杂，易出故障，不便于检修，电子元件购置困难。另外，液态沥青罐出、入口的连接和进罐时的冲击力，使电子秤的计量不能达到要求的精度。同时，在灰尘较大的环境里使用电子秤，也很难保证其准确性，尤其在沿海地区施工时，对电子秤更不利。

容积式计量方法即根据液态沥青的相对密度，通过液态沥青的体积定量来确定其用量。这种计量方法不受液态沥青进罐时的冲击力影响，也不受灰尘和环境的限制，计量准确，不会产生冒罐喷油现象，不易出现故障，能保证生产的连续性。使用容积式计量装置时，液态沥青罐结构和线路都很简单，便于检修，操作方便，成本低，经济效益较高。

（十一）间歇强制式沥青混凝土搅拌设备搅拌缸选择

间歇强制式沥青混凝土搅拌设备的生产能力在很大程度上取决于搅拌缸的

容积。

搅拌缸的搅拌方式将直接影响搅拌质量。目前大都采用双卧轴式强制搅拌缸，每根轴上有6~8对搅拌臂，搅拌桨叶和轴中心安装呈45°角，同一根轴上相邻的两对搅拌臂相错角度为90°或45°（角度小有利于拌细矿料），两根轴上对应的搅拌臂也相错90°或45°角。物料投入搅拌缸后，在搅拌桨叶旋转运动的带动下，沿轴线做推进运动，垂直轴线又有交叉运动，因而得到最佳的搅拌效果。

（十二）间歇强制式沥青混凝土搅拌设备除尘方式选择

间歇强制式沥青混凝土搅拌设备生产过程中会产生大量粉尘，除尘装置有三种类型：干式除尘器、湿式除尘器和布袋除尘器。

干式除尘器一般是利用旋风原理制成的，由多个旋风筒（圆锥形）组成。含烟尘的气流以一定的速度切向进入除尘器的旋风筒做旋转运动，在离心力的作用下，较大颗粒的粉尘（粒径在20μm以上）被甩到筒壁上滑落下来掉到旋风筒底部，再由螺旋输送机回收利用。这种除尘器的效率为93%，经过除尘后的气体粉尘含量为300mg/m³左右。

湿式除尘器的工作原理是：带粉尘的气体进入除尘器后，在文丘里喉管处与喷成雾状的水相遇，粉尘被水黏附而与气体分离。与此同时，混杂在气体中的重油燃烧气体也溶于水中，使空气得以净化。这种除尘器的除尘效率为95%，经过除尘后的气体粉尘含量为200mg/m³左右。通常湿式除尘器作为二级除尘装置和干式除尘器配套使用，主要用于除去粒径为5~20μm的粉尘。国外厂家提供的湿式除尘器都有一个水循环系统，以解决水消耗量大的问题，但用户需准备水池。湿式除尘器主要的问题是含尘废水易引起二次污染，废水对钢铁也有腐蚀作用，因此，水中应添加中和剂并定期更换。

布袋除尘器是一种高效除尘装置，利用有机纤维或无机纤维织物做成过滤袋，将废气中的粉尘滤出。对于黏附有粉尘的布袋，通过反向自动通入压缩空气，将粉尘抖落下来，再由底部的螺旋输送机回收利用。布袋除尘器对布袋的要求较高，要求布袋能耐200℃高温，而且需具有一定的韧性。这种除尘器能除去粒径在0.3μm以上的粉尘，除尘效率为95%~99%，经过除尘后的气体粉尘含量为 100mg/m^3 左右。

由于布袋除尘器价格较贵，管理维修也较为复杂，所以只用于生产能力在60t/h 以上的大、中型搅拌设备及环保要求较高的地方。生产能力<60t/h 的间歇强制式沥青混凝土搅拌设备一般采用二级除尘法。

（十三）间歇强制式沥青混凝土搅拌设备成品料仓的安装位置

根据成品料仓相对主机的位置，间歇强制式混凝土搅拌设备成品料仓的安装位置可分为旁置式和下置式。旁置式是指成品料仓在主机旁边，而下置式是指成品料仓在主机搅拌缸的下方。

旁置式的优点是安装方便，整机高度相对较低，重心也较低，且操作人员容易观察混合料的质量情况；缺点是需要增加一套从搅拌缸到成品料仓的小车输送系统，这不但易造成成品料降温快，而且由于拉动小车的链条运动频繁，容易损坏，小车易失控下滑而出现事故。

对于下置式，由于增高了整机的高度，不但增加了钢材的用量和设备的安装难度，而且加大了防台风、防雷电工作的难度，但节省了一套运送成品料的小车系统，不但使整机结构简单，而且降低了故障率。

这两种结构各有利弊，应根据具体情况加以选择。

第二节　热拌沥青混合料路面施工

一、混合料的拌制

（一）沥青混合料拌和规定

第一，各种集料分类堆放，每个料源均应进行试验，按要求的配合比进行配料。

第二，设置具有密封性及除尘性能的设备，并有检测拌和温度装置的间歇式沥青混凝土拌和站。

第三，拌和站应设试验室，对沥青混凝土的原材料和沥青混合料及时进行检测。

第四，沥青的加热温度控制在《沥青路面施工及验收规范》（GB 50092—1996）规定的范围之内，即150~170℃。集料的加热温度控制在160~180℃；混合料的出厂温度控制在140~165℃。若混合料出厂温度过高，应废弃。混合料运至施工现场后的温度控制在120~150℃。

第五，出厂的混合料须均匀一致，无花白料，无粗、细集料离析和结块现象，不符合要求时应废弃。

（二）沥青混合料拌和注意事项

第一，严格控制各种规格的集料、矿粉和沥青的配合比，并准确计量。

第二，严格控制沥青、矿料加热温度及沥青混合料的出厂温度。

第三，冷料仓应正常，热料仓供料应均衡，否则应调整。

第四，干拌时间10s以上，湿拌时间25s以上。

第五，应逐盘打印沥青及各种矿料的用量与拌和温度，定期对拌和机的计量和测温进行校核。

第六，每天上午、下午各取一组混合料做马歇尔试验和抽提筛分试验。对于热料仓，每天取样一次，检验矿料级配的稳定性。

（三）常出现的问题及原因

第一，沥青混合料冒烟：温度过高。

第二，沥青混合料在料车中坍平，不易堆积：沥青用量过大，矿料过湿。

第三，沥青混合料在料车中堆呈尖状：沥青混合料温度过低，沥青含量偏低。

第四，出现花白料：拌和时间短，吸尘不完全。

第五，出现沥青混合料干涩枯料：加热温度过高，沥青老化。

第六，沥青混合料颗粒异常：冷料颗粒组成不合理。

（四）石油沥青加工及沥青混合料施工温度的确定

第一，石油沥青加工及沥青混合料施工温度应根据沥青标号及黏度、气候条件、铺装层的厚度确定。

第二，普通沥青混合料的施工温度宜通过在135℃及175℃下测定的黏度-温度曲线确定，并根据实际情况确定使用高值或低值。当规定温度不符合实际情况时，可适当调整。

第三，聚合物改性沥青混合料的施工温度根据实践经验并参照《公路沥青路面施工技术规范》（JTG F40—2004）选择。通常宜较普通沥青混合料的施工温度高10~20℃。对采用冷态胶乳直接喷入法制作的改性沥青混合料，集料烘干温度应进一步提高。

第四，SMA混合料的施工温度应视纤维品种和数量、矿粉用量的不同，在改性沥青混合料的基础上适当提高。

（五）沥青混凝土拌和工艺

在正式拌和成品前，为了预热壳体，要用热砂石料预拌2~3次，矿料与填料在拌和筒内应预先干拌10~15s后再喷入沥青正式拌和，在拌和中应保证料斗和料仓供料均匀，以防溢仓或串仓。

在拌和过程中要经常检查计量装置的准确性，还要保证计量时机合适。若计量过早，由于热集料从干燥筒到达热料仓的时间（一般为2min）要长于计量时间（约45s），计量时容易发生“等料”现象；若计量过晚，则容易发生溢料现象。还应保证冷料和热料按确定的配合比供料，以保证计量时各仓料量的均匀。拌和过程应尽量保持连续性，减少停机、开机次数，因为拌和初期材料的组成不易稳定，多次中断容易引起混合料配合比失调。

矿料在烘干时，如含水率大，烘干时间就应相对延长。当烘干筒达到一定温度后才能启动冷料输送机和配料给料装置，并保持供料均匀，确定拌和时间。为达到拌和的均匀性，要求拌和时间越长越好，但拌和时间过长会造成沥青老化，应经试验确定拌和时间。根据实践经验，细料及石粉较多的混合料拌和时间要相对延长，沥青含量高的混合料拌和时间可相对缩短。

二、混合料的运输与摊铺

（一）混合料运输规定

第一，热拌沥青混合料宜采用较大吨位的运料车运输，但不得超载运输或急刹车、急弯掉头，以防透层、封层损伤。运料车的运力应稍有富余，施工过程中摊铺机前方应有运料车等候。对高速公路、一级公路，宜待等候的运料车多于5辆后开始摊铺。

第二，运料车每次使用前后必须清扫干净，在车厢板上涂一薄层防止沥青黏结的隔离剂或防黏剂，但不得有余液积聚在车厢底部。从拌和机向运料车上装料时，应多次挪动运料车，平衡装料，以减少混合料离析。运料车运输混合料宜用苫布覆盖，以保温、防雨、防污染。

第三，运料车进入摊铺现场时，轮胎上不得有泥土等污染路面的脏物，否则宜设水池，洗净轮胎后再进入工程现场。在摊铺地点凭运料单接收沥青混合料，若混合料不符合施工温度要求，或已结成团块，已遭雨淋，不得铺筑。

第四，摊铺过程中运料车应在摊铺机前100~300mm处停住，挂空挡等候，由摊铺机推动前进并开始缓缓卸料，避免撞击摊铺机。有条件时，运料车可将混合料卸入转运车，经二次拌和后向摊铺机连续均匀地供料。运料车每次卸料必须倒净，尤其是对改性沥青或SMA混合料，如有剩余，应及时清除，防止硬结。

第五，对于SMA及OGFC混合料，在运输、等候过程中，如果发现有沥青结合料沿车厢板滴漏，应采取措施消除。

（二）混合料摊铺规定

第一，摊铺高速公路、一级公路沥青混合料时，一台摊铺机的铺筑宽度不宜超过6（双车道）~7.5m（三车道以上），通常宜采用2台或更多台数的摊铺机前后错开10~20 m，以梯进式同步摊铺。摊铺机应具有自动调节摊铺厚度和找平的装置及可加热的振动熨平板。

第二，底层、中层、面层采用走线法施工，表面层采用平衡梁法施工。摊铺机应采用自动找平方式，下面层或基层宜采用钢丝绳引导的高程控制方式，上面层宜采用平衡梁或雪橇式摊铺厚度控制方式，中面层根据情况选用找平方式。直接接触式平衡梁的轮子不得黏附沥青。摊铺改性沥青或SMA路面时宜采用非接触式平衡梁。

第三，摊铺机应匀速行驶，行驶速度与拌和站生产能力相匹配，以确保所摊铺路面均匀、不间断。在摊铺过程中不准随意变换速度，尽量避免中途停顿，减少混合料的离析。摊铺速度宜控制在2~6m/min。对改性沥青混合料及SMA混合料，摊铺速度宜放慢至1~3m/min。当发现混合料出现明显的离析、波浪、裂缝、拖痕时，应分析原因，予以消除。

第四，沥青混凝土的摊铺温度应根据气温变化进行调节。一般正常施工时不低于110~130℃，最高不超过165℃。在摊铺过程中应随时检查温度并做好记录。

第五，摊铺机开工前应提前0.5~1h预热熨平板，使其温度不低于100℃。铺筑过程中应选择熨平板的振捣或夯锤压实装置，选择适宜的振动频率和振幅，以提高路面的初始压实度。熨平板加宽连接时应仔细调节，使摊铺的混合料没有明显的离析痕迹。

第六，采用双机或三机梯进式施工时，相邻两机的间距控制在10~20m。两幅摊铺路面应有5~10cm宽度的重叠。

第七，在摊铺过程中，随时检查摊铺质量，出现离析、边角缺料等现象时应及时人工补撒料，更换补料。

第八，摊铺机无法作业的地方，在监理工程师同意后采取人工摊铺。

（三）摊铺作业前摊铺机结构参数的调整

沥青混凝土摊铺机的结构参数主要包括熨平板的宽度、拱度，螺旋分料器的长度，熨平板的工作角，振捣器和振动器的振幅及频率等。

第一，熨平板的宽度及拱度应根据路面的设计要求而定。调整时，应考虑施工过程中可能出现的接缝重叠以及熨平板的变形。

第二，调整螺旋分料器时，应注意使其长度小于熨平板的宽度，通常熨平板宽度两侧的挡板间要各留约 50cm 的空当，以减小混合料的挤压和叶片的磨损。

第三，熨平板的工作角直接影响其摊铺厚度，工作角越大，摊铺厚度越大。一般工作角的大小根据摊铺厚度试铺确定。每调节一次工作角后应至少让摊铺机行驶 5~6m 再测量摊铺厚度，不可调节后马上测量摊铺厚度，因为从开始调整工作角到平稳摊铺需要一段时间。

第四，沥青混凝土摊铺机的振动频率一般为 0~60Hz，且连续可调，振幅为 0~4mm。由于沥青混合料的固有频率为 40~50Hz，将熨平板的工作频率调至此范围内可使颗粒处于振动状态，减小摩擦阻力，有利于提高初压实度。振幅是由材料的抗变形能力及熨平板的频率一起作用、自动生成的，无须设定。

第五，振捣器的振幅和频率应根据摊铺厚度、混合料类型、温度及要求的初压实度等因素确定。当铺层较厚、混合料粒径较大、温度较低、要求的初压实度较高时，振幅应较大，频率应较高。振捣频率一般较低，能保证摊铺机每前进 5 mm 振捣一次即可，一般在 0~25Hz 范围内调节。

第六，参数调整完成后还要进行试验路段的摊铺，测量摊铺完成后的拱度、平整度及初压实度，检测其是否达到要求，如果偏差太大，则要继续进行调整。

（四）摊铺机在起步时应注意的问题

摊铺机的起步在整个摊铺过程中技术性最强，要求最高，难度最大，起步的好坏直接影响接缝的平整度、压实度和连接质量。

摊铺机的起步有两种情况：在某一沥青层第一次摊铺时的起步和在已铺层上对接时的起步。前者须将摊铺机驶至始铺处，让熨平板前沿位于起铺线后约 10 cm，并在其下至少垫两块厚度与该层松铺厚度相同的木板支撑住熨平板；后者须将熨平板置于已铺层上，并让熨平板前沿与接口平行，其下应垫厚度等于已铺层厚度与压实厚度之差的木板。熨平板就位后就可对其进行预热，加热温度应达到或者略低于所铺混合料的温度。

摊铺起步完成后，摊铺机的熨平板应处于自由浮动状态，从而保证正常摊铺过程中的平整度。

（五）摊铺中的接缝分类及处理原则

摊铺层的接缝分为纵向接缝和横向接缝。纵向接缝通常由两幅或多幅摊铺形成，有两台摊铺机梯进作业时热料对热料的热接缝和一台摊铺机作业时热料对冷料的冷接缝之分。纵向接缝应尽可能地采用热接缝，由于梯进作业时两幅混合料的温差不大，摊铺层接缝处材料尚可挤压并能较好地黏结，故只要选择合适的搭接量即可获得良好的搭接质量。万不得已而采用冷接缝时，应使用熨平板的平端板（冷却后）或用切割机切齐，形成平接缝，使后来的搭接易于控制。

横向接缝产生于暂停铺筑的地方，一般为冷接缝。

（六）纵向冷接缝的施工搭接量

接缝施工时，为获得较好的效果，搭接量应控制在2～3cm。若搭接量过大，会对整个摊铺层及接缝造成以下负面影响。

第一，由于碾压会使摊铺层沉降，尽管沉降量小于沥青混凝土粒料，但搭接过大将导致粒料破碎，并可能使冷层边缘的组织结构受到破坏。

第二，搭接量过大会使熨平板的浮动受到干扰，熨平板在铺筑好的那一侧并不是由沥青混合料来支撑的，而是由搭接区域的高度迫使其抬高的。显而易见，即使经过碾压，此区域的密实度也必然会降低或出现压痕。

在实际施工中，人工控制搭接量使之均匀一致非常困难。国外已经研究出一种称为边缘跟踪仪的自动控制装置，其跟踪臂由第一幅摊铺层的边缘引导，在摊铺过程中与跟踪仪预置的搭接量进行比较。当产生偏差时，跟踪仪发出电脉冲信号控制伸缩熨平板，实现搭接量的自动控制，但是这种跟踪仪只适用于伸缩熨平板。

（七）表面黏结料过度集聚的处理方法

在使用高密实度熨平板摊铺耐磨层时，如果获得的马歇尔密实度超过98%，将在摊铺层表面发生黏结料的过度集聚。表面析出的黏结料主要为沥青或改性沥青，因其中的骨料极少而导致摊铺层的强度不足，形成早期破坏现象。可通过降低高密实度熨平板的夯锤与振动器的频率来降低摊铺层密实度，同时消除了表面黏结料的过度集聚。要获得摊铺层表面良好的组织结构，高密实度熨平板实现的马歇尔密实度平均值应控制在95%。摊铺耐磨层时，应降低熨平板的压实能量，以避免黏结料的集聚。

（八）沥青混合料离析的原因

混合料在拌和、装料、运输、卸料以及分料等运动过程中，各种粒径的级配骨料的滑落速度不同。相对于细粒料，粗粒料黏结面积小，所以黏结力较小，同时因其重力大于粒料之间的黏结力的机会较大而更快地滑落，从而产生离析，这是离析发生的内因。在搅拌分料过程中，粒料受力方向和大小的改变是离析发生的外因。内外因的共同作用使混合料产生离析。

离析对摊铺层可产生不良影响，使其整体强度和稳定性降低。

粗料集中时，摊铺层的粒料间因沥青黏结面积小而使黏结力减小，导致粒料易于脱离，从而使道路的防水功能大大降低；细料集中时，由于缺乏骨料而使摊铺层的强度不足，弯沉偏大，易于产生泛油及拥包等现象。

（九）避免混合料离析的方法

第一，减少混合料在运动过程中的下降高度和时间是减少离析的关键。自卸车接料时，应分堆进行，切忌一次完成。

第二，摊铺过程中，自卸车向料斗中卸料时应一次举升完成，同时要求混合料在进入料斗前应进行一次拌和。

第三，在布料仓内，混合料的高度应稳定地保持在螺旋叶片的2/3处；在满足混合料供给量的前提下，尽可能降低螺旋布料器的高度。

第四，螺旋布料器要保持连续稳定地向两边分料，使混合料再次得到均匀拌和。

第五，在条件允许的情况下，应尽可能地采用大直径、低转速的叶片；若自卸车能连续供料，应尽量减少摊铺机收料斗的收放次数；尽可能不采用超大宽度、一次摊铺成型的施工方法。

三、路面的压实与成型

（一）混合料压实与成型基本要求

第一，沥青混凝土的压实层最大厚度宜不大于100mm，沥青稳定碎石混合料的压实层厚度宜不大于120mm，但当采用大功率压路机且经试验证明能达到压实度时厚度允许增大到150mm。

第二，沥青路面施工应配备足够数量的压路机，选择合理的压路机组合方式及初压、复压、终压（包括成型）的碾压步骤，以达到最佳碾压效果。高速公路铺筑双车道沥青路面的压路机数量宜不少于5台。施工气温低、风大、碾压层薄时，压路机数量应适当增加。

第三，压路机应以慢而均匀的速度碾压。压路机的碾压路线及碾压方向不应突然改变，否则会导致混合料推移。碾压区的长度应大体稳定，两端的折返位置应随摊铺机前进而推进，横向不得在相同的断面上。

第四，在不产生严重推移和裂缝的前提下，初压、复压、终压都应在尽可能高的温度下进行。同时，不得在低温状况下进行反复碾压，否则会使石料棱角磨损、压碎，破坏集料嵌挤。

第五，终压应紧接在复压后进行，如经复压后已无明显轮迹时可免去终压。终压可选用双轮钢筒式压路机或关闭振动方式的振动压路机，碾压宜不少于2遍，至无明显轮迹为止。

第六，碾压轮在碾压过程中应保持清洁，若有混合料粘轮应立即清除。对钢轮，可涂刷隔离剂或防黏结剂，但严禁刷柴油。当采用向碾压轮喷水（可添加少量表面活性剂）的方式时，必须严格控制喷水量，水应呈雾状，不得漫流，以防混合料降温过快。在轮胎压路机开始碾压阶段，可适当烘烤或涂刷少量隔离剂或防黏结剂，也可少量喷水，并先到高温区碾压，使轮胎尽快升温，之后停止喷水。轮胎压路机轮胎外围宜加设围裙保温。

（二）初压要求

第一，初压应紧跟摊铺后并保持较短的初压区长度，以尽快使表面压实，减少热量散失。摊铺后初始压实度较大，经检验证明，采用振动压路机或轮胎压路机直接碾压无严重推移且效果良好时，可免去初压而直接进入复压工序。

第二，初压通常宜采用钢轮压路机静压 1～2 遍。碾压时应将压路机的驱动轮面向摊铺机，从外侧向中心碾压，在超高路段和坡道上则由低向高碾压。

第三，初压后应检查平整度、路拱，有严重缺陷时应进行修整乃至返工。

（三）复压要求

复压应紧跟在初压后开始，且不得随意停顿。压路机碾压段的总长度应尽量缩短，通常不超过 60～80m。采用不同型号的压路机组合碾压时，宜安排每一台压路机做全幅碾压，防止不同部位的压实度不均匀。

密级配沥青混凝土的复压宜优先采用重型的轮胎压路机进行搓揉碾压，以增加密水性，其总质量不宜小于 25t，吨位不足时宜附加重物，使每一个轮胎的压力不小于 15kN。冷态时的轮胎充气压力不小于 0.5MPa，轮胎发热后不小于 0.6MPa，且各个轮胎的气压大体相同，相邻碾压带应重叠 1/3～1/2 的碾压轮宽度，碾压至要求的压实度为止。

对以粗集料为主的较大粒径的混合料，尤其是大粒径沥青稳定碎石基层，宜优先采用振动压路机复压。厚度<30mm 的薄沥青层不宜采用振动压路机碾压。振动压路机的振动频率宜为 35～50Hz，振幅宜为 0.3～0.8mm。层厚较大时选用高频率和高振幅，以产生较大的激振力；厚度较薄时采用高频率和低振幅，以防止集料破碎。相邻碾压带重叠宽度为 100～200mm。振动压路机折返时应先停止振动再折返。

当采用三轮钢筒式压路机时，总质量不宜小于 12t，相邻碾压带宜重叠后轮的 1/2 宽度，并应不少于 200mm。

对路面边缘、加宽及港湾式停车带等大型压路机难以碾压的部位，宜采用小型振动压路机或振动夯板进行补充碾压。

（四）SMA 路面压实要求

除沥青用量较低且经检验证明采用轮胎压路机碾压效果良好外，不宜采用轮胎压路机碾压，以防沥青结合料搓揉挤压上浮。

对于SMA路面，宜采用振动压路机或钢筒式压路机碾压。振动压路机应遵循“紧跟、慢压、高频、低幅”的原则，即紧跟在摊铺机后面，采取高频率和低振幅的方式慢速碾压。如果发现SMA混合料在高温下有推拥现象，应复查其级配是否合适。

（五）混合料压实注意事项

应采用2~3台双轮双振压路机及2~3台质量不小于16t的胶轮压路机。

初压采用双轮双振压路机静压1~2遍，正常施工情况下，温度应不低于110℃并紧跟摊铺机。复压采用胶轮压路机和双轮双振压路机振压等综合碾压4~6遍，碾压温度应控制在80~100℃。终压采用双轮双振压路机静压1~2遍，碾压温度应不低于65℃。对边角部分等压路机碾压不到的位置，使用小型振动压路机碾压。

沿纵向由低边向高边按规定要求的碾压速度均匀进行碾压，相邻碾压重叠宽度>30cm。

采用雾状喷水法，以保证沥青混合料碾压过程中不粘轮。

不在新铺筑的路面上停机、加水、加油，以防各种油料、杂质污染路面。压路机不准停留在温度尚未冷却至自然气温的已完成路面上。

碾压进行中压路机不得中途停留、转向或制动，压路机每次由两端折回的位置以阶梯形随摊铺机向前推进，使折回处不在同一横断面上，振动压路机在已成型的路面上行驶时应关闭振动。

（六）接缝处理规定

梯队作业采用热接缝，施工时将已铺混合料部分留下20~30cm暂不碾压，作为后摊铺部分的高程基准面，后摊铺部分完成后立即骑缝碾压，以除缝迹。

半幅施工不能采用热接缝时，人工顺直刨缝或切缝。铺另半幅前必须将边缘清扫干净，并涂洒少量黏层沥青。摊铺时应重叠在已铺层上5~10cm，摊铺后将混合料人工清走。先在已压实路面碾压，碾压新铺层10~15cm，然后压实新铺部分，再压过已压实路面 10~15cm，充分将接缝压实。

纵向接缝与横向接缝的处理如下。

1. 纵向接缝

纵向接缝两条摊铺带相接处必须有一部分搭接，才能保证该处与其他部分有相同厚度。搭接宽度应前后一致。搭接施工有冷接法和热接法两种。

冷接法施工是指将新摊铺层与经过压实后的已铺层进行搭接。半幅施工不能采用热接缝时宜加设挡板或采用切刀切齐。铺另半幅前必须将缝边缘清扫干净，并涂洒少量黏层沥青。摊铺时应重叠在已铺层上 5~10cm，摊铺后用人工将摊铺在前半幅上的混合料铲走，然后进行碾压。应注意新摊铺带必须与前一条摊铺带的松铺厚度相同。

热接法施工一般在使用两台以上摊铺机梯队作业时采用。此时两条毗邻摊铺带的混合料都处于压实前的热状态，所以纵向拼接易于处理，且连接强度较好。施工时应将已铺混合料部分留下 10~20cm 宽，暂不碾压，作为后摊铺部分的高程基准面，待后摊铺部分完成后，一起跨缝碾压。

2. 横向接缝

横向接缝有斜接缝和平接缝两种。高速公路、一级公路的中、下层的横向接缝可采用斜接缝，在上面层应采用垂直的平接缝，其他等级道路的各层均可采用斜接缝。铺筑接缝时，可以在压实部分上面铺一些热混合料使之预热软化，以加强新旧混合料的黏结，但在开始碾压前应将预热用的混合料铲除。

处理横接缝时，首先用 3m 直尺检查端部平整度，不符合要求时，垂直于路中线切齐清除。清理干净后在端部涂黏层沥青，接着摊铺。摊铺时调整好预留高度，接缝处摊铺层施工结束后再用 3m 直尺检查平整度。

对于横向接缝，先用双轮双振压路机进行横压，碾压时压路机位于已压实的混合料层上，新铺层的宽应为 15 cm，每压一遍向新铺混合料移动 15~20 cm，再改为纵向碾压。

纵向冷接缝上、下层的缝错开 15cm 以上，横向接缝错开 1m 以上。

（七）斜接缝与平接缝处理

1. 斜接缝

斜接缝的搭接长度与层厚有关，一般为0.4~0.8m。搭接处应清扫干净并喷洒黏层油。当搭接处混合料中的粗集料颗粒超过压实层厚度时应予以剔除，并补上细料。斜接缝应充分压实并搭接平整。

2. 平接缝

平接缝应紧密黏结，充分压实，连接平顺。

第一，施工结束时，摊铺机在接近端部前约1m处将熨平板稍抬起并驶离，人工将端部混合料铲齐后再接着碾压，然后用3m直尺检查平整度，趁混合料尚未冷透时垂直刨除端部层厚不足的部分，使下次施工时直角连接。

第二，在预定摊铺段的末端先撒一薄层砂石，摊铺混合料后在摊铺层上挖一道缝隙，缝隙位于撒砂的交界处。在缝隙中嵌入一块与压实层等厚的木板或型钢，待压实后铲除撒砂的部分，扫尽砂石，撤去木板或型钢，在端部喷洒黏层沥青，再接着摊铺。

第三，在预定摊铺段末端先铺上一层麻袋或牛皮纸，摊铺碾压成斜坡，施工时将铺麻袋或牛皮纸的部分人工刨除，在端部喷洒黏层沥青，再接着摊铺。

第四，在预定摊铺段的末端先撒布一薄层砂石，再摊铺混合料，待混合料冷却后用切割机将撒砂的部分切割整齐后取走，再用干拖布吸走多余的冷却水，待完全干燥后在端部喷洒黏层沥青，再接着摊铺。不得在接头有水或潮湿的情况下铺混合料。

（八）温拌沥青混合料压实要求

应配备数量足够、吨位适宜的压路机。为达到良好的压实效果，必须使用大吨位的双钢轮振动压路机和大吨位的胶轮压路机。一般情况下，单幅摊铺（不超过6m）需要配置1台初压双钢轮振动压路机（11~18t）、1台复压胶轮压路机（25~35t）、1台终压双钢轮振动压路机（10~15t）。如果采取双机梯队或者一次性摊铺宽度超过6 m，至少需要配置2台初压双钢轮振动压路机（11~18t）、2台复压胶轮压路机（25~35t）、1 台终压双钢轮振动压路机（10~15t）。

根据混合料的级配类型、天气情况，选择合理的碾压工艺。常用的碾压工艺如下。

初压两遍，选择 11~18t 双钢轮振动压路机振动压实，压实速度宜为 2~3km/h。如果第一遍前进振动碾压时发生严重推移，则采用静压，其他情况采用振压。

复压 2~4 遍，应采用 25~35t 胶轮压路机，压实速度宜为 2~4km/h。

终压两遍，选择 10~16t 双钢轮振动压路机，采用振、静结合方式，收光采用静压，压实速度可为 3~5km/h。

为保证压实过程中不出现粘轮现象，在振动压路机的水箱中可加入少量表面活性剂，并应尽可能减少洒水量。胶轮压路机不得洒水，压实过程中应适量喷洒或涂抹隔离剂（如食用油等）。

温拌沥青混合料压实的其他要求见《公路沥青路面施工技术规范》（JTG F 40—2004）对热拌沥青混合料的相关规定。

第三节　其他沥青混合料路面施工

一、冷拌沥青混合料路面施工

冷拌沥青混合料适用于三级及三级以下公路的沥青面层、二级公路的罩面层以及各级公路沥青路面的基层、联结层或整平层。冷拌改性沥青混合料可用于沥青路面的坑槽冷补。冷拌沥青混合料宜采用乳化沥青或液体沥青拌制，也可采用改性乳化沥青拌制。乳化沥青碎石混合料的乳液用量应根据当地实践经验以及交通量、气候、集料情况、沥青标号、施工机械等确定，也可按热拌沥青混合料的沥青用量折算，实际的沥青残留物数量可较同规格热拌沥青混合料的沥青残留物数量少 10%~20%。冷拌沥青混合料宜采用密级配沥青混合料，当采用半开级配的冷拌沥青碎石混合料路面时，应铺筑上封层。冷拌沥青混合料可参照相应的矿料级配使用，并根据已有的经验经试拌确定设计级配范围和施工配合比。

（一）冷拌沥青混合料路面施工应注意的问题

第一，冷拌沥青混合料宜采用拌和厂机械拌和及沥青摊铺机摊铺的方式。缺乏厂拌条件时也可采用现场路拌及人工摊铺方式。施工时应注意防止混合料离析。

第二，当采用阳离子乳化沥青拌和时，宜先用水润湿集料，若润湿后仍难以与乳液拌和均匀，应改用破乳速度更慢的乳液，或用质量分数为1%~3%的氯化钙水溶液代替水润湿集料表面。

第三，冷拌沥青混合料适宜的拌和时间应根据实际情况调节并通过试拌确定，矿料中加进乳液后的机械拌和时间不宜超过30s，人工拌和时间不宜超过60s。

第四，已拌好的冷拌沥青混合料应立即运至现场进行摊铺，并在乳液破乳前结束。在拌和与摊铺过程中，已破乳的冷拌沥青混合料应予以废弃。

第五，乳化沥青冷拌混合料摊铺后宜采用6t左右的轻型压路机初压1~2遍，使混合料初步稳定，再用轮胎压路机或钢筒式压路机碾压1~2遍。当乳化沥青开始破乳，混合料由褐色转变成黑色时，改用12~15t轮胎压路机碾压，将水分挤出，复压2~3遍后停止，晾晒一段时间，待水分基本蒸发后继续复压至密实为止。当压实过程中有推移现象时应停止碾压，待稳定后再碾压。当天不能完全压实时，可在较高气温状态下补充碾压。没有轮胎压路机时，也可采用钢筒式压路机或较轻的振动压路机碾压。

第六，乳化沥青混合料路面的上封层应在压实成型、路面水分完全蒸发后加铺。

第七，乳化沥青混合料路面施工结束后宜封闭交通2~6h，并注意做好早期养护。开放交通初期，应设专人指挥，车速不得超过20km/h，不得刹车或掉头。

第八，若冷拌沥青混合料施工时遇雨，应立即停止铺筑，以防雨水将乳液冲走。

（二）冷拌沥青混合料的质量要求

第一，用于修补沥青路面坑槽的冷拌沥青混合料，宜采用适宜的改性沥青结合料制造，并具有良好的耐水性。

第二，沥青用量通过试验并根据实际使用效果确定，通常宜为4%~6%。沥青级配应符合补坑的需要，粗集料级配必须具有足够的嵌挤能力，以便在未经充分碾压的条件下开放交通而不松散。

第三，制造冷拌沥青混合料的集料必须符合热拌沥青混合料集料的质量要求。

要有良好的低温操作和易性。用于冬季寒冷季节补坑的混合料，在松散状态下经-10℃的冰箱保存24h，应无明显的凝聚结块现象，且能用铁铲方便地拌和操作。

要有良好的耐水性，混合料要具有经水煮法或水浸法检验的抗水剥落性能，裹覆面积不得小于95%。

第四，冷拌沥青混合料应有足够的黏聚性，马歇尔试验稳定度宜不小于3kN。

二、温拌沥青混合料路面施工

温拌沥青技术是指在用于沥青路面铺筑的沥青混合料中加入某种添加剂（即温拌剂），使混合料拌和及施工温度降低，而其品质（使用性能）不下降的沥青混合料路面施工技术。温拌沥青混合料和热拌沥青混合料一样，适用于路面工程的各沥青结构层，尤其适用于以下工程：

第一，对环保要求高的城市道路、人口密集区道路工程；

第二，道路维修养护的罩面工程；

第三，施工环境温度较低的工程。

（一）温拌沥青技术的优点

根据国外的检测报告，沥青混合料从热拌转为温拌可使二氧化碳排放减少约1/2，一氧化碳排放减少约2/3，二氧化硫排放减少40%，氧化氮类排放减少近60%，采用温拌沥青混合料技术的环保效益是非常明显的。

温拌沥青混合料施工温度低（比传统热拌沥青混合料施工温度降低20~30

℃)，能够减少燃油等高碳能源消耗（一般可降低燃油消耗30%以上）。

温拌沥青技术可适当延长作业时间，保证压实质量；可在较低环境温度下施工，延长施工期。

（二）温拌沥青混合料的主要生产方法

1. 有机添加剂法

该方法是将低熔点的有机添加剂添加到沥青或沥青混合料中，从而改变胶结料的黏温曲线。目前，成功应用的化学添加剂有两类：合成蜡和低分子量酯类化合物，其中以沙索必德（Sasobit）合成蜡为主。

在100℃下，沙索必德可降低沥青黏度，在60℃时又能增加沥青黏度，因此，沙索必德可改善混合料的压实性能，同时提高沥青混合料的高温性能。

可以在拌和厂使用简单的搅拌器将沙索必德拌入沥青中，但不推荐直接将固体沙索必德投入拌缸进行直接拌和，这样会造成沥青中的沙索必德分布不均。

2. 沥青-矿物法

该方法是指在沥青混合料拌和过程中将粉末状合成沸石材料加入进去。从化学角度讲，沸石其实就是一种含有18%左右结合水的硅酸铝矿物，当加入沥青混合料大约0.3%（质量分数）的沸石时，水分会随着时间的延长而慢慢释放出来，从而产生连续的发泡反应。液相结合料中的发泡反应起到润滑剂的作用，从而使混合料在较低温度下具有可工作性，拌和温度可低至130~145℃。

3. 温拌泡沫沥青混合料法

该方法是将软质结合料和硬质泡沫结合料在拌和的不同阶段加入混合料中。第一阶段，将温度为100~120℃的软质沥青加入集料中进行拌和，以达到良好的裹覆效果。第二阶段，将极硬的结合料泡沫化后加入预裹覆的集料中。这样，软质结合料和泡沫化的硬质结合料都起到降低胶结料黏度的作用，从而实现良好的工作性能，最终得到满足需要的沥青混合料。

4. 浓缩液温拌法

浓缩液温拌法是指用表面活性剂配制一定浓度的水溶液（简称浓缩液），在将沥青加入拌和锅的同时，将浓缩液喷到沥青上，再与集料一起拌和，经充分搅拌后生产出温拌混合料。以出料温度为 120℃的温拌沥青混合料为例，在拌和锅中将 135℃的热集料干拌，经过充分拌和即生产出 120℃左右的温拌混合料。

（三）温拌添加剂应满足的要求

第一，与同类型热拌沥青混合料相比，加入温拌添加剂后应使沥青混合料的拌和温度及碾压温度降低 30℃以上。

第二，加入温拌添加剂的沥青混合料，其技术性能应达到同类型热拌沥青混合料的指标，并满足《公路沥青路面施工技术规范》（JTG F40—2004）的要求。

第三，在施工过程中加入温拌添加剂，不得产生额外的有毒有害气体。

（四）温拌沥青混合料的基本规定

第一，温拌沥青混合料和热拌沥青混合料一样，按集料公称最大粒径、矿料级配、空隙率等进行分类。

第二，用于各结构层的温拌沥青混合料应满足所在层位的功能要求，便于施工，不易离析。各层宜连续施工并联结成为一个整体，以保证沥青路面的使用性能。

第三，与热拌沥青混合料一样，温拌沥青混合料面层的集料最大粒径宜从上至下逐渐增大，并应与厚度相匹配。密级配沥青混合料各层的压实厚度宜不小于集料最大公称粒径的 2.5~3 倍，SMA 等嵌挤型混合料宜不小于公称最大粒径的 2~2.5 倍，以减少离析，便于压实。

第四，温拌沥青层铺筑前，应检查卧层的质量，不符合要求的不得铺筑。下卧层已被污染时，必须清洗或经铣刨处理后方可铺筑。

第五，温拌沥青混合料施工温度应根据沥青标号、气候条件、铺装层厚度等综合确定。

（五）温拌沥青混合料的配合比设计

第一，温拌沥青混合料和热拌沥青混合料一样，必须在对同类沥青路面配合比设计和使用情况调查研究的基础上，充分借鉴成功的经验，选用符合要求的材料，进行配合比设计。

第二，温拌沥青混合料的矿料级配范围应符合规定。温拌密级配沥青混凝土（WAC）宜根据道路等级、气候及交通条件选择粗型或细型混合料。

第三，温拌沥青混合料配合比设计采用马歇尔试验，当采用其他方法时，仍应进行马歇尔试验及各项配合比设计检验，并报告不同设计方法的试验结果。

第四，高速公路、一级公路和城市快速路、主干路用温拌沥青混合料的配合比设计应包括目标配合比设计、生产配合比设计、生产配合比验证三个阶段。

第五，在生产配合比设计阶段，对间歇式拌和机，应按规定方法取样测试各热料仓的材料级配，确定各热料仓的配合比，供拌和机控制室使用。同时，应选择适宜的筛孔尺寸和安装角度，尽量使各热料仓的供料大体平衡，并取最佳沥青用量的目标配合比设计进行马歇尔试验和试拌，通过室内试验及从拌和机取样试验综合确定生产配合比的最佳沥青用量，由此确定的最佳沥青用量与目标配合比设计的结果差值宜不大于±0.2%。对连续式拌和机可省略生产配合比设计步骤。

第六，在生产配合比验证阶段，拌和机按生产配合比结果进行试拌并铺筑试验段，取样进行马歇尔试验，同时从路上钻取芯样观察空隙率的大小，由此确定生产用的标准配合比。标准配合比的矿料合成级配中，至少应包括0.075mm、2.36mm、4.75mm、公称最大粒径及中间粒径等，并避免在0.3～0.6mm处出现“驼峰”。对确定的标准配合比，宜再次进行车辙试验和水稳定性检验。

（六）温拌沥青混合料搅拌设备要求

第一，温拌沥青混合料必须在沥青拌和厂（场、站）采用拌和机械拌制。

第二，温拌沥青混合料可采用间歇式拌和机或连续式拌和机拌制。高速公路、一级公路和城市快速路、主干路用温拌沥青混合料宜采用间歇式拌和机拌和。采用连续式拌和机时，使用的集料必须稳定。

第三，拌制温拌沥青混合料时，根据需要可在普通沥青混合料搅拌设备上安装温拌添加剂的添加装置。添加装置计量应准确，精度满足温拌添加剂添加量的允许误差要求。温拌添加剂的添加情况宜在搅拌设备的控制台上在线显示。

第四，根据需要，宜在沥青混合料搅拌设备的搅拌缸上设置排气口（口径20cm左右），及时将可能产生的水蒸气排出。

（七）温拌拌和工艺

现场拌和沥青混合料时，集料及矿粉加入后干拌2s，然后进行沥青喷洒。温拌浓缩液与沥青质量比按试验选定。温拌浓缩液在沥青开始喷洒后延时2s喷入，根据喷洒量调整喷洒设备的压力，使得喷入时间控制在8～10s。温拌浓缩液喷洒结束后进行湿拌，湿拌时间基本与热拌持平。

温拌沥青混合料的出料温度应根据施工当天的气温、风速、运输距离、施工组织水平以及到场等待时间进行灵活调整。

三、沥青贯入式路面施工

（一）沥青贯入式路面及封层设置

沥青贯入式路面适用于三级及三级以下公路，也可作为沥青路面的联结层或基层。其优点是当缺乏沥青拌和机及摊铺机等设备时也可以进行沥青路面施工，而且沥青贯入式路面充分利用粗集料之间的嵌挤性，抗车辙能力较强。但是与热拌沥青混合料路面相比，其渗水性会较大，且沥青用量也大，尤其是施工质量管理较困难。

沥青贯入式路面的厚度宜为4～8cm，乳化沥青贯入式路面的厚度不宜超过5cm。当贯入层上部加铺拌和的沥青混合料面层而成为上拌下贯式路面时，拌和层的厚度宜不小于1.5cm。

沥青贯入式路面的最上层应撒布封层料或加铺拌和层。沥青贯入层作为联结层使用时，可不撒布表面封层料。

铺筑上拌下贯式路面时，贯入层不撒布封层料，拌和层应紧跟贯入层施工，使上下成为一个整体。贯入部分采用乳化沥青时，应待其破乳、水分蒸发且成型稳定后方可铺筑拌和层。当拌和层与贯入部分不能连续施工，但要在短期内通行施工车辆时，可以在贯入部分的第二层增加2～3$m^3/1000m^2$嵌缝料用量。在摊铺拌和层沥青混合料前，应补充碾压，并浇洒黏层沥青。

（二）沥青贯入式路面材料选择与用量

沥青贯入式路面的集料应选择有棱角、嵌挤性好的坚硬石料，其规格和用量宜根据贯入层厚度选用。沥青贯入层主层集料中大于粒径范围中值的数量宜不少于50%。表面不加铺拌和层的贯入式路面在施工结束后每1000m^{2}宜另备2~3m^{3}与最后一层嵌缝料规格相同的细集料等，供初期养护使用。

沥青贯入层的主层集料最大粒径宜与贯入层厚度相当。当采用乳化沥青时，主层集料最大粒径可采用厚度的0.8~0.85倍，其数量宜按压实系数1.25~1.30计算。

沥青贯入式路面的结合料可采用道路石油沥青、煤沥青或乳化沥青，沥青标号按《公路沥青路面施工技术规范》（JTG F40—2004）选用。

贯入式路面各层的分次沥青用量应根据施工气温及沥青标号等在规定范围内选用。在寒冷地带或当施工季节气温较低、沥青针入度较小时，沥青用量宜选用高限。在低温潮湿气候下用乳化沥青贯入时，应按乳液总用量不变的原则进行调整，上层较正常情况适当增加，下层较正常情况适当减少。

（三）沥青贯入式路面施工步骤

施工前，基层必须清扫干净。当需要安装路缘石时，应在路缘石安装完成后施工。路缘石应给予遮盖。

乳化沥青贯入式路面必须浇洒透层或黏层沥青。沥青贯入式路面厚度≤5cm时，也应浇洒透层或黏层沥青。

采用碎石摊铺机、平地机或人工摊铺主层集料。铺筑后严禁车辆通行。

碾压主层集料：撒布后应采用6~8t的轻型钢筒式压路机自路两侧向路中心碾压，碾压速度宜为2km/h，每次轮迹重叠约30cm，碾压一遍后检验路拱和纵向坡度，若不符合要求，应调整找平后再压。然后，用重型的钢轮压路机碾压，每次轮迹重叠1/2左右，宜碾压4~6遍，直到主层集料嵌挤稳定、无明显轮迹为止。

浇洒第一层沥青：采用乳化沥青贯入时，为防止乳液下漏过多，可在主层集料碾压稳定后，先撒布一部分上一层的嵌缝料，再浇洒主层沥青。

采用集料撒布机或人工撒布第一层嵌缝料。撒布后尽量扫匀，不足处应找补。当使用乳化沥青时，石料撒布必须在乳液破乳前完成。

嵌缝料撒布完毕后，立即用 8~12t 钢筒式压路机碾压嵌缝料，轮迹重叠轮宽的 1/2 左右，宜碾压 4~6 遍，直到稳定为止。碾压时随压随扫，使嵌缝料均匀嵌入。因气温较高使碾压过程中发生较大推移现象时，应立即停止碾压，待气温稍低时再继续碾压。

按上述方法浇洒第二层沥青，撒布第二层嵌缝料，然后碾压，再浇洒第三层沥青。

按撒布嵌缝料的方法撒布封层料。

采用 6~8t 压路机进行最后的碾压，宜碾压 2~4 遍，然后开放交通。

第四节　施工质量管理与验收

一、施工前检查

（一）热拌沥青混凝土路面施工前的准备工作

第一，选购经调查试验合格的材料进行备料，矿料应分类堆放，矿粉必须是由石灰岩磨细的且不得受潮，必要时做好矿料堆放场地的硬化处理和场地四周排水工作，并搭设矿粉库房或储存罐。

第二，做好配合比设计，报送监理工程师审批，对各种原材料进行符合性检验。

第三，在验收合格的基层上恢复中线（底面层施工时），在边线外侧 0.3~0.5m 处每隔 5~10m 钉边桩进行水平测量，拉好基准线，画好边线。

第四，对下承层进行清扫，底面层施工前 2d 在基层上喷洒透层油。在中底面层上喷洒黏层油。

第五，试验段开工前 28d 安装好试验仪器和设备，配备好的试验人员报请监理工程师审核。各层开工前 14d 在监理工程师批准的现场备齐全部机械设备进行试验段铺筑，以确定松铺系数、施工工艺、机械配备、人员组织、压实遍数，并检查压实度、沥青含量、矿料级配及沥青混合料马歇尔试验各项技术指标等。

（二）施工前对材料与设备的检查

施工前必须检查各种材料的来源和质量。对经招标程序购进的沥青、集料等重要材料，供货单位必须提交最新检测的正式报告。从国外进口的材料应提供船运单。对首次使用的集料，应检查生产单位的生产条件、加工机械及覆盖层的清理情况。所有材料都应按规定取样检测，经质量认可后方可订货。

各种材料都必须在施工前以“批”为单位进行检查，不符合规范技术要求的材料不得进场。对于各种矿料，以同一料源、同一次购入并运至生产现场的相同规格的材料为一批；对于沥青，以同一来源、同一次购入且储入同一沥青罐的同一规格的沥青为一批。材料试样的取样数量与频度按现行试验规程的规定进行。

工程开始前，必须对材料的存放场地、防雨和排水措施进行确认，不符合规范要求时材料不得进场。进场的各种材料的来源、品种、质量应与招标及提供的样品一致，严禁使用不符合要求的材料。

使用成品改性沥青的工程，应要求供应商提供所使用的改性剂型号、基质沥青的质量检测报告。使用现场改性沥青的工程，应对试生产的改性沥青进行检测，质量不合格的不可使用。

施工前应对沥青拌和楼、摊铺机、压路机等各种施工机械和设备进行调试，对机械设备的配套情况、技术性能、传感器计量精度等进行检查、标定，并得到监理工程师的认可。

正式开工前，对于各种原材料的试验结果及据此进行的目标配合比设计和生产配合比设计结果，应在规定的期限内向业主及监理工程师报告，并取得正式认可。

（三）试验路段的长度设置和试验内容

高速公路和一级公路的沥青路面在施工前应铺筑试验路段。其他等级公路在缺乏施工经验或初次使用重大设备时，也应铺筑试验路段。同一施工单位，材料、机械设备及施工方法与其他工程完全相同时，可利用其他工程的结果，不再铺筑新的试验路段。

试验路段的长度应根据试验目的确定，通常宜为100~200m，宜选在正线上铺筑。

热拌热铺沥青混合料路面试验路段铺筑分试拌及试铺两个阶段，应包括以下试验内容。

第一，检验各种施工机械的类型、数量及组合方式是否匹配。

第二，通过试拌确定拌和机的操作工艺，检查计算机打印装置。

第三，通过试铺，确定透层油的喷洒方式、喷洒效果、摊铺及压实工艺，确定松铺系数等。

第四，验证沥青混合料生产配合比设计是否合理，提出生产用的标准配合比和最佳沥青用量。

第五，建立用钻孔法与核子密度仪无损检测路面密度的对比关系。确定压实度的标准检测方法。核子密度仪等无损检测在碾压成型后热态测定，取13个测点的平均值为1组数据，一个试验段不得少于3组。钻孔法在检测后第2天或第3天以后测定，钻孔数不少于12个。

第六，检测试验段的渗水系数。

二、施工过程控制与管理

沥青混合料生产过程中，对各种原材料须按规定的检查项目与时间频率进行抽样检测，应符合《公路沥青路面施工技术规范》（JTG F40—2004）规定的技术要求。每个检查项目的平行试验次数或一次试验的试样数必须符合相关试验规程的规定，并以平均值评价是否合格。

（一）沥青混合料生产过程中的质量控制

第一，随时目测料堆和皮带运输机上各种材料的质量及均匀性，检查有无泥块及超粒径碎石，检查冷料仓有无窜仓。目测混合料拌和是否均匀，有无花白料，油石比是否合理，检查集料和混合料的离析情况。

第二，检查控制室中拌和机各项参数的设定值、控制屏的显示值，核对计算机采集和打印记录的数据与显示值是否一致。进行沥青混合料生产过程的在线监测和总量检验，对沥青混合料质量进行动态管理。

第三，检测沥青混合料的材料加热温度和混合料出厂温度，取样、抽提筛分检测混合料的矿料级配、油石比。抽提筛分应至少检查 0.075mm、2.36mm、4.75mm、最大公称粒径及中间粒径五个筛孔的通过率。

第四，取样成型试件进行马歇尔试验，测定空隙率、稳定度、流值，计算合格率。对矿料间隙（VMA）、沥青饱和度（VFA）指标可只做记录。同时，确定压实度的标准密度。

（二）施工厚度的检测

施工厚度的检测按以下方法进行，并应相互校核，当差值较大时通常以总量检验为准。

第一，利用摊铺过程在线控制，即不断地用插尺或其他工具插入摊铺层测量松铺厚度。

第二，利用拌和厂沥青混合料总生产量与实际铺筑的面积计算平均厚度，进行总量检验。

第三，具有地质雷达等无损检验设备时，可用其连续检测路面厚度，但其检测精度须经标定认可。

第四，待路面完全冷却后，在钻孔检测压实度的同时测量沥青层的厚度。

（三）沥青路面施工中的压实度控制

对沥青路面的压实度采取重点对碾压工艺进行过程控制，适度钻孔抽检的方法。

第一，碾压工艺的控制参数包括压路机的配置（台数、吨位及机型）、排列和碾压方式、压路机与摊铺机的距离、碾压温度、碾压速度、压路机洒水（雾化）情况、碾压段长度、掉头方式等。

第二，碾压过程中宜采用核子密度仪等无损检测设备进行压实度过程控制，测点随机选择，一组不少于 13 个点，取平均值，与标定值或试验段测定值进行比较评定。测定温度应与试验段测定的温度一致，检测精度通过试验路段与钻孔试件标定。

第三，在路面完全冷却后，随机选点钻孔取样，如一次钻孔同时有多个沥青层时须用切割机切割，待试件充分干燥后（在第 2 天之后）分别测定密度。压实度计算及标准密度的确定方法应按《公路沥青路面施工技术规范》（JTG F40—2004）的规定，选用其中的 1 个或 2 个标准评定，并以合格率低的作为评定结果，但不得以配合比设计时的标准密度作为整个施工及验收过程中的标准密度使用。钻孔后应及时将孔中灰浆淘净，吸净余水，待干燥后以相同的沥青混合料分层填充夯实。为减少钻孔数量，施工、监理、监督各方宜合作进行钻孔检测，以避免重复钻孔。

第四，测试压实度时一组数据的数量要不少于 3 个，当一组检测的合格率 <60%，或平均值 x_3 小于要求的压实度时，可增加 1 倍检测点数。如果 6 个测点的合格率<60%，或平均值 x_6 仍然达不到压实度要求时，允许再增加 1 倍检测点数，要求其合格率>60%，且 x_{12} 达到规定的压实度要求（注意记录所有数据，不得遗弃）。如果仍然不能满足要求，应核查标准密度的准确性，以确定是否需要返工以及返工的范围。当所有钻孔试件检测的压实度持续稳定并符合要求时，钻孔频率可减少至每千米不少于 1 个孔。施工过程中钻孔的试件应编号并贴上标签予以保存，以备工程交工验收时使用。

第五，以下情况可不钻孔取样，但要严格控制碾压：压实层厚度≤3cm 的超薄表面层或磨耗层；厚度<4cm 的 SMA 表面层；易发生温缩裂缝的严寒地区的表面层；桥面铺装沥青层；使用改性沥青后，钻孔试样表面形状改变，难以准确测定密度。

（四）压实成型路面的检测和控制

第一，压实成型的路面应按《公路路基路面现场测试规程》(JTG 3450—2019）规定的方法随机选点检测渗水情况，渗水系数的平均值宜符合要求。对排水式沥青混合料应要求水能够迅速排走。需要测定路表构造深度时，宜在测定渗水情况的同时，在附近选点记录实测结果。

第二，施工过程中应随时对路面进行外观（色泽、油膜厚度、表面空隙）评定。应特别注意粗、细集料的离析和混合料温度不均问题，以免造成路面局部渗水严重或压实不足，形成隐患。路段严重离析、渗水，且经 2 次补充钻孔仍达不到压实度要求，确属施工质量差的，应铣刨或局部挖补，返工重铺。

第三，施工过程中必须随时用 3m 直尺对接缝及与构造物连接处的平整度进行检测。正常路段的平整度采用连续式平整度仪或颠簸累积仪测定。

（五）热拌沥青混合料路面开放交通的规定

热拌沥青混合料路面应待摊铺层完全自然冷却，混合料表面温度低于 50℃后方可开放交通。需要提早开放交通时，可洒水冷却，降低混合料温度。

（六）沥青路面雨季施工要求

第一，注意气象预报，加强工地现场、沥青拌和厂与气象站之间的联系，控制施工时长，各项工序紧密衔接。

第二，运料车和工地应备有防雨设施，并做好基层及路肩排水。

三、施工验收

（一）评定路段的划分、检测

工程完工后，施工单位应以 1～3km 为划分标准，将总工程划分为一个个子评定路段，在子评定路段的每一侧车行道按规定的频度随机选取评测点，对沥青面层进行全线自检，将单个测定值与质量验收表中的质量要求或允许偏差进行比较，计算合格率，然后计算该评定路段的平均值、极差、标准差及变异系数。施工单位应在规定时间内提交全线检测结果及施工总结报告，申请交工验收。

（二）沥青面层检测的质量指标及方法

沥青路面交工时应检查验收沥青面层的各项质量指标，包括路面的厚度、压实度、平整度、渗水系数、构造深度、摩擦系数等。

第一，对需要破损路面进行检测的指标，如厚度、压实度，宜利用施工过程中的钻孔数据，检查每一个测点与极值相比的合格率，同时计算代表值。厚度也可利用路面雷达连续测定路面剖面进行评定。压实度验收评定可选用其中的一个或两个指标，并以合格率低的作为评定结果。

第二，路表平整度可采用连续式平整度仪和颠簸累积仪进行测定，每隔100m 计算一个测定值，计算合格率。

第三，路表渗水系数与构造深度宜在施工过程中在路面成型后立即测定。

第四，交工验收时，可采用连续式摩擦系数测定车，在行车道实测路面的横向摩擦系数，如实记录测点数据。

第五，交工验收时可选择贝克曼梁或连续式弯沉仪实测路面的回弹弯沉或总弯沉，如实记录测点数据（含测定时的气候条件、测定用车的数据等），宜在公路的最不利使用条件下（如春融期或雨季）进行测定。

（三）工程施工总结及质量保证期管理要求

第一，工程结束后，施工企业应根据规定提出施工总结报告及若干个专项报告，连同竣工图表形成完整的施工资料档案。

第二，施工总结报告应包括工程概况（包括设计及变更情况）、工程基础资料、材料、施工组织、机械及人员配备、施工方法、施工进度、试验研究、工程质量评价、工程决算、工程使用服务计划等。

第三，施工管理与质量检查报告应包括施工管理体系、质量保证体系、施工质量目标、试验段铺筑报告、施工前及施工中材料质量检查结果（检测报告）、施工过程中工程质量检查结果（检测报告）、工程交工验收质量自检结果（检测报告）、工程质量评价以及原始记录、相册、录像等各种附件。

第四，施工企业在质量保证期内应进行路面使用情况观测、局部损坏原因分析和维修保养等，根据国家规定或招标文件等的要求确定质量保证期。

第四章　高速公路桥涵工程施工

第一节　基础施工

一、施工准备

施工准备包括：进行施工图纸审核，确保桥位、标高设计合理，尺寸无误；加强便道维修与养护，确保便道畅通；现场合理规划泥浆池、沉渣池，满足施工需要和环保要求；控制桩复测，完成各桩位的定位测量放样；平整场地，满足钻机就位和施工操作的需求。

二、钻孔桩施工

（一）钻孔桩基施工

1. 场地平整及桩位放样

（1）场地平整

在桩基施工前，对施工现场进行场地平整。场地平整采用推土机进行，保证施工机械的平稳放置及施工现场的文明与安全。

（2）桩位放样

为保证桩基位置的准确性，施工前要进行精确放线。采用全站仪直接测设控制桩位，在测量的精确桩位处设置保护桩。

2. 护筒埋设及钻机就位

护筒采用5mm钢板制成，护筒高3m，直径比桩径大20~30cm，护筒埋深2.0m，顶部高出地面1.0m，护筒中心与桩位中心偏差不大于5cm。护筒埋设好后，钻机就位、稳固、平衡。

旱地护筒安装埋设：采用反铲挖坑埋设，护筒就位后，外侧用黏土回填夯实。护筒与工作平台固定，避免塌孔时护筒沉落或偏斜。

水上护筒安装埋设：在水上平台上，用钻机吊装护筒就位，在护筒顶部支垫方木，用反铲轻压使护筒至淤泥底部，调整护筒位置，使其满足规范要求。再用钻机吊锤将护筒打入基础，埋设深度至淤泥下1~2m，测量并调整护筒位置，直至满足要求。

采用反循环钻机造孔，泥浆护壁，泥浆液面高度不低于旱地或水面1.5~2.0m，随时检查浆液密度是否符合设计或技术规范的规定。

3. 泥浆制备

泥浆制备时采用泥浆搅拌机搅拌，选择塑性指数>25、粒径>0.005mm的黏粒且含量>50%的黏土制浆，泥浆密度控制在1.1~1.25/cm^3。

4. 钻进与清孔

根据现场地质情况，钻孔采用冲击钻机成孔，选派有经验的工程技术人员和管理人员负责钻孔施工。根据不同的地质情况，以合适的钻进速度钻进。钻孔过程中，做好钻孔记录，并对各地层与设计资料进行对比。若发现地质情况与设计不符，应及时通知建设方、监理工程师并提出相应措施，经建设方、监理工程师批准后加以处理。

钻孔达到设计深度后，进行孔内的泥浆稀释，利用泥浆泵通过吸浆管持续吸渣5~15min，并用测深锤测沉淀层厚度，直到符合规范要求。

5. 钢筋笼制作和安装

按照设计图纸及施工规范要求进行钢筋笼的制作。主筋连接采用机械连接套筒，每间隔3m在钢筋笼四周对称焊接钢筋耳朵，保证钢筋笼有足够的保护层，并在笼顶对称焊接四根钢筋，以备固定钢筋笼。钢筋笼制作完成后，应检查各部尺寸，检查合格后方可使用。

清孔后及时吊放钢筋笼，钢筋笼各段之间的连接采用机械连接套筒，钢筋笼每 8m 一段，用汽车吊垂直吊入孔内。

6. 混凝土施工

采用导管法浇筑混凝土，对孔的中心位置、孔径、倾斜度、孔深进行检验，清孔、安装钢筋笼后，灌注水下混凝土。

混凝土浇筑前，提前搭设混凝土溜槽，安放储料斗、混凝土导管，导管用 φ300mm 的钢管制成，各导管之间内螺栓连接，每节导管长 2.5m，同时放置隔水栓。

首批浇筑量要经过严格计算。即导管底部一次埋深 2m 以上，浇筑混凝土应连续进行。混凝土采用集中拌制，罐车运输，罐车直接卸入料斗。

在浇筑过程中要随时测量孔内混凝土面的高度，使导管在混凝土内的埋深为 2~4m，最大埋深高度不得超过 6m。浇筑完毕后，在混凝土初凝前拔掉孔口护筒，钻机移位至下一个桩位。

7. 桩头处理，钻孔检测

待混凝土达到规定强度后，截掉并清除桩顶的不良部分混凝土，直至露出新鲜混凝土，桩头混凝土采用风镐凿除至设计高程。混凝土灌注桩的质量检查采用钻孔取芯法。

（二）钻孔过程中常见问题的预防及处理

1. 塌孔

（1）塌孔的表征

塌孔的表征是孔内水位突然下降，孔口冒细密的水泡，出渣量显著增加而不见进尺，钻机负荷显著增加等。

塌孔的原因如下。

第一，泥浆密度不够或泥浆其他性能不符合要求，使孔壁未形成坚实护壁泥皮，孔壁渗漏。

第二，孔内水头高度不足，支护孔壁压力不够。

第三，在松软砂层中进尺太快。

第四，提住钻头钻进时，旋转速度过快，空转时间太长。

第五，清孔后泥浆密度、黏度等指标降低，反循环清孔，泥浆吸出后未及时补浆。

第六，起落钻头时碰撞孔壁。

（2）预防及处理原则

第一，保证钻孔时泥浆质量的各项指标满足规范要求。

第二，保证钻孔时有足够的水头差，对于不同土层选用不同的转速和进尺。

第三，起落钻头时对准钻孔中心插入。

第四，回填砂和黏土的混合物到坍孔处以上1~2m，静置一定时间后重钻。

2. 钻孔偏斜和缩孔

（1）偏斜和缩孔的原因

第一，钻孔中遇较大的孤石或探头石，扩孔较大处钻头摆动偏向一方。

第二，在有倾斜度的软硬地层交界处，岩石倾斜处钻进或者粒径大小悬殊的砂卵石中钻进，钻杆受力不均。

第三，钻杆刚度不够，钻杆弯曲接头不正，钻机底座未安置水平或产生不均匀沉陷。

第四，在软地层中钻进过快，水头压力差小。

第五，全压钻进。

（2）预防和处理

第一，安装钻机时使底座水平，起重滑轮、钻头中心和孔位中心三者在一条直线上，并经常检查校正。

第二，在倾斜的软硬地层钻进时，采取减压钻进法。

第三，对钻杆、接头逐个进行检查，及时调整。

第四，遇有斜孔、偏孔时，用检孔器检查探明孔偏斜和缩孔的位置情况，在偏孔、缩孔处上下反复扫孔。

第五，偏孔、缩孔严重时回填砂黏土重钻。

第六，全过程采用减压钻进方式。

3. 掉钻

（1）主要原因

钻进时强提强扭、钻杆接头不良或疲劳破坏，易使钻头掉入孔中。另外，操作不当也易使铁件等杂物掉入孔内。

（2）预防和处理

对于小铁件，可用电磁铁打捞，钻头的打捞应视具体情况而定，主要采用打捞叉、打捞钩、打捞活套、偏钩和钻锥平钩等器具。

在钻孔过程中除以上几种主要事故外，还须注意防止糊钻、扩孔、偏孔、卡钻、钻杆折断、钻孔漏浆等。

（三）水下混凝土灌注事故的预防及处理

1. 导管进水

（1）主要原因

首批混凝土储量不足，或导管底口与孔底间距过大，混凝土下落后不能埋住导管底口以致泥水从底口进入。

（2）处理方法

将导管提出，将散落在孔底的混凝土拌和物用空气吸泥机清除，重新灌注。

2. 卡管

（1）主要原因

初灌时隔水栓卡管，或由于混凝土本身的原因，如坍落度过小、流动性差、粗骨料过大、拌和物不均匀产生离析、导管接缝处漏水、大雨中运输混凝土未加遮盖使混凝土中的水泥浆被冲走、粗骨料集中造成堵塞；机械发生故障或其他原因使混凝土在导管内停留时间过长，或灌注时间持续过长，最初灌注的混凝土已经初凝，增大了管内混凝土的下落阻力，混凝土堵在管内；混凝土灌注导管内外压力差不够。

（2）预防措施

准备备用机械，掺入缓凝剂，控制好配合比，改善混凝土的力学性能。

（3）处理办法

拔管、吸渣、重灌。

3. 坍孔

发生坍孔后，应查明原因并采取相应措施。如保持或加大水头，排除振动源等防止继续坍孔，然后用吸泥机吸出孔中泥土，如不继续坍孔可恢复正常灌注，如坍孔不停止、坍孔部位较深，宜将导管拔出，保存孔位回填黏土，研究处理措施。

三、挖孔桩施工

对于无地下水或者少量地下水，且土层或者风化岩层较密实，则采用人工挖孔桩，桩径位 1.8m、1.6m、1.5m、1.2m 时分别为 8 根、42 根、40 根和 32 根。挖孔桩施工时，根据地质和水文地质情况，制定可行的孔壁支护方案，主要采用混凝土护壁。人工挖孔桩施工工艺如下。

（一）施工准备

平整场地，清除坡面危石浮土。坡面有裂缝或者坍塌迹象时应先加设必要的防护设施，铲除松软的土层并夯实。施测墩台的十字线，定出准确的桩孔位置；设置护桩并经常检查校核；孔口四周挖排水沟，做好排水系统；及时排除地表水，搭好孔口的防雨棚；安装提升设备；布置好出渣道路；合理堆放材料和施工机具，使其不增加孔壁压力，不影响施工。

井口四周用护壁围圈予以围护，第一节护壁高出地面 20～30cm，防止土、石、杂物滚入孔内伤人。若井口地层有较大的渗水量，可采用井点降水法降低地下水位。

（二）挖掘顺序

对于单排桩，采用跳孔开挖。对于有四根桩基的群桩，采用对角开挖。

桥梁的桩基承台采用先挖桩孔、后挖承台座基坑的方式。这样施工有利于排除地表水且施工作业场地宽敞，立架、支撑、提升、灌注等操作都比较方便。

（三）挖孔桩施工工艺流程

第一，桩孔的出渣，采用电动卷扬机扒杆，以减轻工人的劳动强度，提高文明施工程度。

第二，在挖孔过程中，须经常检查桩孔的尺寸和平面位置，群桩误差不超过100mm，排架桩误差不超过50mm。直桩的倾斜度不超过1%，斜桩的倾斜度不超过±2.5%，孔径和孔深必须符合设计要求。

第三，挖孔时如果有渗水，则应及时进行孔壁支护，防止水在孔壁浸泡流淌，造成塌孔。渗水采用井点降水或者集水泵排。

第四，桩孔挖掘和支撑孔壁两道工序必须连续作业，不宜中途停顿，以防塌孔。

第五，挖孔遇到涌水较大的潜水层承压水时，可采用水泥砂浆压灌卵石环圈，或者集水泵排的方法进行排水。

第六，孔壁支护采用外齿式混凝土护壁。每挖掘1.2~1.5m即立模浇筑混凝土护壁，护壁的厚度一般为10~15cm，强度等级一般为C15。有时为了赶工期，须加速混凝土的凝结，可掺入速凝剂。若土层比较松软或者需多次进行放炮开挖，可在护壁内设置φ8mm的钢筋。护壁的模板采用钢模板或者木模板。

第七，挖孔达到设计孔深后，应进行孔底处理。孔底必须做到平整，无松渣、污泥及沉淀等软层。嵌入岩层厚度应符合设计要求。

第八，在开挖过程中应经常检查了解地质情况，如与设计资料不符，应提前与设计代表联系，并提出设计变更。

（四）孔内爆破施工

为了确保施工安全，提高生产效率，孔内爆破施工应注意以下事项。

第一，采用电雷管起爆，以确保施工安全。如采用导火线起爆，要有工人迅速离孔的设备；对于导火线，应做燃烧速度试验，据以决定导火线所需长度。

第二，必须打眼放炮，严禁裸药爆破。软石炮眼的深度不得超过 0.8m，硬岩石炮眼的深度不得超过 0.5m。炮眼的数目、位置和斜插方向应按岩层断面方向来定，中间一组集中掏心，四周斜插挖边。

第三，严格控制用药量，以松动为主。一般中间炮眼装硝铵炸药 1/2 节，边眼装 1/4~1/3 节。

第四，对于有水眼孔，要用防水炸药，尽量避免瞎炮。如有瞎炮，应按安全规程处理。

第五，炮眼附近的支撑应加固或设防护措施，以免支撑炸坏，引起塌孔。

第六，孔内放炮后应迅速排烟。采用高压风管或者电动鼓风机向孔内吹风进行排烟。当孔深>12m 时，每次放炮后立即测定孔内的毒气浓度；无仪表测定时，可将敏感性强的小动物先吊入孔底考验，经数分钟的观察，如其活动正常，人员方可下孔施工。

第七，一个孔内进行爆破作业，其他孔内的施工人员必须到地面安全的地方躲避。

（五）挖掘的安全技术措施

挖孔时应注意施工安全。挖孔工人必须配备安全帽、安全带、安全绳，必要时应搭设掩体。取出土渣的吊桶、吊钩、钢丝绳、卷扬机等机具，必须经常检查。井口周围须用木料、型钢或者混凝土制成的框架或围圈予以围护，井口周围应高出地面 20~30cm，以防土、石、杂物滚入孔内伤人。为了防止井口坍塌，须在孔口用混凝土护壁，高约 2m。挖孔时应经常检查孔内的二氧化碳含量，如超过 0.3%，或孔深超过 10m，应进行机械通风。挖孔工作暂停时，孔口必须罩盖。井孔应安设牢固可靠的安全梯，以便于施工人员上下。

（六）钢筋骨架的制作与安装

挖孔灌注桩的钢筋骨架在孔外预扎后吊入孔内，也可以在孔内绑扎。为使钢筋骨架正确牢固定位，应在钢筋笼主筋上设钢筋“耳环”或挂混凝土垫块。

（七）灌注混凝土

从孔底及附近孔壁渗入的地下水的上升速度较小（参考值<6mm/min）时，可采用在空气中灌注混凝土桩的方法，并应注意以下事项。第一，混凝土坍落度。当孔内无钢筋骨架时，宜<6.5cm；当孔内设置钢筋骨架时，宜为7～9cm。如用导管灌注混凝土，可在导管中自由坠落，导管应对准中心。开始灌注时，孔底积水深度不宜超过5cm，灌注的速度应尽可能加快，使混凝土对孔壁的压力尽快大于渗水压力，以防水渗入孔内。第二，桩顶或承台、连系梁底部2m以下灌注的混凝土，可依靠自由坠落捣实，不必再用人工捣实；在此线以上灌注的混凝土应以振捣器捣实。第三，孔内的混凝土应尽可能一次连续浇筑完毕。若施工接缝不可避免，应按照施工规范中关于施工缝的处理规定进行处理，并一律设置上下层的锚固钢筋。锚固钢筋的截面积应根据施工缝的位置确定，无资料时可按桩截面积的1%配筋。施工接缝若设有钢筋骨架，则骨架钢筋截面积可在1%配筋面积内扣除；若骨架钢筋总面积超过桩截面的1%，则可不设锚固钢筋。第四，混凝土灌注至桩顶以后，应立即将表面已离析的混合物和水泥浮浆等清除干净。

当孔底渗入的地下水上升速度较快时（参考值>6mm/min），应视为有水桩，按前述钻孔灌注桩用导管法在水中灌注混凝土。灌注混凝土之前，孔内的水位至少应与孔外的稳定水位在同样高度；若孔壁土质易坍塌，则应使孔内水位高于地下水位1～1.5m。

空气中灌注的桩如为摩擦桩，土质较好，短期内无支护不致引起孔壁坍塌时，可在灌注过程中逐步由下至上拆除支护。须在水中灌注摩擦桩时，应先向孔中灌水，至少与地下水位相平。随着灌注混凝土的升高，孔内水位不断上升，应逐层拆除支护，利用水头维护孔壁。在水中灌注的柱桩，应尽可能不拆除孔壁支护。

在空气中灌注混凝土柱桩，地质条件许可拆除支护，而且是钢护筒或钢筋混凝土护筒需要拆除时，则在灌注混凝土和逐步拆除护筒过程中，始终维持混凝土顶面比护筒底端最小高出1.5～2.0m，以免拔护筒时，护筒底脚土粒掉入混凝土桩内，以及孔外地下水从护筒底下间隙渗入孔内。

四、扩大基础施工

（一）钢筋要求

施工时所用钢筋必须符合以下要求。

第一，钢筋应具有出厂合格证。

第二，钢筋表面洁净，使用前将表面油腻、漆皮、鳞锈等清除干净。

第三，钢筋平直，无局部弯折，采用冷拉方法调直钢筋时，Ⅰ级钢筋的冷拉率不宜大于2%。

第四，钢筋的弯制和末端符合设计及规范要求。

第五，各种钢筋下料尺寸符合设计及规范要求。

对于混凝土，采用溜槽入模分层连续灌注，插入式振动棒振捣，振捣时观察到混凝土不再下沉、表面泛浆、不再出现气泡、表面有光泽时即可缓慢抽出振捣器。扩大基础第一层混凝土施工不立模板，满灌混凝土施工。第一层混凝土浇筑完毕后，预埋好连接钢筋。待最后一层混凝土浇筑完毕后及时洒水养护，拆模后用塑料薄膜覆盖养护。

（二）水中基础的施工

水中基础施工采用钢板桩围堰形成基坑，再进行基础施工，即先在岸上或平台上拼装围囹（按钢管桩的平面尺寸拼装），运至墩位定位后，把围囹固定在钢管桩上，然后在围囹四周的导框内插打钢板桩。安装堰内支撑，抽干水后人工开挖基坑，凿除桩头，绑扎钢筋，浇筑基础混凝土。

插打钢板桩的次序是从上一角开始，至下游合龙。这样不仅可以避免围堰内淤积泥沙，而且可以利用水流冲走一部分泥沙，减少开挖工作量，更重要的是可以保证围堰施工的安全。

钢板桩围堰在合拢处往往形成上窄下宽的状态，这就使得最后一组板桩很难插下。常用的纠正方法是将邻近一段钢板桩墙的上端向外推开，以使上下宽度接近。必要时，可根据实际宽度量测尺寸制作一块上窄下宽的异形钢板桩。合龙时，先将异形钢板桩插下，再插下最后一块标准钢板桩。

从围堰内排水时，如果发现锁口漏水，可在围堰外抛投煤灰拌铝末，效果显著。钢板桩是多次重复使用设备，墩身筑出水面后即可拔出钢板桩，拆除围堰。

水中基础还可以采用吊箱围堰施工。

（三）吊箱围堰施工

1. 钢吊箱加工及拼装

钢吊箱底板和侧板在工厂分块加工，加工完且试拼装检验合格后，分块装船运至拼装现场。在工作平台上，采用全站仪测出桥墩的纵横中心轴线，并测出桩顶的中心线及标高。钢吊箱加工完并检验合格后，分批分块运到桥墩安装位置，将护筒割至安装要求标高。

在护筒上焊接钢牛腿设置临时施工平台，在临时施工平台上拼装钢吊箱底板，采用倒链找平底板后，安装吊箱侧板，侧板连接部位粘贴橡胶止水板。

安装悬吊系统，提起吊箱，割除护筒上的钢牛腿，将吊箱沉至设计标高后，安装内侧支撑。

2. 吊箱定位与堵漏

吊箱下沉前，要对墩位处河床标高进行测量，吊箱沉至设计高程后，复核其平面位置。如不满足要求，将螺旋千斤顶安放在四个角的护筒与吊箱侧板之间，调整吊箱位置，待其满足要求后，在四个角的护筒与吊箱侧板之间用型钢焊接定位。潜水员在水下封堵护筒与底板之间的缝隙。

3. 灌注封底混凝土

采用泵送多点灌注封底混凝土，为提高混凝土流动性和延长混凝土的初凝时间，混凝土中可掺缓凝减水剂和粉煤灰。

4. 吊箱抽水

封底混凝土达到设计强度后，吊箱抽水。在承台设计标高以下的护筒上重新焊接拉压杆，完成受力转换。拆除拉压杆，割除钢护筒，凿除桩头，将封底混凝土表面找平。

5. 基础混凝土施工

完成上述工作后，即可绑扎基础钢筋和浇筑混凝土。

五、承台施工

（一）施工工艺流程

承台施工程序：基坑开挖→凿除桩头→打混凝土垫层→绑扎钢筋→支立模板→浇筑混凝土→养护→基坑回填。

（二）施工准备

第一，承台施工前进行钻孔桩位置、标高等的复测，由监理工程师签认后方可进行承台的施工。

第二，复核基坑中心线、方向、高程，按地质水文资料结合现场情况，决定开挖坡度和支挡方案。基坑底面尺寸为长 $a+200$，宽 $b+200$（a 为承台长，b 为承台宽，mm），开挖坡度建议采用 1∶1，则地面开挖尺寸为（a+200）+h（h 为承台埋深，mm），宽为（b+200）+h，如承台埋深较大，可根据实际情况增加坡度，并制定支挡措施，做好地面防排水工作。

第三，备齐所需机具、材料，安排施工人员，确定各班组任务。

（三）基坑开挖

1. 用反铲挖掘机开挖，人工配合，并加强坑内的排水

根据施工前拟定的坡度采用反铲挖掘机开挖，挖掘时注意抽水和不要碰到支挡结构，挖至距承台底设计标高约 30cm 厚的最后一层土时，采用人工挖除修整，以保证土结构不受破坏。如施工时发现基坑在地下水面以下，可用木板桩支撑，边开挖边设撑。对需要设挡板支撑的基坑，根据施工现场条件，在基坑四周每 30cm 打一根木桩（或钢管），在木桩（钢管）后设 2~4mm 厚的木板（或钢板），防止边坡坍塌。

2. 基坑排水

一般采用集水井排水。在基坑内承台范围外低处挖汇水井，并在周围挖边沟，使其低于基坑底面30~40cm。汇水井井壁要加以支护，井底铺一层碎石。抽水时须有专人负责汇水井的清理工作。

3. 凿桩头

确定承台底标高。按设计图纸，将桩顶混凝土凿至顶面高出承台底设计标高10cm处，将主筋调直，按设计要求绑成喇叭口，并向外设置直钩。凿桩头完成后，即进行桩基检测。合格后方可进行下道工序施工，若不合格，应立即处理。

4. 基底处理及测量定位

夯入10cm厚的碎石层，层面略低于承台底设计标高。如遇砂土层等地质不良情况，按设计要求的厚度铺设石渣或干拌C10混凝土。位于河床下部的水中承台，其基底按设计要求进行抛填片石、夯填碎石等处理。处理完毕后，马上组织测量人员对基坑进行抄平，放出承台底面四个边角点和承台长、宽中心线，以及其交点（中心点）的位置，用仪器检查各点位置是否正确，然后用钢尺复测，确认无误后，挂线连出承台边缘位置。

（四）绑扎钢筋、立模板

1. 绑扎钢筋

钢筋在钢筋棚内加工，严格按照施工规范、图纸现场绑扎，严禁漏绑。特别注意预埋钢筋的位置及加固，防止浇筑混凝土时跑位。底部设置的钢筋网在越过桩顶处不得截断。在钢筋与模板之间设置混凝土垫块，垫块与钢筋扎紧，并相互错开，根据图纸绑扎预埋墩柱钢筋。

2. 立模板

采用钢模板，使用前要除锈、刷油，检查模板是否变形。为加快模板组装速度，用吊车吊装模板，人工配合立模，让模板内侧靠紧连接边角点的白线，外侧用φ48mm钢管加固。模板安装好后为防止浇筑混凝土时跑模和模板倾斜，在模板外打两排斜撑加固。

（五）混凝土浇筑

采用自拌混凝土，由混凝土罐车运输，用混凝土泵车和混凝土输送泵灌混凝土。为确保施工质量，采用斜向水平推进法施工。混凝土自由下落高度不得超过2m，保持水平分层，且分层厚度不超过30cm。采用插入式振捣棒振捣，应插入下层混凝土8cm左右，插入间隔小于其1.5倍作用半径，不得漏捣和重捣。每一层都应边振捣边逐渐提高振捣棒，应避免碰撞模板。浇筑过程中，设专人负责检查支架、模板、钢筋和墩柱预埋钢筋的稳定情况，发现问题应立即处理。浇筑至设计标高后，振捣时观察混凝土不再下沉、表面泛浆、水平有光泽即可缓慢抽出振捣棒，防止混凝土内产生空洞。

（六）拆模养护

混凝土浇筑完成后，对承台顶面进行修整。抹平定浆后，再一次收浆压光（墩柱处应拉毛），表面用草袋覆盖，洒水养护，养护时间不少于7 d。当混凝土达到一定强度后拆模，并回填压实。

第二节　桥梁上部和下部工程施工

一、桥梁柱、系梁、盖梁工程

桥梁下部结构由立柱和盖梁组成。

（一）立柱

1. 模板选择

采用专门加工的定型组合圆柱形钢模板，选择专业厂家制作加工模板。钢模板按照2m一节组装，一次浇筑高度按照6m考虑。

2. 施工准备

立柱施工前，要规划好各种机具设备及材料的场地，做到既方便施工，又不影响安全。清扫基础，对立柱测量放样，并复核成果，将测量误差控制在规范允许范围内。

3. 钢筋制作与安装

在现场，按图纸的规格、尺寸分段加工钢筋。加工时，主筋的接头数量及焊接质量要符合规范。制作完成后，吊装就位，注意防止骨架变形。安装完毕后要固定其位置，便于装模板。

4. 模板安装及拆除

将模板拼装并与支架螺栓连接成整体，再将各面模板及桁式支撑吊装就位，用螺栓连接成一个整体模板。模板拼装时，在接缝处粘贴海绵胶条，以防浇筑混凝土时漏浆。

5. 混凝土浇筑

浇筑混凝土用的水泥、砂、石及外加剂等材料必须符合图纸及规范要求，混凝土采用拌和站集中拌和，混凝土罐车运输，通过混凝土吊罐入仓，连续浇筑。因故间断时，时间不得超过 60min。浇筑速度要适宜，每次堆料厚度不超过 25cm，并用插入式振捣器振捣密实。振捣时要注意加强立柱周边表面振捣，消除水泡。对分层浇筑的立柱要对下一层混凝土表面凿毛，清除浮渣并用水冲洗干净。

混凝土施工后要留人整修周边，抹平压实立柱顶面混凝土。收浆后要覆盖，并洒水养护，对脱模后立柱周围用高压水枪洒水养护。立柱成型后要测量轴线、标高、竖直度，并申请监理工程师检查，无误后方可进行下道工序施工。

（二）盖梁

在混凝土立柱上采用钢结构抱箍固定支架支承，用两根 50#槽钢放在抱箍上作为模板支承，上铺 12cm×10cm 方木横梁，横梁间距 30～50cm，50#槽钢与抱箍间用 50t 千斤顶调节间距，在 12cm×10cm 方木横梁上直接安装底模板。两侧模板借助横梁、上拉杆和三角撑共同组成的方框架来固定。所有框架榫眼及角撑均预先制好，使模板能够迅速准确地定位。模板用细钢丝绳作风绳进行定位校正。

混凝土由混凝土罐车从拌和站运至墩位处，汽车吊吊混凝土灌入模，分层灌注、振捣密实，按设计及规范要求的时间进行拆模，正常洒水养护不少于14d。

二、桥梁上部工程施工

桥梁上部结构由T形梁、空心板梁、护栏、桥面铺装等组成。

（一）T形梁（空心板）预制

1. 梁体预制施工顺序

放样→安装底模、一边侧模安装→底板、侧板钢筋安装→预应力管道布设→另一边侧模安装→端头封模→安装锚垫板→浇筑混凝土→养护。

2. 梁体底模安装

底座设置成混凝土条形基础，钢板底模，底模与侧模以对拉筋采用帮包底的加固形式连接。

3. 侧模安装

侧模采用工厂订制钢模，可先安装固定一边。侧模安装应牢固、顺直，侧模之间接缝应平顺、紧密。侧模与底模之间填塞橡胶止水条，贴靠紧密。

4. 钢筋绑扎焊接

钢筋严格按施工规范制作，各部分尺寸满足设计要求，与管道相碰的局部钢筋可进行挪动。当桥梁上部梁体为连续刚构T形梁时应注意预埋梁底钢板，并加以固定，确保位置准确。

5. 管道布设

管道须严格按设计提供的坐标布设，管道接头应连接紧密，不得漏浆；管道每50cm用定位筋与梁体钢筋焊接固定。同时应注意梁面负弯矩管道预埋和预留孔口、外管口，孔口应临时封锚，以防堵塞管口和孔口。

6. 锚垫板安装

锚垫板应与端模固定牢固，锚垫板与管道出口保证垂直。

7. 混凝土浇筑

用设置于场内的拌和站生产混凝土，用小型机动车运输，吊车起吊倒料浇筑。混凝土浇筑采用梯形连续推进的形式，由附着在侧模上的附着式振捣器配合插入式振捣器振捣。混凝土要求搅拌均匀，和易性良好。

8. 养护

采用湿润法养护。

9. 预应力张拉、压浆

按设计要求，T形梁（空心板）预制强度达到100%后，方可进行张拉、压浆。施工顺序为：清管道→穿束→张拉→锚固→压浆→封锚。

（1）清管道

穿束前用高压水枪清洗管道，确保管道畅通。

（2）穿束

选用钢绞线，按设计要求进行下料，下料机具采用切割机。穿束时，束头用胶布紧箍，人工推进。

（3）张拉

穿束后安装锚具及千斤顶，并采用与千斤顶配套的张拉设备。张拉设备应经过计量部门校正、标定，各束张拉顺序依设计编号进行，张拉采用两头对称同时进行的方式。以应力应变双控并以应力为主，延伸值控制在6%的误差范围内。

（4）孔道压浆

将水泥拌制均匀，水灰比控制在0.4~0.45，用压浆机从梁体一端向另一端连续进行，直至出浆嘴流出的水泥浆与原浆相同为止，并迅速将进浆口和排气孔全部堵紧。

（二）桥梁安装

采用架桥机安装，具体安装方法如下。

1. 架桥机拼装

架桥机采用定点厂家生产的成套架桥设备，运至现场拼装。拼装好后，对架桥机的力学性能进行试运转，认真检查架桥机、钢丝绳、卷扬机、轨道、平车、电源等是否存在隐患，并及时予以更换或加强。

2. 运输轨道铺设

轨道枕木布设要求两轨水平，支垫紧密。轨与轨接头平顺。

3. T 形梁出坑、运输

T 形梁由跨墩龙门架出坑，安放在运输轨道平车上，安放时用木支撑或法兰螺栓紧紧对称地固定在平车架上，由运输平车运输至架桥机下方起吊位置。运输过程中，随时观察支撑是否松动，轨道是否变形。

4. T 形梁安装

T 形梁安装顺序为：先安装左半幅左边梁及相邻一根中梁或右半幅右边梁及相邻一根中梁，然后按顺序逐根安装其余中梁与左半幅右边梁或右半幅左边梁。左半幅左边梁与右半幅右边梁安装由架桥机起吊前移，直接就位落梁安装。T 形梁安装在墩顶时先设临时支座，待 T 形梁连续构造施工完成后，再转换为永久支座。

5. 逐孔安装

接长运输轨道、架桥机轨道，架桥机前移就位，再按以上方法继续逐孔安装。架桥机前移时，保证各部位之间连接牢固，结构稳定。

6. T 形梁翼板接缝现浇

翼板湿接缝，采用吊模固定现浇施工方法。施工时严格按设计要求与施工技术规范执行，做到各部尺寸、位置准确，接缝平顺流畅，表面平整。

（三）墩顶连续现浇段施工

当桥梁上部为连续 T 形梁，在安装完成 2 孔时，按设计要求，施工墩顶连续构造。首先采用高强螺栓在 T 形梁两端横隔板上进行连接，并用配套螺栓锁紧。将梁体端部、横隔板侧面拉毛并清洗干净，连接梁端伸出钢筋及横隔板钢筋，布置墩顶部位的负弯矩区预应力钢束。安装墩顶现浇连续段模板，安放永久支座，并布置连续段钢筋及桥面板钢筋，然后逐孔浇筑现浇桥面混凝土，混凝土浇筑完毕后进行养护，穿预应力钢束。与相邻跨连续的预制 T 形梁端部及端横隔板侧面混凝土，必须将浮浆、油污清洗干净并凿毛，以保证新老混凝土结合牢固。待一联 T 形梁端接头混凝土强度达到设计强度的 90%后，即可张拉负弯矩预应力钢束。钢绞线单根张拉施工方法同 T 形梁预制。

（四）连续梁体系施工

当连续梁体连接段混凝土浇筑及负弯矩预应力钢束张拉时封锚完成后，即可进行连续梁体系转换施工。具体施工工艺方法如下。

第一，安放永久支座和临时支座：联端安放永久支座，而不设临时支座。

第二，梁体架设：梁体置于临时支座上呈简支状态，及时进行梁片间横向连接。

第三，中横梁混凝土及桥面板下横梁混凝土现浇：接头连续处预留钢筋，绑扎横梁钢筋，设置接头波纹管并穿束，浇筑混凝土。

第四，负弯矩区板束张拉：钢束张拉时，自每联两端向中间进行，从外侧向内侧进行。钢束张拉时先张拉短钢束，然后张拉长钢束，每束钢束对称单根张拉，钢束采用伸长值与张拉应力双控的超张拉工艺。钢束张拉完成后，进行锚固及孔道压注水泥浆。

第五，浇筑桥面湿接缝混凝土，解除临时支座：对于湿接缝，先浇筑跨中部分 0.6L（L 为桥梁计算跨径，即相邻两支座中心之间的距离）段范围内的混凝土，后浇筑剩余部分湿接缝混凝土，最后解除临时支座，完成体系转换。

第三节　涵洞工程施工

一、钢筋混凝土框架涵

钢筋混凝土框架涵施工的主要方法为：基坑开挖采用人工配合机械施工，墙身采用 C20 混凝土现场浇筑，模板采用组合钢模，混凝土由拌和站拌和，专用运输车运输。浇筑时采用插入式机械振捣，以保证混凝土质量。

（一）施工准备

基坑开挖前须进行遮阳准备和排水准备。为防止基坑开挖后受日光的曝晒，须准备充足的遮阳棚，将基坑盖好，边施工边封闭。根据现场情况疏通出入口，做排水沟或挡水堰，将水沿原沟排走。基坑内排水可通过在基坑四边挖集水沟，用水泵将水抽出。施工便道、施工场地布置好并做好施工准备后才能进行基坑开挖及基底的处理工作。

（二）基坑处理

1. 水泥粉煤灰碎石桩（CFG）桩施工

涵洞工程地基处理方式一般与路基处理相同，如采用 CFG 桩地基加固，CFG 桩施工应与路基 CFG 桩同步进行。施工要点如下。

第一，技术人员测放好基坑开挖线后，按照施工设计图布孔，桩身直径为 0.5m，钻至硬层后对照基底设计标高，除桩头超封 30~50cm 后，预留足够空钻长度，施工时严格按照 CFG 桩的施工工艺进行。

第二，CFG 桩施工完 7d 后，进行基坑开挖、破除桩头、铺设基础垫层等工作，桩头按照设计标高破除后，进行 CFG 桩扩大桩头施工，桩头上部为直径 1m 的圆形截面，高 0.6m，下部与桩身混凝土连接，整个桩头为倒锥形结构。

第三，CFG 桩扩大桩头施工完成，待桩头混凝土强度达到设计强度后，即可回填 60cm 碎石垫层，回填宽度为涵身底板尺寸两边各加宽 0.5~1m。褥垫层回填时采用压路机或小型夯实机械夯实，每层夯实并经检测合格后即可进行下道工序的施工作业。在铺设褥垫层填料过程中，为避免碾压时对褥垫层中的土工格栅造成破坏，施工时应增设中粗砂保护层，即褥垫层的组成自上而下为 25cm 碎石垫层、5cm 中粗砂、5cm 土工格栅、25cm 中粗砂碎石垫层。

第四，基坑开挖利用人工配合挖掘机进行，挖至距设计换填层底标高 20~30cm 后人工清理，采用垂直开挖，避免超挖。每边按涵身底部尺寸加宽 50cm 作为施工空间。开挖时，开挖弃土及时用自卸车运走，严禁在基坑周围存放，更不允许将弃土堆在周围草皮及农田内。同时，现场施工负责人应严格规范施工区域，严禁挖掘机和施工车辆进入施工区以外区域，以免破坏农田及庄稼。

第五，基地褥垫层施工后即可进行涵身进出口 2m×1m、C20 混凝土扩大基础的浇筑作业，浇筑前立好模板，经检查合格后即可进行混凝土的浇筑工作。

2. 测量放线

基坑开挖完成后，按要求利用全站仪进行测量放线。测放出涵身纵横十字线，以便控制涵身基础垫层的铺设范围，同时放好控制桩和护桩，以方便控制基础模板的位置。

3. 垫层的设置

出入口基础垫层设置可在人工将标高清到设计标高后，采用小型夯实机械先对基坑底进行夯实后，再分层夯填砂夹碎石垫层，分层厚度 10~15cm，夯至设计标高后整平垫层表面，在报检合格后，即可立模进行出入口基础混凝土的浇筑工作。

涵身垫层采用 C20 混凝土进行铺设，垫层厚度 10cm，在基底褥垫层施工至设计标高后，整平褥垫层顶面，按测放出的涵身十字线立好模板，进行涵身垫层的浇筑施工。

（三）涵节施工

在涵节基础混凝土及垫层混凝土养护强度不小于 2.5MPa 时，再进行测量放线，测放出涵洞纵向中心线、涵身中心里程桩及横向中心线，按照设计尺寸挂好涵身纵向中心线、墙身内外侧钢筋绑扎线，即可依据配套钢筋设计图进行涵身底板钢筋绑扎作业，每米涵身配置 8 排钢筋，每排间距 12.5cm，且同一截面上的接头不能超过 50%（两个钢筋接头相距在 30cm 以内或两个焊接接头在 50cm 以内，或两绑扎接头的中距在绑扎长度以内，均视为同一截面，并不得少于 50cm），且同一截面内同一根钢筋上的接头不超过 1 个。

涵身底板钢筋绑扎完毕后，经现场技术人员、质检人员、监理人员检查合格后，就可进行模板拼装。宜采用组合钢模板，用 5cm 的砂浆保护层垫块控制混凝土的结构尺寸，以保证涵节形状尺寸、大面、端面平直。模板拼装好后经检查合格，方可进行混凝土的浇筑施工。涵身混凝土的浇筑分两阶段施工：先浇筑涵身底板（浇筑至涵身下倒角顶面处），待底板混凝土强度达到设计强度的 50%后，再浇筑边墙及顶板。

混凝土浇筑时采用集中拌和，由混凝土运输车运送至施工现场。浇筑时控制好混凝土的坍落度，混凝土坍落度严格控制在标准坍落度±15 mm 范围内，混凝土的倾落高度不能超过 2 m，且不能将混凝土粘到还没有浇筑的模板板面上，避免造成板面上前期混凝土的凝结，影响混凝土结构物的外观质量。振捣时采用插入式振捣器，严格控制振捣时间，一般振捣时间不得小于 20~30 s，以保证混凝土的密实度。

在浇筑混凝土初凝后，将倒角处混凝土表面凿毛。夏季浇筑混凝土施工，要做好混凝土的养护工作，不能因混凝土内部早期水化热过高，造成混凝土表面开裂，影响混凝土工程的外观质量，洒水次数以混凝土面保持湿润为宜。

涵身施工时，先绑扎涵节两侧墙身钢筋，再进行涵节内模和墙身内外模的拼装作业，内外侧模板均用钢管支架进行加固，在顶板处设置可调丝杠油托，以便调整顶板模板的高度及平整度。待墙身和顶板模板按设计及规范要求拼装加固好后，经检查无误，就可进行涵身顶板的绑扎工作。绑扎时按要求调整好各排钢筋的间距，且在钢筋与模板间垫好垫块，以防露筋。

在涵身混凝土浇筑作业中，对作业人员应做到分工明确，使之各司其职，以保证混凝土浇筑施工能够顺利进行，确保工程施工质量创优。

（四）附属工程施工

翼墙、帽石采用现浇混凝土施工方法。技术人员测量放样立模控制边线，严格按线立模。模板配合使用组合钢模和木模，外露部分用钢模，要求搭配合理，拉杆及支撑紧固，面板顺直，接缝严密，下口加设海绵条，外侧用黏土或砂浆包严以防漏浆。混凝土由中心拌和站拌制，用罐车运至工地，用插入式振捣棒振捣密实。严格控制入模温度和施工配合比，使翼墙内实外美。翼墙沉降缝及防水层施工与涵节处相同。

附属工程包括涵洞出入口铺砌、泄床、锥坡、边坡防护及垂群。涵洞出入口铺砌与路基排水沟、改沟应顺接通畅，排水有出路，做到涵洞内不积水。铺砌均采用 M10 号水泥砂浆浆砌片石，下设厚 10cm 碎石垫层。

（五）沉降缝及防水层施工

涵身沉降缝嵌塞 2cm 厚的石棉水泥板留作防水之用，施工期间，用电焊将石棉水泥板与涵身钢筋骨架定好位置当作模板使用。沉降缝外侧涂刷聚氨酯防水涂料并粘贴防水卷材，且相邻涵节不均匀沉降差<5mm。沉降缝内侧待涵洞施工完成后，再嵌入硫化型橡胶止水条。出入口翼墙与涵身间沉降缝内塞 M20 水泥砂浆 15cm，中间如有空隙，可填塞聚丙烯纤维网混凝土。

沉降缝防水层施工完成后，经检查合格，即可进行涵洞两侧回填施工，以保证涵节的稳定性。在涵洞两侧大于 2 倍涵洞净宽范围内，涵背回填两侧同时进行，每层厚度不超过 30cm，人工用电夯机夯实。

二、盖板涵洞工程

（一）施工安排

钢筋混凝土盖板涵洞结构，多数涵洞位于填方地段。为了尽快实现路基大面积填筑，必须优先施工涵洞工程。施工初期，先打通至涵洞的施工便道。根据涵洞的分布位置及工程量，组织涵洞施工队。

（二）盖板涵洞工程施工方法

1. 施工工序

施工放样→基坑开挖、夯实基础→地基承载力试验→基础、铺底混凝土、台身片石混凝土→现浇盖板混凝土→帽石混凝土浇筑→板缝处理→砌筑进出水口→台背回填。

2. 施工工序说明

（1）施工放样

涵洞测量放样时，注意核对涵洞纵横轴线的地形剖面图是否与设计图相符，以及涵洞长度、涵底标高的正确性。对于斜交涵洞、曲线上的陡坡涵洞，应考虑交角加宽、超高和纵坡对涵洞具体位置、尺寸的影响。遇到与设计图纸不符的，应及时与监理工程师沟通，适当调整位置。施工过程中，应经常检查涵洞结构浇砌和安装部分的位置和标高，并做测量记录。

（2）基坑开挖

采取人工配合反铲开挖基坑，若施工机械无法进入涵洞施工现场，则采用人工开挖。基坑大小应满足基础施工的要求，有渗水土质的基坑坑底开挖，根据基坑排水需要及设计所需基坑大小而定。基坑壁坡度按地质条件、基坑深度和现场的具体情况确定。

（3）基坑验收

基坑开挖并处理完毕，由施工质检人员自检并报请总承包部、监理工程师检验，确认合格后填写地基检验表。未经验收，不得进行下一道工序施工。

（4）基础、铺底

盖板涵基础、铺底采用C25钢筋混凝土，涵洞地基承载力要符合设计要求。不能满足要求时，按照监理工程师指示进行处理，基础按图纸要求设置沉降缝，采用泡沫板，沉降缝处两端面竖直、平整，上下不得交错、不得接触，在沉降缝处加铺抗拉强度较高的卷材（如油毡），加铺层数及宽度按图纸所示或监理工程师指示进行。

（5）台身

台身采用C20片石混凝土，台身设置沉降缝与基础一致。基础经验收合格后，方可进行台身片石混凝土施工。墙身模板采用组合钢模板立模，混凝土采用强制搅拌机拌和、人力推送或混凝土运输车运送，用插入式振捣器捣固。

台身及台帽混凝土施工完成后，采用φ50mm架子管搭设脚手架，架设现浇钢筋混凝土盖板模板，再安装盖板钢筋，验收合格后，浇筑盖板混凝土，浇筑方法与台身相同。

（6）涵洞进出口施工

浆砌用片石采用石方开挖段的合格石料；砂浆采用200L砂浆搅拌机拌制，手推车运输。石料在砌筑前浇水充分湿润，表面如有泥土、水锈应清洗干净。

涵洞进出口建筑与路基的坡面应协调一致。出水口的沟床整理顺直，形成顺畅的水流通道。进出口砌体分层砌筑，砌筑时必须按要求错缝，平顺有致，砂浆饱满，外表平整。砌筑工作中断后恢复砌筑时，对已砌筑的砌层表面加以清扫和湿润。外露浆砌片石部分采用M7.5砂浆勾缝，缝采用凹缝，勾缝应嵌入砌缝内不小于10mm。

(7) 台背回填

当涵洞砌筑及盖板安装完成后，且混凝土强度达到设计标号的70%时，才能进行台背回填。回填时涵洞两侧对称同时填筑，按要求水平分层填筑压实，每层松铺厚度不超过15cm，压实度按照规范的要求执行。填料采用透水性良好的砂砾土或砂质壤土，不得采用含草、腐殖物的土。压路机无法压实的边角部位，采用小型压实机械进行压实，强度应达到规范要求。

第四节　高速公路桥涵改扩建施工

一、既有桥涵处治

（一）既有结构的检测与评估

改扩建实施前，应按《公路桥梁技术状况评定标准》（JTG/T H21—2011）和《公路养护技术规范》（JTG H10—2009）对既有桥梁、涵洞等结构进行检测评估，判断是否需要维修加固，并确定维修和加固的内容及方案，使之满足改扩建后的使用要求。

1. 检测与评估的目的

检测是指通过仪器检查、测量、试验来掌握桥梁结构在试验荷载作用下实际工作状态，判定结构的承载能力和使用性能，检验设计和施工质量。通过对既有结构的检测与评价，可为其使用安全可靠性及维修加固提供必要依据。检测评估目的如下。

第一，检测桥梁各部位出现裂缝、错位等缺陷的严重程度，判断其对实际承载力的影响。

第二，评估既有桥梁的使用性能和承载能力。桥梁存在施工措施不当、在运营期间遭受如洪水等灾害的损害、交通荷载大量增长等情况，就有必要进行检测和评价。

第三，原来按旧标准荷载等级建设的桥梁，经过多年使用，有些是长期超负荷服役，对其继续使用的安全性能需要通过检测进行评价。

2. 既有桥梁结构的检测

按照检测的范围、深度、方式和检查结果的用途等不同，桥梁检测大致可归纳为经常性检测、定期检测和特殊性检测三类。经常性检测以直接目测为主，配合简单的工具量测，对所需检查的桥梁技术状况和主要存在问题形成一个总体印象，以便能对它们进行初步排序，并为进一步的检查做技术准备。定期检测以目测结合仪器检查为主，对桥梁各部位进行详细检查，通过对结构物进行彻底的、视觉的和系统的检查，建立结构管理和养护档案，对结构缺损状况做出评估，评定结构构件和整体结构技术状况，确定改进工作和特别检查之需求，并确定结构维修、加固或更换的优先排序。特殊性检测是指采用仪器设备等特殊手段和科学分析方法分析桥梁病害的确切原因和程度，确定桥梁技术状态，以采取相应的加固和改造措施。

对高速公路桥梁进行改扩建施工前，除须进行一般的外观检查外，还要进行结构材料的物理、力学性能检测（如强度、弹性模量），病害严重时应进行结构静动载试验。此外，还须开展针对桥梁结构及附属设施的特殊性检测，即分别对桥面系、支座、上部结构和下部结构进行系统性检查。

（1）桥面系检查

具体检查内容包括：桥面铺装层裂缝与损坏程度、桥头跳车、防水层漏水以及其他病害，人行道及铺装破损情况；伸缩缝损坏、变形、脱落、填料变形、淤塞、漏水程度；人行道、栏杆和护栏有无断裂、错位和锈蚀等；桥面横坡、纵坡舒适度，积水情况和排水设施是否完好。

（2）支座检查

检查支座功能是否完好，组件是否完整、清洁，有无断裂、错位和脱空现象。

（3）上部结构检查

首先观测有无异常变形、裂缝、振动或摆动，其次检查各部件的技术状况和异常原因。简支梁桥重点检查部位：支座截面处、1/4 截面处、跨中截面处。连续梁、悬臂梁重点检查部位：支座截面处、跨中截面处、反弯点，最大负弯矩截面处。

高速公路应用较多的钢筋混凝土和预应力混凝土桥梁上部结构检查重点内容：混凝土有无大于 0.2mm 的裂缝，是否存在腐蚀、渗水、表面风化、剥落、露筋和钢筋锈蚀等现象，有无整体龟裂和强度降低的现象；预应力钢束锚固区混凝土有无开裂，混凝土纵向有无裂缝和水侵害。

(4) 下部墩台和基础检查

墩台基础是否滑动、倾斜和下沉；台背填土有无沉降裂缝或隆起；混凝土墩台及盖梁有无冻胀、风化、开裂、露筋等；石砌墩台有无砌块断裂、脱开、变形，泄水孔是否堵塞，防水层是否破坏；横系梁连接处是否开裂、破损；墩台防震设施是否有效；基础下是否发生冲刷和掏空现象。

3. 桥梁、涵洞结构检测的综合评定

根据《公路桥梁技术状况评定标准》（JTG/T H21—2011）明确检查项目的缺损情况和性能状况，进行桥梁总体及主要部件技术状况评定等级，总体技术状况评定等级共分为 5 类。根据综合评估结果，既有桥梁技术状况评价等级为 1 类、2 类的可原位利用，3 类的经维修、加固达到 1 类或 2 类的可以利用，4 类的宜拆除重建，5 类的应拆除重建。

涵洞检测综合评定可根据《公路养护技术规范》（JTG H10—2009）进行总体技术状况及排水适应状况评定，评价既有涵洞的过水能力、承载能力、涵身稳定、渗漏情况、细部完整等项目，对涵洞的技术状况综合做出好、较好、较差、差、危险五个级别的评定，并提出日常养护、维修、加固、改建等建议。

（二）桥面系病害处治

1. 护栏、栏杆

钢筋混凝土防撞护栏普遍存在竖向开裂、剥落露筋、混凝土破损等现象，轻者可灌注环氧树脂，重者应凿除破损部分，重新修补完整。栏杆扶手、立柱存在松动缺失、断裂、生锈起皮等病害的应按原样修复。

2. 桥面铺装

高速公路桥梁桥面铺装的常见病害为纵横向裂缝，以及沥青铺装层在车辆荷载反复作用下产生的车辙、波浪和鼓包等破坏形式。铺装层的开裂破坏，为雨水侵蚀桥面板提供了途径，钢筋的锈蚀会直接影响桥梁功能，应及时进行修复。如果出现车辙、波浪、碎裂等表面破坏，应将破损部分凿除，及时修复。损坏面较大者，应将整孔凿除，重新铺设铺装。

桥面防水层如有损坏，修补后其防水性能、整体强度与下层黏结强度和耐久性等指标应满足原设计要求。

3. 伸缩缝

伸缩缝处治要视其病害的程度而采取不同的措施：对于橡胶条拉裂、老化或脱落，但其他部位完好的伸缩缝，仅需更换跨缝材料；对于锚固混凝土的破碎或出现粗长裂缝，但型钢及伸缩缝钢筋完好、使用功能未受损害的伸缩缝，则酌情对锚固混凝土进行重新浇筑；对于型钢或钢筋裸露、变形，而致使其用功能明显受损的伸缩缝，则需要更换整个伸缩缝装置，包括跨缝材料和锚固件。

4. 排水系统

排水系统的常见病害为泄水管产生局部破裂、损伤，出现了洞穴或裂纹而产生漏水现象；泄水管体脱落，主要由于接头连接不牢或接口损坏而产生掉落，失去排水作用。为了确保桥梁的正常运营，对损坏的排水系统应进行更换。对于泄水管道内被泥石杂物堵塞引起的排水不畅、水流不通等应及时疏通。

（三）混凝土病害处治

1. 混凝土裂缝

混凝土桥梁上部结构的最主要病害是裂缝，主要发生位置在梁的跨中、支座两侧、梁侧面以及梁底。混凝土结构裂缝是由材料内部的初始缺陷、微裂缝的扩张引起的。引起裂缝的原因很多，可以归纳为结构性裂缝和非结构性裂缝。

结构性裂缝主要由外荷载引起，其分布与宽度都与外荷载密切相关。对结构性裂缝，应根据裂缝等级的不同，分别采取以下措施：

第一，当裂缝宽度大于允许最大裂缝宽度时，应查明开裂原因，进行裂缝危险评估，确定处理措施；

第二，预应力混凝土构件受压区，一旦发现裂缝，应立即封闭交通，严禁车辆和行人在桥上、下通行，并委托有资质的检测部门进行结构承载力评估，判别裂缝的危害程度，并提出相应的处治措施；

第三，预应力混凝土构件受拉区出现结构性裂缝，应进行裂缝危害性评估，确定处理措施。

非结构性裂缝主要由温度、收缩引起。结构变形受到限制时，在结构内部就会产生自应力，当自应力达到混凝土的抗拉极限时，就会引起混凝土裂缝。对于非结构性裂缝，应封闭处理。当裂缝宽度小于或等于规定值时，应采用化学灌浆方法进行处理；如果大于规定值，则应采用压力灌浆法灌注环氧树脂胶。

2. 混凝土碳化、剥蚀及钢筋锈蚀

钢筋混凝土结构桥梁受所处地理位置的环境影响，再加上其本身材料容易受到环境侵蚀，易发生混凝土碳化、氯离子侵蚀和钢筋锈蚀等病害。

混凝土碳化是指混凝土中的氢氧化钙与渗透进混凝土中的二氧化碳或其他酸性气体发生化学反应的过程。碳化作用的实质是商品混凝土失去碱性的现象，当钢筋表面的 pH 值降到 10 以下时，钢筋的钝化膜被破坏，混凝土也就失去了对钢筋的保护作用，在水与空气存在的条件下，钢筋开始锈蚀，锈蚀引起体积膨胀，使混凝土保护层遭到破坏，从而产生界面裂缝及保护层剥落等现象。

混凝土桥梁的另一种腐蚀破坏是氯离子的侵蚀。钢筋混凝土结构受外界环境中氯离子侵蚀，出现了开裂、钢筋锈胀等大量病害，将影响结构的安全使用。

对于已经发生混凝土碳化、剥蚀的混凝土，应凿去已经松动的保护层，直至露出完好的混凝土，并清除钢筋锈迹，涂刷防锈剂，采用环氧树脂或聚合物类修补材料进行修补。修补材料必须与原混凝土结合良好，成为一体。凿除混凝土不得明显降低结构承载力，必要时分批修补。

（四）下部结构病害处治

1. 支座

板式橡胶支座的常见病害是脱空、剪切变形、老化失效等缺陷，盆式橡胶支座的主要病害是固定螺栓剪断、螺母松动等；部分支座出现钢垫板锈蚀、垫块开裂破损等现象。对于出现病害的支座应进行整修或更换，更换支座时可进行桥梁顶升。

2. 墩台、基础

墩台、基础的混凝土裂缝及钢筋锈蚀等病害的处治方法同混凝土病害处治方法。若墩台发生水平位移和倾斜，应分析原因，制定合理的加固方案进行加固；若墩台、基础沉降和位移超过允许限值，应采取相应措施予以纠偏及加固。

二、改扩建工程中桥梁的施工

（一）拓宽桥梁的墩台施工

1. 墩台施工注意事项

第一，原墩台的混凝土经过多年时间，混凝土的收缩和徐变已经基本完成，设计中应予以充分考虑，以避免新旧混凝土的接合面开裂或变形不一致。

第二，新旧墩台之间不连接。在新旧混凝土之间设置沉降缝（或工作缝），施工时采用木板、泡沫板等给予隔离。

第三，新旧墩台之间连接。新旧墩台之间连接可以采用以下施工方法。

一次浇筑。即在新浇筑台的立横完成后，在钢筋架设时，纵向钢筋与旧墩台的钢筋（或植筋）连接，并处理老墩台的表面。连接部分的混凝土与新墩台的混凝土一次浇筑。

桥台耳背墙分两次施工。第一次施工：施工新墩台，并预留一定长度的混凝土及纵向钢筋。第二次施工：浇筑剩余部分的墩台或耳背墙，其纵向钢筋应预留出足够的搭接长度，纵向钢筋应采用焊接连接。第一次施工时的墩台盖梁（墩台帽）外露钢筋应采取一定的措施，防止钢筋锈蚀，如钢筋锈蚀应采取一定的除锈措施。

第四，安装上部梁板时应保证支座外边缘与先期浇筑的墩台盖梁（墩台帽）边缘不小于一定距离（如25.0cm），施工时应采取一定的措施防止梁板发生横向移位。

第五，钢筋的焊接位置应相互错开，避免同一截面的焊缝过多。

第六，原盖梁凿除施工时，墩台盖梁的纵向钢筋应调直，不得切割原纵向钢筋，应与新建的对应钢筋采用焊接连接。

第七，凡是新旧混凝土接合部均应凿毛、洗净。

第八，植入的钢筋应进行拉拔试验，对于未达到黏结强度的，应拔出钢筋，重新施钻，以保证植筋强度。

2. 墩台帽拓宽连接的植筋施工工艺

首先检查植筋混凝土表面是否完好，探测植筋混凝土内钢筋位置，核对、标记植筋位置以便钻孔时避让钢筋；台帽、基础中植筋与相应的新建桥台的配筋采用单面焊接，焊接长度不小于10D（D为钢筋直径）。施工完成后，应保证有三个月以上的沉降期，施工桥面铺装时，沉降量应满足<2mm/月。

（二）拓宽桥梁的盖梁施工

1. 新旧盖梁之间不连接

在新旧盖梁混凝土之间设置沉降缝（或工作缝），施工时采用木板、泡沫板等给予隔离。

2. 新旧盖梁之间连接

新旧盖梁之间连接可以采用以下两种施工方法。

（1）一次浇筑

即在新浇筑墩台的立模完成后，在新盖梁钢筋架设时，新盖梁纵向钢筋与旧盖梁的钢筋（或植筋）连接，并处理旧盖梁的混凝土表面，连接部分的混凝土与新盖梁的混凝土一次浇筑。

（2）盖梁分两次施工

第一次施工：施工新盖梁，并预留一定长度的混凝土及纵向钢筋。第二次施工：浇筑剩余部分的盖梁，其纵向钢筋应预留出足够的搭接长度，纵向钢筋应采用焊接连接。第二次施工时：应凿除原边柱外侧部分的盖梁，漏出钢筋，并将已浇筑部分的混凝土清洗、凿毛，新旧盖梁对应的纵向钢筋应相互焊接，须加高的盖梁顶面植筋与新建部分连接浇筑盖梁混凝土。

（三）桥梁加宽连接施工

1. 拼接部位旧桥边梁混凝土的切割、凿除

（1）旧桥拼接部位混凝土的切割、凿除施工步骤

切割或凿除护栏（座）和翼缘，凿除桥面板混凝土。对于板梁结构，先切除护栏（座），再切除翼缘；对于T形梁、箱梁（无横向预应力）结构，可考虑将护栏、翼缘一起切掉。切除时在横桥向一定间隔先切若干切口，以保证顺桥向切割完成后，形成切块，方便吊离。为使护栏的拆除不会导致板被破坏、出现裂缝，禁止采用爆破方式。

手工凿除一定厚度（如25cm厚）混凝土桥面板，暴露既有横桥向钢筋，但不可损伤既有钢筋。对要植筋的断面按施工缝进行处理，对作业面浮渣进行清理，并用清水冲洗。

（2）混凝土的切割凿除施工技术要求

① 护栏及护栏座切割、凿除施工

清除部分桥面沥青混凝土铺装时，采用隔离墩实行局部交通管制。采用切割或凿除的方法拆除空心板梁护栏处的混凝土。箱梁的护栏及护栏座采用一次切割的方法。采用切割工艺时，若是板式结构，则应先对护栏进行竖向切割、开口，根据吊装能力确定切口的间距，然后进行水平向切割，从桥外侧往内侧进行，以便于控制。采用凿除工艺时，若是板结构，则应采取分段多点平行作业方式组织施工，用钢筋探测仪找到钢筋的空隙，画定切口位置，用风镐凿开切口，形成临空面，逐步扩展。靠近梁板的护栏根部留3~5cm，最后人工凿除找平钢筋，妨碍凿除作业时可以分段切除，实施凿除作业时，要注意保护原结构不受损伤。

② 翼缘切割施工

翼缘切割画线定位在理论切割线外侧1~2cm，以便为施工缝处理留有余地；

一片板梁翼缘（或护栏）的切割须一次连续完成。

采用凿除方法施工翼缘时，要保护原结构不受损伤，密切监视原结构状况，出现裂缝等意外情况时要立即停止施工。

具体工艺流程：画线确定凿除混凝土的位置，沿线外缘 1~2cm 锯缝切开保护层，锯缝的外侧用钢筋探测仪每 30~50cm 设冲击孔位；每个冲击孔位处用冲击钻钻孔，穿透缘板，孔径 5~10cm，沿孔位先纵向、后横向凿除翼缘板混凝土露出钢筋；人工对凿除翼缘板的内边缘修边，并凿毛腹板的连接部分。

③ 混凝土现浇桥面板凿除

混凝土现浇桥面板的凿除画线定位按设计图尺寸要求进行，一般为距翼缘理论切割线往内侧 25cm 左右。凿除方法采用小锤手工凿除，不允许使用切割机、风镐，以避免伤及横桥向钢筋和梁板，应注意控制凿槽深度。

2. 植筋施工

植筋是指在既有混凝土构件上，用专用工具钻孔、清孔后，用高强度黏结剂将钢筋植入孔内，待黏结剂固化后，通过黏结锚固使所植钢筋能作为受力或构造筋使用的一种施工技术。通过种植钢筋的方法将新旧结构物进行刚性连接，为桥梁结构物拓宽提供了一个较好的途径。

（1）植筋前的准备工作

植筋前，对需要植筋的断面按施工缝要求进行凿毛处理；对作业面进行浮渣清理，并用清水冲洗；检查作业面是否有缺陷，检查切割面及板、梁顶面有无裂缝，如有裂缝，须采取措施修补、加固。

（2）植筋材料

由于植筋工艺与材料密切相关，所以植筋胶的选择尤其重要，必须参考以下技术要求。

第一，对施工采用的植筋胶，在全面施工之前须进行植筋锚固强度试验，以抗拔力为主要试验控制参数，按设计要求确定植筋深度，使钢筋达到屈服强度而不被拔出，力求固化时间短且能快速承载，在试验结果使植筋深度与抗拔相匹配后方可全面施工。

第二，植筋胶应保证植入钢筋具有高温可焊性。

第三，植筋胶应保证具有相应的耐久性，对产品的使用年限和模拟老化试验寿命均有一定要求。

第四，植筋胶应保证具有相应的抗展性、抗疲劳性，能够提供符合交通行业的动荷载疲劳测试加载形式的疲劳测试报告。

第五，植筋胶满足在潮湿环境下施工且不降低技术性能的要求。

第六，抗冻性能强，保证在−5～40℃室外温度范围内可施工，结构表面在−15～60℃室外温度范围内可施工，强度不降低。

第七，采购植筋胶时，必须要求生产厂家出具植筋胶的抗拔、耐高温、抗疲劳等方面的国家或行业检测报告，以确定其产品质量符合要求；由树脂和固化剂组成的两种植筋胶性能指标参考植筋胶的具体性质要求，即耐温性能为−30～60℃，强度不降低，耐湿性在相对湿度90%以内。

（3）植筋工具

冲击钻（配足设计植筋孔径相对应的钻头）、钢筋探测仪、吹气泵、气枪、植筋胶注射器毛刷（或钢丝刷）。

（4）植筋工艺

植筋工艺的流程：准备→钻孔→清孔（孔除尘、孔干燥）→钢筋处理→配胶→注胶→植筋→养护。

① 准备

检查被植筋的混凝土面是否完好，用钢筋探测仪测出植筋处混凝土内的钢筋位置，核对、标记植筋位置，以便钻孔时避让钢筋。

② 钻孔

按设计要求在施工面画定钻孔植筋的位置，放好样，利用电锤钻孔（严禁使用气锤钻孔，防止出现混凝土局部疏散、开裂）。

孔径的选定要求：φ12 植筋，孔径为 16mm；φ16 植筋，孔径为 22mm；φ22 植筋，孔径为 28mm。

根据设计具体要求确定孔的深度，以植筋胶厂商提供的配套资料作为参考，孔的深度必须为28mm，不小于钢筋直径的10倍。

③ 清孔

钻孔成批量后，逐个清除孔内灰尘，利用压缩空气或用水清孔，用毛刷刷三遍，吹三遍，确保孔壁无尘（如梁、柱、板孔内潮湿，须用防潮湿植筋胶）。

④ 钢筋处理

检查钢筋是否顺直，用钢丝刷除去锈迹，用乙醇或丙酮清洗干净，晾干使用，无锈蚀钢筋则可不进行除锈工序。

⑤ 配胶、注胶和植筋

根据使用说明、种类要求配置植筋胶。注胶要一次完成，注胶完成后，插入处理好的钢筋，此时用手将其旋转着缓缓插入孔底，使胶与钢筋全面黏结，并防止孔内胶外溢。按配植筋固化时间表的规定时间进行操作，使植筋胶均匀附着在钢筋的表面及缝隙中。插入并固定后的钢筋不可再扰动，待植筋胶养护期结束后再进行钢筋焊接、绑扎及其他工作。插筋、养护期间，应采取措施避免由于桥上振动对植筋造成的影响。

⑥ 养护

在室外温度下自然养护。温度低于5℃时，应改用耐低温改性结构胶，养护时间一般在18h以上。

（5）植筋质量检验

① 现场抗拔破坏性试验（施工前试验）

现场选取不参与受力、非重要位置或将来须凿除的混凝土进行植筋，达到强度要求后进行抗拔试验。检验标准以钢筋达到屈服时不被拔出且混凝土完好为合格，然后才可以批量操作。

② 现场抗拔破坏性试验（施工中试验）

对植入的钢筋从与混凝土交界面的根部，用与之相同直径的钢筋进行绑扎焊接；然后进行抗拔破坏试验，要达到相同的要求。

③ 现场抗拔非破坏性试验（施工后验收试验）

施工后验收试验为非破坏性抗拔试验，同规格的钢筋每100根随机抽样1组，每组3根，进行试拉，如达到安全拉力钢筋不被拉出，则说明植筋施工质量合格。

3. 连接处新梁的处理

为保证新旧主梁的连接，须将新旧主梁翼板横向钢筋相连接，钢筋连接可采用焊接方式，这就需要连接处的新梁在预制时，连接侧翼板预留一定的长度（如50cm）不浇筑混凝土，顶部和底部的横向钢筋也应预留出来。

4. 连接处旧梁的处理

因为旧主梁要和新主梁连接，且新旧主梁间可能须浇筑新的横隔梁，以将既有桥梁横隔梁与新建部分的横隔梁相连，所以须对既有边梁进行特殊处理，以保证连接的质量，使拓宽后的桥梁不出现病害。

在进行新旧主梁连接时，须将新旧主梁翼板的顶部和底部钢筋连接，一方面需要将既有边梁的翼板顶部钢筋露出一部分，以与新梁翼板顶部钢筋进行焊接；另一方面如既有边梁连接侧无底部钢筋，须在其翼板底部进行植筋，然后将植入的钢筋与新梁的底部钢筋连接。

在施工时，先将原悬臂处由板的边缘向板的根部方向除去一定宽度（如50m 宽）的原混凝土，并将既有钢筋保留，将新旧主梁两悬臂板的顶部钢筋连接起来，可采用焊接的方法，焊接的方式及焊接处的构造、尺寸应参照规范确定。

在钢筋连接完成后，将悬臂梁连接处脱模并现浇混凝土。

5. 连接处横隔梁的设置

如旧边梁在连接侧没有横隔梁，若要保证新旧桥梁的横隔梁相连，须在旧边梁上增设横隔梁。

一般采用的方法是在主梁的梁肋上钻孔，将新建横隔梁的主筋穿入孔中并与既有横隔梁的主筋焊接起来，保证既有边梁的横隔梁主筋相连。然后将既有边梁的新建横隔梁与新梁的横隔梁通过钢筋焊接或预埋钢板连接。

有时为了使新旧结构更好地连成一个整体共同受力，还在横隔梁下部增设贯通全桥宽的连接钢筋，并加大横隔梁下缘混凝土截面，将此钢筋包裹在混凝土内。

但是采用此方法存在一定的弊端，即在主梁梁肋上钻孔可能存在困难甚至根本不可行，因为在主梁的梁肋上钢筋间距较小，在梁肋的下部主筋位置更是如此，贸然钻孔很可能对主筋造成损坏，影响桥梁的安全使用。因此若钻孔无把握，同时须连接横隔梁，最好的方法是将既有边梁更换为新中梁。

通过对主梁和横隔梁进行以上处理可以保证新旧结构的可靠连接，提高拓宽后的桥梁的整体性，确保主梁及新旧主梁连接处桥面板的承载力满足要求，使拓宽后的桥梁不会出现因连接不当而引起破坏，确保桥梁使用的安全可靠。

（四）拓宽桥梁施工应注意事项

1. 新旧桥梁之间的连接时机选择

新旧桥梁拓宽连接后，新桥梁上部结构混凝土收缩徐变作用会使旧桥梁纵向受压而新桥梁纵向受拉，甚至会导致裂缝的产生。因此，在拓宽工程中，为了尽可能减小收缩徐变差对新旧桥梁受力的不利影响，避免产生病害，新旧桥梁连接一般选择在新建部分完成后的一定时间内进行。根据收缩徐变的特性，一般在拓宽部分建成三个月后进行连接为好。

考虑新桥梁建成后会产生沉降，若无法对地基进行有效的处理，也可考虑通车时新建部分与既有部分暂时不连接，在新建部分沉降一段时间后再将新旧部分连接，以减小其在桥梁上部结构中引起的附加力。若必须在建成后马上连接，则应对既有主梁进行适当的加固，以保证其承载力满足拓宽后的受力要求。

2. 拓宽桥梁施工应注意的事项

第一，为减小新旧桥梁之间的相对沉降量、混凝的收缩徐变影响及预应力梁的上拱影响，加宽新建桥梁应采用预压及暂不浇筑新旧桥梁连接处混凝土，等一段时间（一般需要三个月）后再浇筑的方法。

第二，增加桩长、增大桩径、严控桩底沉淀层厚度。改扩大基础为桩基础或在扩大基础下采用小型群桩（粉喷桩、灰土桩、碎石挤密桩等）的方法也应在施工中加以充分考虑，以减少新旧桥梁之间的相对沉降量。

第三，在桥梁加宽施工过程中，基础施工质量的好坏对日后加宽部分基础沉降量的大小有着最直接的影响。除在基础设计过程中必须认真考证桥位所在处的地质情况，选择合适的桩径长外，在基础施工过程中应严格控制基础施工质量。

第四，在施工过程中对差异沉降进行控制，除对桩基基底沉淀土厚度、上构延迟拼接进行严格控制外，施工过程中的沉降观测极其重要。新桥梁施工结束，新旧桥梁拼接前测定新桥梁沉降状况，当沉降差>5mm时要分析其原因。

第五，在原桥梁上展开凿除与切割施工的过程中，应当坚持一个原则，即不能破坏原结构，桥梁结构不出现裂缝，不能降低原结构的承载能力。应当依据施工缝进行施工，且进行凿毛处理，从而确保新旧混凝土连接的安全、可靠。在切割混凝土时，禁止采用风镐、凿岩机等大型设备，而应尽量采用切割方法及人工小锤凿除方式。

第六，为了能够在新旧桥梁拼接之前就降低拼接部位的沉降量，且对跨中上拱进行调节，应当采取预压的方式，或进行一定的延迟连接，确保桥面沉降平稳之后再展开拼接。

第七，在对桥梁进行加宽拼接时，应当在施工放样之前对桥梁的高程和坐标进行核查，以防止出现误差，这一点在新旧桥梁加宽拼接施工项目中极为重要。

三、桥梁移位及抬升施工

抬梁法施工就是将旧桥的梁板拆除并抬离，将旧桥墩台帽调整到新的桥梁墩台帽设计高程，部分或全部利用旧桥的梁板，与拼宽部分共同形成新的桥梁结构体系。

（一）旧桥部分施工

1. 旧桥梁板的拆除及检查

第一步工作是凿除旧桥桥面铺装层、护栏等桥面系工程，凿除桥面铺装层时，应注意避免对梁板顶板的破坏。如旧梁板设计为重复利用，在凿除桥面铺装后应对全桥的旧梁板进行全面检查，检查旧梁板的质量情况，对确定重复利用的旧梁板进行编号。第二步工作为凿除铰缝混凝土，凿除时应特别注意避免破坏重复利用梁板的马蹄角，应将风镐贴近废弃梁板的侧面进行凿除。由于铰缝凿除势必会破坏一侧梁板的马蹄角，因此一般梁板的重复利用率最多只能达到50%。

2. 移梁

铰缝凿除后将旧梁板移走，对重复利用的旧梁板现场编号，按指定的位置进行临时存放，并注意临时存放的支点和放置的层数满足规范要求，防止因存放不当造成梁体破坏。

3. 旧桥墩台帽按设计图纸改造

在将旧桥梁板抬移后，凿去原墩台帽挡块及多余帽梁部分，割去露出的钢筋并用环氧砂浆封闭。下一步工作就是调整旧桥墩台帽的顶面高程，先将老桥墩台帽的钢筋保护层凿除，再根据新的设计尺寸和高程重新浇筑调平层；在浇筑调平层前根据调平层的厚度布设构造钢筋。为防止破坏旧桥墩台帽的主筋对旧桥受力情况造成影响，上述施工方法一般应用于抬高老桥高程的情况。

（二）梁板顶升施工方法及施工工艺

顶升施工：查找桥梁、通道原始记录，保证施工用的顶升千斤顶吨位大于板质量的 2 倍；搭设脚手架；顶升前拆除桥面铺桩，剪断板体与台帽的锚固螺栓；用扁形分离式油压薄层千斤顶，单跨两侧整体顶升板块；当板体顶升至所需高度时，清理台帽垃圾，如果台帽有其他病害，应查明原因，并进行相应的规范处置。

浇筑新块件：将墩台表面混凝土凿毛洗净，根据计算所需的高度布置构造钢筋，支模浇筑混凝土新块件，并预留锚固螺栓孔。新块件包括台帽、背墙等相关位置处块件。

落板：根据预留锚固螺栓孔深度，落板前焊接板底两端锚固钢筋至相应长度。当新浇筑块件强度达到设计值的 80%时，拆除模板，浇筑锚固螺栓孔，设置 1cm 厚油毛毡支座，然后缓慢落板，确保锚固螺栓准确到位。

板体顶升后，将台帽、背墙塔顶面混凝土凿毛，并按设计要求在指定位置植钢筋。在环氧树脂完成固化之前，不得对结构有较大扰动。植筋后 12h 内不得扰动钢筋，若有较大扰动，则应重新植筋。

（三）旧桥架梁及桥面铺装的施工

在调平层及支座强度满足规范要求的情况下进行旧桥的架梁、铰缝及桥面铺装的施工。新旧桥的桥面铺装钢筋网片搭接长度不小于 40cm，以保证桥面铺装的整体性。

（四）叠合梁施工工艺分析

1. 设计原则

叠合梁计算时考虑两阶段受力。首先，施工阶段，将叠合梁作为二期恒载考虑，验算旧桥梁板的承载能力。其次，在使用阶段将叠合部分与旧桥梁板作为整体断面共同承受活载，进行承载力、裂缝、挠度验算。

2. 拼宽段施工

叠合梁拼宽段的施工工艺同抬梁法拼宽段施工桥梁工艺。

3. 旧桥部分施工

（1）跨径较小（单跨跨径 13m）的桥梁施工

首先凿除旧桥桥面、护栏、安全带，凿除桥面联系，将两侧边板吊离，露出中板的铰缝钢筋。通过与加宽的中板铰接钢筋连接成整体，凿去原墩台帽挡块及耳、背墙和帽梁凸出部分，割除外露的钢筋并用环氧砂浆封闭，在旧桥墩台帽两侧新建加宽部分墩台，在新旧桥墩台帽之间设沉降缝，间距为 1cm。旧桥部分采用叠合梁法调整横坡。在施工中，首先凿除原桥面铺装混凝土，露出顶板，并注意凿除过程中不要破坏旧桥梁板，并清除残碎混凝土，以保证新浇叠合混凝土与旧桥梁板紧密结合、共同受力。在梁板横桥向铰缝附近和板梁中心植入剪力筋，采用直径 12mm 的钢筋，植入深度为 12cm。为保证植入筋的施工质量，应首先用电钻打眼，灌满环氧砂浆后插入植入钢筋，纵桥向间距为 50cm，在调平层较厚的地方每隔 20cm 加设直径为 10cm 的 PVC 管，以减轻加铺层自重，但须保证塑料管上混凝土最小厚度为 7cm，管下混凝土最小厚度为 6cm。应进行力学计算，保证旧桥经叠合后承载力可达到设计要求。

（2）跨径较大（单跨跨径>13m）的桥梁施工

首先拆除护栏、安全带，凿除桥面铺装，凿除桥面联系，并冲洗干净，然后在桥孔中搭设支架，支架的强度要足以支撑全部梁板的自重及叠合的钢筋混凝土的自重，利用“对板楔块”相互挤紧使支架真正抬起全部自重；其次在桥面上布设横、纵向受力钢筋，并且控制好保护层厚度，整体浇筑混凝土。叠合梁面层的纵坡、横坡、高程均按设计图纸要求，经养护后，待混凝土强度达到 100%设计强度时再拆除支架。此时结构既有的恒载（叠合梁部分的自重），以及使用中的活载由叠合后的连续梁承担，达到提高承载能力的目的。

若叠合前不设支架或支架支撑得不密实，则原结构自重及叠合部分的自重全部由原简支梁承担，仅使用时的活载由叠合后的连续梁承担，大大影响了叠合的效果，所以搭设好支架是非常关键的。确保叠合梁法施工质量的另一个关键因素是，原桥桥面铺装要凿除彻底并将预制梁板顶面全部凿毛、冲洗干净，使新旧桥梁混凝土紧密结合成整体。

4. 对于单跨的桥梁采取特殊措施

所谓的“叠合梁法”，实际上只是增加梁构件截面的高度（准确地说是增加截面的有效高度）来提高梁构件的抗弯能力。其所采取的特殊措施如下。

第一，将桥台的背墙凿低，将叠合部分延伸到搭板位置，形成两端外伸的外伸梁（延伸的长度要适当，要通过计算确定），这个措施相当于将既有的搭板在紧靠桥台背墙上的一段适当缩短，要设计枕梁替代原来背墙上的牛腿来搁置搭板，而延伸的部分来替代这一段搭板的作用。这样可利用外伸梁的支座负弯矩来减小梁跨中的正弯矩，达到提高承载力的目的。

第二，将桥台的背墙凿低，将叠合部分向下延伸形成两端铰支且带有向下悬臂的刚架，利用悬臂刚架角点上的负弯矩来减小跨中的正弯矩，达到提高承载力的目的。

5. 叠合梁混凝土的浇筑

为保证叠合效果，在浇筑前，原板梁顶面严格凿毛并清除残碎混凝土，同时为防止混凝土运输车辆对钢筋骨架的破坏，上层混凝土的浇筑应采用混凝土输送泵送料，同时严格控制混凝土的水灰比。为防止表面干缩裂纹，应采用二次收浆工艺，并在表面拉毛后及时进行养护。

6. 旧桥桥面铺装层的施工

在拼宽段桥梁架梁施工完成 3 个月且月沉降量<2mm 的情况下，进行旧桥桥面铺装的施工，施工前应注意新旧桥桥面铺装层钢筋网片的搭接长度>40cm，以防止出现纵向裂缝。

7. 旧桥桥面抬升施工方法的选择

在梁式体系桥梁的拼接施工中既可以采用抬梁法施工，也可以采用叠合梁施工。两种方法的应用有以下特点。

第一，在桥梁改造中，纵断高程调整<40m 的情况下，既可采用叠合梁施工工艺，也可采用抬梁法施工工艺；在纵断高程调整>40cm 的情况下应采用抬梁法施工工艺。

第二，在同样的情况下，采用叠合梁施工方法的造价、工期都优于抬梁法施工方法。

（五）拼宽段架梁及桥面铺装的施工

拼宽段在支座垫石施工完成并在强度满足设计要求的前提下进行架梁，对于接缝及桥面铺装的施工，桥面铺装施工时预留 50cm 宽的钢筋网片不浇筑铺装层混凝土，以保证新桥桥面铺装钢筋网片的搭接长度。新桥面铺装施工完成且达到设计要求的强度后可开放交通，然后进行旧桥的抬梁施工。

（六）施工期间的交通组织

施工期间主线桥梁分幅限时分隔封闭交通，上跨主线桥梁施工时采用限高限速、封闭主线部分交通等实施方案。

四、涵洞（通道）改扩建施工

在既有高速公路加宽改扩建项目中，既有的桥涵都须改扩建，其中各种类型的涵洞通道占有相当大的比例，既有的涵洞通道还存在许多问题需要改善处理。

（一）做好既有涵洞通道形式及现状的调查工作

由于路基加宽，原有大量的涵洞、通道须接长。为保证原有结构物的稳定及合理的拼接，对既有构造物的现状调查是必不可少的。调查的内容主要包括结构和功能两大部分。其中结构方面主要包括结构类型、结构尺寸、病害等内容。功能包括原结构目前的使用功能。

1. 结构方面的主要工作

第一，收集原有结构物的施工文件和竣工图。

第二，实地调查原有结构物的结构形式，调查原涵洞通道尺寸、洞口形式(包括斜交涵洞通道的洞口是正做还是斜做)、排水方向、涵洞通道内附属结构物、通道的净空等内容。

第三，实地测量涵洞通道的控制坐标、控制高程等测量数据。原有道路基础数据中最重要的数据是涵洞通道的定位及高程的控制。这些数据准确与否直接影响设计的准确性，影响工程的实现。实际操作证明，仅依靠道路的竣工资料是难以满足高速公路改扩建工程要求的。同时，改扩建工程对测量精度的要求也远高于新建工程。

涵洞通道测量要点包括：一是既有涵洞、通道的跨径、净高、建筑高度、涵底标高、纵坡、涵长、角度；二是加宽侧的地面纵断面及宽度。

涵洞通道测量内容包括：一是测量既有涵洞、通道两侧洞口坐标和标高及建筑物的高度；二是测量左右洞口的净高和斜长；三是测量加宽侧地面的坐标和标高及路基断面。

通过涵洞通道左右洞口的坐标测量，控制其定位、交角与长度，通过其高程的测量，控制其在洞口位置的衔接。将各控制点的坐标、高程与原结构物设计文件中的相应数据进行核对。如有出入，应查明原因，以保证数据的准确性。

第四，调查原有结构物的现状及病害情况，对能正常使用的不做处理，不能正常使用的进行加固处理。

2. 功能方面主要的工作

第一，结合当地政府和人民群众，对沿线的通行情况及排水情况进行普查。确定不能满足当前的通行要求、须进行净空加高的通道，以及原有的涵洞是否满足泄洪要求。

第二，调查既有涵洞通道的使用功能。调查其附属的结构物，以便在改扩建工程设计及施工中予以考虑，接长后恢复及改善其使用功能。

第三，调查原有通道的服务水平。对于原有的积水通道及受加宽时横坡的影响而造成积水的通道，应根据实地情况确定方案，改善其服务水平。

（二）涵洞通道改扩建方案

涵洞通道改扩建方案根据改扩建方式的不同而有所区别。对于整体式路基段落，涵洞通道按原有结构形式接长，将需要加长路段的洞口拆除（一字墙可只拆除锥坡或护坡），按原有结构形式、交角、洞身几何尺寸顺接，并设置 2 cm 沉降缝。对于分离式路基，主要根据实际地形，以不破坏原有自然排水系统为原则，按路基排水、耕地灌溉需要布置涵洞。凡沟、渠、洼地均设有涵洞。在距离原高速公路较近处，涵洞跨径参考既有涵洞设置。位于分离式路基路段的新建通道，以方便沿线群众生产生活为宗旨，考虑现有农村路网布局、乡村规划及村镇分布情况等进行设置，通道类别根据被交路的功能确定。在距离原高速公路较近处，通道跨径参考原有通道设置。基础及地基处理应考虑地质条件及新旧结构物之间的差异沉降等因素。为减少施工中和施工后沉降，在接长涵洞台背一定范围内采用碎石土或石灰土回填。

为减少新旧路基的差异沉降，结合既有路基边坡的处理措施和地质情况，加长涵洞采用素混凝土桩、预应力水泥混凝土（PTC）管桩、灰土桩或碎石垫层等方案处理。

（三）施工关键要点

在进行涵洞通道施工的过程中，应考虑的方面主要包括：加固、加高处理，净空保障，积水处理，水毁处理等。

1. 涵洞通道的加固

对于既有高速公路的涵洞通道，大部分使用现状良好，排水、通行顺畅，但也有部分涵洞通道出现了病害。既有涵洞的病害及处理措施如下。

（1）混凝土缺陷

混凝土缺陷主要包括碱化、碳化、蜂窝麻面等，处理措施主要是对病害部分进行清洗后，对破损部分用水泥基灌浆材料或用环氧砂浆修补。

（2）混凝土裂缝处理

这里的裂缝指的是宽度较小，对结构的安全性影响不大的裂缝。

裂缝封闭原则：宽度≥0.1mm 的裂缝采用压浆法进行修补，宽度<0.1mm 的裂缝采用封闭法进行修补。

(3) 八字翼墙处理

用干燥麻絮浸透沥青后填实。对于需要双侧加宽的涵洞、通道，由于原有八字翼墙须进行拆除，因此对原有八字翼墙的病害不再进行处理。

(4) 沉降缝处理

在沉降缝两侧各凿标准凹槽，在槽内塞满沥青麻丝。安装止水橡胶，再用沥青油膏填平凹槽。

(5) 边坡处理

对于边坡的坍陷，在边坡上挖台阶重新填土冲击碾压后，恢复原有的护坡。

(6) 铰缝脱落、涵顶铺装处理

加固时首先将涵顶铺装全部凿除，再将铰缝的细石混凝土清理干净，植筋及加焊连接钢板后，加铺涵顶铺装，涵顶铺装按照新的结构进行施工。

(7) 盖板处理

采用原位铆粘钢板修复。对原有暗涵、暗通道间脱落的混凝土，采用环氧砂浆进行勾缝。

(8) 拱涵裂缝处理

在进行拱涵、拱通道处理时，根据裂缝宽度的不同，分别采用以下几种处理措施：对缝宽<0.1mm 的拱涵、拱通道进行封缝处理；对 0.1mm≤缝宽≤2mm 的拱涵、拱通道进行压力灌浆法灌缝。对裂缝较大的拱涵、拱通道进行压力灌浆法灌缝，对侧墙后背进行灌浆处理，再在拱顶部分区域浇筑 25cm 厚的钢筋混凝土内衬。

考虑到拱涵、拱通道的地基经过十几年的运营，固结已基本完成，因此对地基不再进行处理。

(9) 洞口、洞内淤积，排水不畅

对淤积物进行及时清理，保持排水通畅。

2. 涵洞通道的加高处理

随着经济的发展，原来的通道已不能满足现有车辆的通行要求，严重制约了地方经济的发展，当地群众迫切要求增加部分通道的净空，同时在通道改造施工过程中不能影响高速公路的正常通行。针对这种问题，应根据不同的结构形式，采用不同的加高方式。

第一，对于整体式基础盖板通道采用 U 形槽跳仓施工，U 形槽通过植筋与原有基础连接在一起。

第二，对于重力式分离基础采用加厚原通道铺底跳仓施工。

第三，对于箱形通道采用设置加固加筋水泥土桩锚侧壁支护后，增加新底板跳仓施工。

3. 涵洞通道的净空保障

受高速公路路面横坡影响，暗通道加宽后涵顶最小填土高度会有所降低。当加宽后填土高度≥0.5m 时，拼宽的通道底纵坡按照原通道设计；当加宽后填土高度<0.5m 时，通道底纵坡根据主线纵坡、路面横坡进行调整，使暗通道加宽后最小填土高度≥0.5m。

为保证通道净空，明通道底纵坡根据主线纵坡、路面横坡调整确定。

4. 通道的积水处理

通过对原有通道的实地调查，在设计和施工中遵循“以人为本”的原则，改善原有通道的通行条件。

通道积水处理主要采取在通道两侧硬化，设置人行平台，将水引入边沟、河流、沟渠或专用蒸发池中。

5. 涵洞通道的水毁处理

当路线经过不良地质地区，特别是黄土地区时，由于黄土湿陷性及原有排水系统不完善等原因，部分涵洞通道出现了水毁现象，影响结构物的稳定和安全。同时水毁对附近居民正常生产和生活造成了一定的影响。

在设计和施工中，针对不同情况对水毁路段排水尽可能地高接远送，向远处延伸，解决水的出路问题，并采取措施防止水的下渗对黄土的冲刷。对在水毁附近没有沟渠可供利用的，设置蒸发池。对出水口采取措施，减少水能，尽可能减少冲刷，在排水结构物周围设置防渗土工布及三七灰土。

此外，对于单侧加宽路段，要贯彻“以人为本”的理念，为保证通道接长后的采光条件，对单侧接长明通道，在中央分隔带设置采光孔，上覆玻璃钢瓦。

第五章　高速公路隧道工程建设施工

第一节　施工准备

一、隧道施工一般规定

第一，进行隧道施工前应熟悉设计文件，领会设计意图，做好现场调查和图纸核对工作。现场调查及图纸核对工作主要有如下几项。

① 隧道施工对地表和地下既有结构物的影响。

② 施工场地布置与洞口相邻工程、弃渣利用、农田水利、征地等的关系。

③ 建筑物、道路工程、水利工程和电信、电力线路等设施的拆迁情况及数量。

④ 施工中和运营后对自然环境、生活环境的影响及需要采取的保护措施。

施工前应全面熟悉设计文件，并做好图纸审核工作。在施工调查和设计文件核对完成后，应将结果及存在的问题，以书面形式呈送建设项目合同规定的相关建设管理单位。

第二，隧道施工前应加强地质勘探工作，重视跟踪地质调查与超前地质预报。

第三，应根据工程规模、技术标准等相关规范进行施工场地规划、驻地建设、拌和站和工地试验室建设，并通过相关单位组织的专项验收。

第四，隧道开工前，应完成洞口前可能干扰洞身施工的相关工程。

第五，在隧道施工过程中，应完整收集原始数据和资料，做好施工记录，编写隧道技术总结。

二、技术准备

（一）施工测量工作准备

第一，施工前应根据施工图纸和有关勘测资料，对交付使用的隧道轴线桩、平面控制三角网基点桩以及高程控制的水准基桩等进行详细的测量检查和核对，不得有误，并将测量成果报送监理单位。

第二，在放线中除千米桩、平曲线基本桩外，还应设置必要加密桩；在工程实施中隧道中桩最大间距直线上不得大于20m，曲线上不得大于5m，并明确标出用地界桩、路面和排水沟中心桩、辅助基准点以及其他为控制正确放线的水平和垂直标桩。

第三，隧道进出口联测已完成，且贯通误差符合规范要求；测放出进洞控制桩，并保护良好；边、仰坡开挖边线，明暗洞交界里程等测量放样已按规范完成。

（二）施工方案准备

第一，根据总体施工组织设计结合本项目的具体情况、工期要求、施工队伍、机械设备、施工中的现场监控量测等因素，正确选定施工方案，制定施工顺序，编制实施性施工组织设计。编制的施工组织设计，应包括施工方法、工区划分、场地布置、进度计划、工程数量、人员配备、主要材料、机械设备、电力和运输以及安全、质量、环保、技术等主要措施内容。

第二，实施性施工组织设计应报监理工程师及相关部门，按照程序批准后实施。在实施过程中应根据客观条件、生产资源配置变化情况及时调整施工组织设计，并呈送监理工程师批准，实行动态管理。

第三，对于长大隧道、地质复杂的隧道，如不良地质隧道、高瓦斯隧道、水底（海底）隧道等，承包人应当编制专项施工方案并组织专家论证、审查，附安全验算结果。施工方技术负责人、监理工程师审查同意签字后实施，由专职安全生产管理人员进行现场监督。

三、施工人员、材料和设备

（一）施工人员

第一，应对进场劳务分包队伍及其从业人员信息进行登记。

第二，应根据工程规模、工期和技术难度配备相应的管理、技术、测量、试验、环保、专职质量检查和安全管理人员。

第三，隧道施工的钻爆、运输、支护、模筑衬砌等作业均宜安排专业化队伍进行施工，施工前应根据施工进度计划、施工技术水平等制订详细的劳动力计划，及时组织上场，以满足施工需要。

第四，应加强现场施工人员（包括劳务人员）教育培训和考核工作。应当对管理人员和作业人员进行每年不少于 2 次、不低于 40 学时的安全生产教育培训，其教育培训情况记入个人工作档案。新进人员和作业人员进入新的施工现场或者转入新的岗位前，承包人应当对其进行安全生产培训考核。未经安全生产教育培训考核或者培训考核不合格的人员，不得上岗作业。

第五，承包人应当向作业人员提供必需的安全防护用具（如安全帽、安全带、口罩、耳塞等）和安全防护服装。

（二）材料采备

第一，隧道施工前应做好水泥、砂石料、钢筋（材）、外加剂、防水材料、透水管等各项材料的招标订购工作，并根据施工进度计划，制订材料供应计划，特别是做好隧道前期施工支护所需材料的采备工作。

第二，采购应严格按材料招投标程序进行，选择供应能力强、质量合格、价格优惠的供应厂家。

第三，进场前应严格进行检查验收和取样送检，试验合格经监理工程师认可后方可进料；杜绝不合格材料进入现场。

（三）机械设备准备

第一，隧道洞身开挖前，二次衬砌模板台车必须进场。

第二，隧道前期上场的机械设备主要有以下几种。

土石方施工设备：挖掘机、推土机、压路机和自卸汽车等。

隧道开挖及出渣运输设备：凿岩机、台车（架）、装载机、大吨位自卸汽车等。

隧道支护设备：湿喷机、管棚钻机、注浆机等。

混凝土施工设备：混凝土搅拌机、配料机、混凝土运输车、混凝土输送泵、振捣设备、衬砌台车（模板、拱架）等。

钢筋结构加工设备：钢筋调直机、切断机、弯曲机、电焊机等。

风、水、电供应设备：空压机、风机、水泵、变压器、发电机等。

相应阶段配备的检测仪器和设备。

第三，机械设备按照性能优良、配套合理、工效高的原则配备，满足污染小、能耗低、效率高的要求，并根据施工进度计划安排，分阶段、分期组织上场，以满足施工需要。

四、施工供风、供水、临时供电

（一）施工供风

第一，风机应在洞口旁边选址修建，应有防水、降温、保温和防雷击等设施。

第二，压风站的供风能力须满足隧道正常施工需要，供风管路的布置应尽量避免压力损失，保证工作面使用风压不小于0.5MPa。

第三，高压风管长度>1000m时，应在管路最低处设置油水分离器，定时放出管道中的积油和水。

（二）施工供水

第一，在实施和维修工程期间，应按国家规定的施工和生活饮用水的有关标准，确保施工和生活用水设施的安装、保养与供水满足施工及生活需要。

第二，寻找水源，按施工需要的供水压力，合理选址修建高位水池，安装上、下水管路。

第三，对于修建高位水池困难的隧道，宜采用变频高压供水装置满足施工需要。

第四，供水管道前端至开挖面一般不超过20m。

（三）施工临时供电

第一，对于短隧道应采用高压电至洞口，低压电进洞；长隧道及特长隧道应考虑高、中压电进洞，以满足施工需要。

第二，隧道施工供电应采用三相五线供电系统；动力设备应采用三相400V/380V；照明电压一般作业地段不宜大于36V，成洞段和不作业地段可采用220V，手提作业灯为12~24V；选用的导线截面应使低压线路末端电压降不大于10%；36V线不得大于5%；高压分线部位应设明显危险警告标志；所有配电箱和开关应全部进行责任人和用途标志。

第三，洞外变电站应设置防雷击和防风装置，且宜设在靠近负荷集中地点和设在电源来线一侧。当变电站电源线须跨越施工地区时，其最低点距人行道和运输线路的最小高度应满足：电压35kV时为7.5m，电压6~1 0kV时为6.5m，电压400 V时为6m。变压器容量应按电气设备总用量确定。

洞内变电站应设置在干燥的紧急停车带或不使用的横通道内，变压器与周围及上下洞壁的最小距离不得小于300mm，同时应按规定设置灯光、轮廓标等安全防护设施。洞内高压变电站之间的距离宜为1000m，由变电站分别向相反两方向供电，每一方供电距离宜采用500m。洞内高压变电站应采用井下高压配电装置或相同电压等级的油开关柜，不应使用跌落式熔断器，应有防尘措施。

第四，成洞地段固定的电线路，应采用绝缘良好的橡胶线架设；施工地段的临时电线路应采用橡胶套电缆；瓦斯地段的输电线必须使用密封电缆，不得使用橡胶线；涌水隧道的电动排水设备应采用双回路输电并有可靠的切换装置；动力干线上每根分支线，必须装设开关及保险装置；严禁在动力线路上加挂照明设施。

第五，照明和动力线路安装在同一侧时，必须分层架设。电线悬挂高度应满足 110V 以下电线离地面距离不应小于 2m，400V 时应大于 2.5m，6~10kV 时不应小于 3.5m。供电线路架设一般要求高压在上、低压在下，干线在上、支线在下，动力线在上、照明线在下。

五、弃渣场、自办料场、危险品库

（一）弃渣场

第一，隧道弃渣必须运至确定的弃渣场弃置，不得随意乱弃。

第二，隧道施工前应详细调查，和业主及当地政府配合，选择出渣运输方便、距离短的场所作为弃渣场，场地容量应可容纳隧道弃渣量。

第三，弃渣场选址应不得占用其他工程场地和影响附近各种设施的安全；不得影响附近的农田水利设施，不占或少占农田；不得堵塞河道、河谷，防止抬高水位和恶化水流条件；不得挤压桥梁墩台及其他建筑物。

第四，弃渣场应按设计要求进行防护，当设计要求不能满足实际需要或设计无具体要求时，应对弃渣场的防护进行设计并报监理工程师批复，以确保边坡稳定，防止水土流失、泥石流、滑坡等危害。

（二）自办料场

当隧道弃渣强度等指标符合规范要求，可作为结构用材料时，现场应建碎石场以充分利用隧道弃渣，加工碎石设备应采用带除尘装置的反击破碎石机并有配套的联合振动筛分设备。

碎石场应专门配备锤式碎石机生产喷射混凝土骨料。日产量在 100m^3 以上的碎石场宜配置自动或半自动水冲洗设备，以提高碎石质量。

（三）危险品库

1. 火工品库房的建设及管理符合的要求

第一，建立健全火工用品管理制度，严格控制火工用品采购、储存、领取、使用和退库各个环节的管理及操作，做到全程监控，全程把关。施工单位要定期对炸药库管理有关台账进行认真检查和清对，监理工程师要加强监督检查。

第二，双洞中隧道及长隧道、特长隧道宜设置专用火工品库房，其他短隧道可结合其他隧道及路基、桥涵施工集中设置。

第三，应根据施工进度计划安排及月循环进尺核定火工品库库容量。

2. 其他危险品

如氧气、乙炔、油料及剧毒、放射性物品等应单独建库存储，库房建设及管理应符合相关标准建设。

第二节　洞口、明洞及洞身开挖

一、洞口及明洞工程

（一）一般规定

1. 洞口工程施工的要求

第一，施工宜避开雨季及严寒季节。

第二，隧道与相邻路基断面的宽度和高程差应在路基范围内调整。

第三，紧邻洞口的桥、涵、路基挡护等工程的施工，应结合隧道施工场地布置，及早完成。

第四，洞口施工应减少仰坡开挖高度，保护生态环境，减少植被破坏。

第五，洞口工程施工应采取微震动控制爆破，邻近有建筑物时，应对建筑物下沉、倾斜、裂缝以及振动等情况做必要的监测。

第六，洞口邻近交通道路的施工，应采取确保道路通行安全的防护和加固措施，并应对道路沉降、边坡稳定等进行监测。

2. 施工便道的引入和施工场地的平整

应尽量减少对原地貌的破坏和对洞口岩体稳定的影响。

3. 洞外排水的要求

第一，洞外施工期间排水应结合永久排水系统、辅助坑道设置统筹考虑，并以较短途径引排到自然沟谷中。

第二，洞外排水系统应避开不良、不稳定地质体，当无法避开时，应先采取处理措施，消除隐患。

第三，洞外排水系统应避免对相邻工程及其基础产生冲击、冲刷、侵蚀及浸泡等不利影响；当难以避免时，相邻工程应采取措施。

第四，洞外排水沟渠的排水坡度按照设计排水沟渠的坡度施工，应避免流速过大导致沟渠毁损，或流速过小导致渠道淤积的现象，其采用的建筑材料应具有防冲刷的能力，必要时设置消能设施。

（二）边、仰坡开挖及防护

边、仰坡开挖前应完成截排水工程，洞顶地表水的处理应符合以下要求。

第一，边、仰坡截、排水沟应与洞外路基排水系统良好连接；纵坡较陡时，沟身应采取设缓坡段和基座等稳定措施，沟口应采取设防冲刷措施。

第二，对不利于施工及运营安全的地表径流、坑洞、漏斗、陷穴、裂缝等，应采取封闭、引排、截流等工程措施。洞口自然冲沟、水渠横跨隧道洞口时，应设渡槽排水。边、仰坡以上可能滑塌的表土、危石应全部清除，不留后患。

洞口边、仰坡工程应自上而下逐级开挖支护，及时完成洞口边、仰坡加固、防护及防排水工程。

（三）明洞工程

第一，明洞位于陡峭山坡或破碎、松软地层时，宜先施做明洞衬砌轮廓外的整幅或半幅套（护）拱，必要时还应在外侧施做挡墙，然后在套拱护顶下暗挖明洞土石方，并及时支护边墙，成型后按暗挖隧道施做明洞衬砌。

第二，明洞宜及早施做，明洞仰拱应安排在明洞拱墙衬砌施工前浇筑。隧道采用爆破开挖时，宜在洞身掘进适当距离后施做明洞；非爆破开挖时，宜先施做明洞，然后开挖隧道。

第三，明洞基础应设置在稳固的地基上，两侧墙体地基松软或软硬不均时，应采取措施处理，防止地基不均匀沉降。

第四，明洞衬砌结构施工应符合以下要求。

明洞衬砌不得侵入设计轮廓线，浇筑混凝土前应复测中线、高程和模板的外轮廓尺寸。

明洞混凝土的浇筑应设堵头板、外模和支架。

需要及时回填的明洞，内模板支架应在回填至拱脚位置且混凝土强度达到设计强度的70%后方可拆除。

第五，明洞防排水施工应符合以下要求。

明洞外模拆除后应及时施做防水层及排水盲管，并与隧水层和排水盲管顺接，排水管应排水通畅。

明洞防排水施工应和隧道的排水侧沟、中心水沟的出水口及洞顶的截、排水设施统筹安排。

明洞外侧的排水盲管设置完成后方可填土施工，确保出水口通畅。

第六，明洞回填施工应符合以下要求。

明洞回填应在明洞外防水层施做完成后，且混凝土强度达到设计强度后进行。

明洞回填应加强对防水层及排水系统保护，不得损坏防排水系统。

侧墙回填应对称进行，石质地层中岩壁与墙背空隙较小时用与墙身同标号的混凝土回填；空隙较大时用片石混凝土回填密实。回填至与拱顶齐平后，再分层满铺填筑至设计高度。

应用小型机械分层进行拱顶回填，分层厚度不大于0.3m，两侧回填土面的高差不得大于0.5m。夯填超过拱顶1.0m以上方可采用大型机械回填。

表土层须做隔水层时，隔水层应与边、仰坡搭接平顺，防止地表水下渗。

（四）洞口段施工

第一，隧道洞口段应根据地质条件、对地面建筑物的影响以及保障施工安全等因素选择施工方法，不宜采用全断面法开挖，采用台阶法时，严禁长台阶施工。

第二，洞口段施工，应符合以下要求。

进洞前应按设计施做超前支护。

洞口段应加强初期支护，及时形成封闭结构，衬砌应尽早施做。洞口段的监控量测应适当增加量测频率。

第三，隧道洞口段处于偏压时，开挖前应按设计要求先完成洞门结构及回填施工。

第四，洞口段位于浅埋、地表坡度较平缓时，可采用地表锚杆。地表锚杆施工应符合以下要求。

施工前应清除植被，夯平表土，清除危石。

锚杆应按设计要求布置孔位，垂直向下施钻。

成孔后应及时灌浆，灌浆管插入孔底。

锚杆安装前应除锈矫直，锚杆插入深度应符合设计要求。

第五，地面预注浆、长管棚（10~45m）等技术手段，适用于工程中的软弱地层或特殊地段加固处理，其施工流程及技术要求需符合相应行业规范的标准。

（五）洞门工程

隧道洞门应及早完成，施工应符合以下要求。

第一，隧道洞门的截、排水设施应与洞门工程同步施工，当洞门顶部水沟置于填土上时，填土应夯填密实，必要时应铺砌。

第二，隧道洞门端墙和翼墙、挡护墙的反滤层、泄水孔、变形缝设置应符合设计要求，泄水孔排水应通畅。

第三，隧道洞门拱墙应与洞内相邻的拱墙衬砌同时施工，连成整体。

第四，施工放样位置应准确、墙面应平顺，浇筑混凝土时应杜绝漏浆、跑模。

第五，基底不得有虚渣、杂物、积水、软层，基底承载力应符合设计要求，超挖部分应采用同级混凝土与基础同步浇筑。

第六，模板及支（拱）架应根据洞门结构形式、荷载大小、地基土类别、施工设备、施工工艺等条件设计。斜切式洞门内外模板和堵头板应专门设计和制作，配套使用。

第七，隧道洞门采用端墙式时，浇筑与回填应两侧对称进行，不得对衬砌产生偏压。斜切式洞门混凝土达到设计强度后，及时回填边、仰坡超挖部分，恢复自然地形坡面。

二、洞身开挖

（一）一般规定

第一，洞身开挖应根据隧道长度、断面大小、结构形式、工期要求、机械设备、地质条件等，选择适宜的开挖方案（包括开挖顺序、爆破、进尺深度、施工照明、通风、排水、支护、出渣等）。为了最大限度地利用围岩自承能力，必须采用有利于减少超挖、减少围岩扰动的开挖方法进行洞身开挖。

第二，开挖前，技术负责人对现场管理人员及作业工人进行全面的技术交底，开挖时应严格按照审核批准的专项方案组织施工。

第三，开挖作业应遵守以下规定。

开挖断面尺寸应符合设计要求。

合理确定开挖步骤和循环进尺，保持各开挖工序相互衔接，均衡施工。

爆破后，应及时对开挖面和未衬砌地段进行检查，对可能出现的险情，应采取措施及时处理。

开挖作业不得危及初期支护、衬砌和设备的安全，并应保护好测量用的测点。

开挖后，应做好地质构造的核对和素描，地质变化处和重要地段应有照片记载，做好监控量测工作。

开挖爆破作业应在上一循环喷射混凝土终凝后，并不少于4h时进行。

第四，爆破应采用光面爆破技术，必要时采用预裂爆破技术，施工中应提高钻眼效率和爆破效果，降低工料消耗。

第五，开挖爆破应选用适当的炸药品种和型号，在漏水和涌水地段应采用非电导爆管起爆。

第六，爆破作业及火药物品的管理必须遵守现行的国家标准《爆破安全规程》（GB 6722—2014）的有关规定。对有瓦斯溢出的隧道，应根据实际地质情况、瓦斯溢出程度和设备条件，制定相应的施工方案。

第七，隧道双向开挖接近贯通时，两端施工应加强联系，统一指挥，并采取浅眼低药量，控制爆破。当两开挖面间距剩下15~30m时，应改为单向开挖，并落实贯通面的安全措施，直到贯通为止。

第八，双洞开挖时，应根据两洞的轴线间距、洞口里程距离、地质条件及其他自然条件，选择适宜的开挖方法，确定好两洞开挖的时间差，并采取措施防止后行洞开挖对先行洞周壁产生的不良影响。

（二）开挖方案选择

1. 开挖方案

开挖方案应具有较大适应性，且必须与支护、衬砌施工相协调。如需变换开挖方法时应有过渡措施。

2. 全断面开挖

适用于Ⅰ~Ⅲ级围岩和较好的Ⅳ级围岩的双车道隧道及Ⅰ~Ⅲ级围岩的三车道隧道。

施工顺序说明：全断面开挖→初期支护→全断面二次衬砌。

施工要点：循环进尺宜控制在3~4m；采用大型机械配套作业；超前开挖导洞时，应控制好开挖距离。

3. 台阶法开挖

适用于Ⅲ~Ⅳ级围岩和较好的Ⅴ级围岩双车道隧道和Ⅳ级围岩三车道隧道。

施工顺序说明：上台阶开挖→上台阶初期支护→下台阶开挖→下台阶初期支护→全断面二次衬砌。

施工要点如下。

台阶不宜多分层，上下台阶之间的距离尽可能满足机具正常作业，并减少翻渣工作量；当顶部围岩破碎，须支护紧跟时，可适当延长台阶长度。

施工亦应先护后挖，宜采用超前锚杆或超前小钢管辅助施工措施。开挖时应尽量采用微震光面爆破技术。

初期支护应紧跟开挖面；上台阶施工时，钢架底脚宜设锁脚锚杆和纵向槽钢托梁以利于下台阶开挖安全。下台阶在上台阶喷射混凝土强度达到设计强度的70%后开挖。

隧道两侧的沟槽及铺底部分应和下台阶一次开挖成型。

台阶分界线不得超过起拱线，上台阶长度不应大于30m，下台阶马口落底长度不大于2榀钢拱架的长度，应一次落底，并尽快封闭成环。

4. 预留核心土开挖

适用于Ⅴ级围岩双车道隧道以及Ⅳ级围岩三车道隧道。

施工顺序说明：上弧形导坑开挖→拱部初期支护→预留核心土开挖→下台阶中部开挖→下台阶侧壁部开挖→仰拱超前支护→全断面二次衬砌。

施工要点如下。

环形开挖留核心土法，将开挖断面分为上、中、下及底部四个部分逐级掘进施工，核心土面积应不小于整个断面面积的50%。上部宜超前中部3~5m，中部宜超前下部3~5m，下部宜超前底部10m左右。为方便机械作业，上部开挖高度控制在4.5m左右，中部台阶高度也控制在4.5m左右，下部台阶控制在3.5m左右。

核心土与下台阶开挖应在上台阶支护完成后、喷射混凝土强度达到设计强度的70%后进行。为防止上台阶初期支护下沉、变形，其底部宜加设槽钢托梁，使托梁与钢架连为一体，钢架底部应按设计要求设置锁脚锚杆，并与纵向槽钢焊接，锚杆布设俯角宜为45°。

每个台阶开挖完成后，及时喷射混凝土对围岩进行封闭，设立型钢钢架及锁脚锚杆，分层复喷混凝土到设计厚度，必要时各台阶设临时仰拱加强支护，完成一个开挖循环。

对土质的隧道应以核心土为基础设立临时钢架竖撑以支撑拱顶和拱腰，核心土应根据围岩量测结果适当滞后开挖。

5. 中隔壁法（CD 法）

（1）CD 法的含义

CD 法是指在软弱围岩大跨度隧道中，先分部开挖隧道的一侧，并施做中隔壁，然后再分部开挖另一侧的施工方法。

（2）施工顺序说明

先行导坑上部开挖→先行导坑上部初期支护→先行导坑中部开挖→先行导坑中部初期支护→先行导坑下部开挖→先行导坑下部初期支护→后行导坑上部开挖→后行导坑上部初期支护→后行导坑中部开挖→后行导坑中部初期支护→后行导坑下部开挖→仰拱超前浇筑→全断面二次衬砌。

（3）施工要点

第一，上部导坑的开挖循环进尺控制为每榀钢架间距 0.5~1.0m，下部导坑的开挖进尺可依据地质情况适当加大。

第二，中隔壁法或交叉中隔壁法施工时，初期支护完成后方可进行下一分部开挖，地质较差时，每个台阶底部均应按设计要求设临时钢架或临时仰拱；各部开挖时，周边轮廓应尽量圆顺；应在先开挖侧喷射混凝土，强度达到设计要求后再进行另一侧开挖；左右两侧导坑开挖工作面的纵向间距不宜小于 15m；当开挖形成全断面时，应及时完成全断面初期支护闭合。

第三，导坑开挖孔径及台阶高度可根据施工机具、人员等安排进行适当调整。应配备适合导坑开挖的小型机械设备，提高导坑开挖效率。

第四，中隔壁的拆除应滞后于仰拱，并应于围岩变形稳定后才能进行，一次拆除长度应根据量测数据慎重确定，拆除后应立即施做二次衬砌。

6. 交叉中隔壁法（CRD 法）

（1）CRD 法的含义

CRD 法是指在软弱围岩大跨度隧道中，先分部开挖隧道一侧，施做中隔壁和横隔板，再分部开挖隧道另一侧并完成横隔板施工的施工方法。

（2）施工顺序说明

左侧上部开挖→左侧上部初期支护→左侧中部开挖→左侧中部初期支护→右侧上部开挖→右侧上部初期支护→右侧中部开挖→右侧中部初期支护→左侧下部

开挖→左侧下部初期支护→右侧下部开挖→右侧下部初期支护→仰拱超前浇筑→全断面二次衬砌。

（3）施工要点

第一，为确保施工安全，上部导坑开挖循环进尺控制为每榀钢架间距0.5～0.8m，下部开挖可依据地质情况适当加大，仰拱一次开挖长度依据监控量测结果、地质情况综合确定。

第二，应在先开挖侧喷射混凝土，强度达到设计要求后再进行另一侧开挖。

第三，左右两侧导坑开挖工作面的纵向间距不宜小于15m。中间支护系统的拆除时间应考虑其对后续工序的影响，当围岩变形达到设计允许的范围之内，方可拆除。中隔壁混凝土拆除时，要防止对初期支护系统形成大的振动和扰动，并根据二次衬砌段的长度逐段拆除。

（三）钻爆与出渣

1. 机械设备选型配套

第一，机械设备应本着“性能先进、配套合理、着重工效”的原则，按大断面（长）隧道机械化施工技术要求选型配套。

一般隧道大断面开挖可采用多层钻孔平台配12～18台风动凿岩机钻孔；对于长大隧道，宜采用性能先进的液压钻孔台车进行施工，宜配备专用炮泥机加工炮泥，保证装药堵塞质量。

第二，出渣运输设备的选型配套应保证机械设备充分发挥其功能，并应使出渣能力、运输能力与开挖能力相适应，应使装运能力大于最大的开挖能力。

长隧道无轨运输出渣，宜配备大功率、大容量、性能先进的装运机械设备，加快施工进度。

第三，装渣应选用在隧道断面内能发挥高效率的机具，装渣能力应与运输车辆的容积相适应。运输方式根据隧道长度、机具设备和施工条件，选用有轨或无轨的运输方式。在施工过程中承包人必须严格执行批准的运输方案，切忌二次倒运。

2. 施工要点

第一，测量放样布眼。钻眼前应定出开挖断面中线和水平线，用红油漆准确绘出开挖断面轮廓线，并标出炮眼位置（误差不超过50mm），经检查符合设计要求后方可钻眼。当开挖面凸凹较大时，应按实际情况调整炮眼深度，并相应调整装药量，除掏槽眼外的所有炮眼眼底宜在同一垂直面上。

第二，钻眼。按照不同孔位定点定位。钻工应熟悉炮眼布置图，能熟练地操作凿岩机械，特别是钻周边眼，一定要由有较丰富经验的老钻工钻，有专人指挥，确保周边眼有准确的外插角，使两茬炮交界处台阶不大于15cm。同时，根据眼口位置岩石的凹凸程度调整炮眼深度，保证炮眼底在同一平面上。施工质检员和监理工程师应加强对炮眼角度、深度、密度和垂直度的检验，尤其要加强对边墙周边眼钻孔质量的控制。炮眼精度应严格控制在《公路隧道施工技术规范》（JTG/T 3660—2020）规定之内。

第三，装药前，用高压风将炮眼内的泥浆、存水及石粉吹洗干净。装药需分片分组，按炮眼设计图确定的装药量自上而下进行，雷管要“对号入座”，要定人、定位、定段别，不得乱装药。已装药的炮眼应及时堵塞密封，周边眼的堵塞长度不宜小于200mm。严格控制周边眼的装药量，应使药量沿炮眼全长合理布置，宜采用小直径药卷和低爆速炸药。

第四，联结起爆网路施工应按《爆破安全规程》（GB 6722—2014）的有关规定执行。

第五，待非点炮人员撤至安全地点后才能引爆。爆破后必须经过通风排烟，其相距时间不得少于15min，且洞内空气质量符合相关规定，并经过以下各项检查和妥善处理后，其他工作人员才允许进入工作面。

一是检查有无瞎炮及可疑现象；二是检查有无残余炸药或雷管；三是检查顶板、两帮有无松动石块；四是检查支护有无损坏与变形。

爆破后必须立即进行安全检查，如有瞎炮，必须由原爆破人员按《爆破安全规程》（GB 6722—2014）的有关规定进行处理，确认无误后才能出渣。

第三节　初期支护、辅助工程措施及辅助坑道

一、初期支护

（一）一般规定

第一，初期支护应配合开挖作业及时进行，并确保围岩稳定以及施工安全。

第二，当掌子面自稳能力差时，应采取增加辅助工程措施或改变开挖方法等措施。

第三，软弱围岩地段施工必须坚持“先排水、短开挖、弱爆破、强支护、早衬砌、勤量测”的施工原则，初期支护紧跟掌子面。Ⅳ~Ⅵ级围岩初期支护必须保证尽早封闭成环。

第四，隧道支护宜根据现场监控量测结果，分析施工中的各种信息，及时调整支护措施和支护参数。

第五，施工中应做好地质描述、超前地质预报，根据围岩条件的变化，因地制宜，提前采取相应措施，做到安全可靠、经济合理。

第六，在浅埋、偏压、自稳性差的地段以及大面积淋水或涌水地段施工时，应采用稳定地层和处理涌水的辅助工程措施。

第七，辅助工程措施施工应符合以下规定。做好相应的工序设计；准备所需的材料及机具，制定有关的安全施工措施；施工中应注意观察地形和降水、地质条件和地下水的变化以及量测数据的突变等情况，预防突发事故发生；做好详细的施工记录。

第八，隧道施工作业人员应配备必需的安全防护用具（如安全帽、安全带、口罩、橡胶绝缘手套、绝缘防滑鞋等）和安全防护服装。作业人员的皮肤应避免与速凝剂、树脂胶泥等化学制剂直接接触；严禁树脂接触明火；作业区粉尘浓度必须符合相关规定及规范的要求。

（二）喷射混凝土

1. 一般要求

第一，喷射混凝土时不宜采用干喷工艺，应采用湿喷工艺进行施工，鼓励采用混凝土喷射机组进行喷射混凝土施工，液体速凝剂应采用环保无碱速凝剂。

第二，喷射混凝土配合比应通过试验确定并满足设计强度和喷射工艺的要求。

第三，隧道开挖后应及时初喷，软岩地段初期支护应紧跟掌子面。

2. 施工要点

（1）喷射混凝土作业前的准备工作

第一，岩面有渗水出露时，应先进行引排处理。当局部出水量较大时，可采用埋管、凿槽、树枝状排水盲沟等措施，将水引导疏出后再喷射混凝土。混凝土中可根据试验结果增添外加剂以确保喷射混凝土质量。

第二，应埋设标志或利用锚杆外露长度以控制喷射混凝土的厚度，确保最小厚度满足设计要求。

第三，检查材料、机具、劳力的准备情况，检查风、水、电等管线路，并试运转，作业面具有良好的通风和照明条件。

喷射设备应能连续均匀混料并喷射。混料设备应严格密封，以防外来物质侵入。在混合料中添加钢纤维时，宜采用钢纤维播料机。

（2）混凝土原材料

水泥：宜选用硅酸盐水泥或普通硅酸盐水泥。特殊情况下可采用特种水泥，采用特种水泥时应进行现场试验，指标应满足设计要求。

粗集料：应采用连续级配、坚硬耐久的碎石，最大粒径不应大于13.2mm，其压碎值应≤16%，针片状颗粒含量≤25%，含泥量≤2.0%。

细集料：要求采用连续级配、坚硬耐久、颗粒洁净、粒径<4.75mm的河砂或机制砂，细度模数宜>2.5，其含泥量≤5.0%。

外加剂：应对混凝土的强度及围岩的黏结力基本无影响，对混凝土和钢材无腐蚀作用，易于保存，不污染环境，对人体无害。外加剂使用前必须进行相应性能试验。凡喷射混凝土拟用于堵塞漏水灌浆，或要求支撑加固尽快达到强度值，可掺加早强剂于混合料中。为使喷射混凝土在喷射后达到速凝，可掺加速凝剂于混合料中。

速凝剂：应根据水泥品种、水灰比以及不同掺量的混凝土试验等选择掺量，使用前应做好速凝效果试验，要求初凝不应大于5min，终凝不应大于10min。应采用液体速凝剂，严禁采用粉体速凝剂。

水：应采用清洁的饮用水，或pH值不小于4.5、硫酸盐含量不超过1%的清水（按质量计）。在喷射混凝土的用水中，含有的有机物和无机物应以不损害混凝土的质量为准。

外掺料：外掺料剂量应通过试验确定，加外掺料后的喷射混凝土性能必须满足设计要求。

（3）喷射作业

第一，隧道开挖后应立即对岩面喷射混凝土，以防岩体发生松弛。

第二，喷射作业应分段、分片依次进行，喷射顺序自下而上进行。

第三，喷射混凝土作业须紧跟开挖面时，下次爆破距喷射混凝土作业完成时间的间隔不小于4h。

第四，喷射混凝土混合料应随拌随喷，回弹物不得重新用作喷射混凝土材料。

第五，一次喷射厚度应根据设计厚度和喷射部位确定，初喷厚度不小于40~60mm。复喷一次喷射厚度，拱顶不得大于100mm，边墙不得大于150mm。首层喷混凝土时，要着重填平补齐，将小的凹坑喷圆顺。

第六，喷射作业应以适当厚度分层进行，后一层喷射应在前一层混凝土终凝后进行。若终凝后间隔1h以上且初喷表面已蒙上粉尘时，受喷面应用高压水枪清洗干净。

第七，喷射混凝土作业时喷嘴应垂直岩面；喷嘴距岩面距离以0.6~1.2m为宜，喷射料束与受喷面垂线呈5°~15°夹角时最佳；喷射时，应使喷射料束螺旋形运动；喷射机工作压力应控制在0.1~0.15MPa。

第八，钢架与壁面之间的空隙应用混凝土充填密实；喷射混凝土应由两侧拱脚向上对称喷射，并将钢架覆盖、保证将其背面喷射填满，黏结良好。拱脚基础喷射混凝土要密实，严禁悬空。

第九，喷混凝土终凝2h后，应喷水养护，养护时间不少于7d；隧道内环境温度低于5℃时，不得喷水养护。

第十，冬季施工时，喷射混凝土作业区的温度不应低于5℃，混合料进入喷射机的温度不应低于5℃，在结冰的岩面上不得进行喷射混凝土作业。混凝土强度未达到6MPa前不得受冻。

（三）锚杆

1. 一般要求

锚杆类型、规格、技术性能应满足设计要求。

第一，为保证拱部锚杆的施做质量，要求对特殊锚杆采用专用锚杆机进行施做，锚杆机性能必须适合硬岩条件下的钻孔要求，对于一般锚杆，可采用一般气腿式凿岩机钻孔。

第二，锚杆施做位置用红漆进行标志。

第三，隧道现场监理人应准备锚杆验收专用记录本。对每次锚杆的检查验收，应详细注明锚杆施做的里程桩号、围岩等级、锚杆施做情况、设计数量、施做数量等。每期锚杆计量必须附隧道现场监理人签认的锚杆验收记录复印件。

第四，垫板、螺母应在砂浆初凝后安装，垫板应与喷射混凝土紧密接触。Ⅳ、Ⅴ级围岩系统锚杆的垫板可在复喷完成后安装，以便于锚杆质量检测。

第五，全长黏结式锚杆安设后不得敲击，其端部3d内不得悬挂重物。

2. 施工要点

第一，钻孔深度不应小于锚杆杆体有效长度，但深度超长值不应大于100mm。

第二，钻孔宜保持直线，系统锚杆钻孔方向宜与开挖面垂直，当岩层层面或主要结构面明显时，应尽可能与其呈较大交角；局部锚杆应尽可能与岩层层面或主要结构面成大角度相交。

第三，空位允许偏差为±15mm，钻孔数量符合设计规定。

第四，锚杆材料应满足设计及规范要求。

第五，安装垫板时，应确保垫板与锚杆轴线垂直，确保垫板与喷射混凝土层紧密接触。当锚杆孔的轴线与孔口面不垂直时，可采用两种方法进行调整：一是在螺母下安装楔形垫块；二是在垫板后用砂浆或混凝土找平。锚杆砂浆凝固前不得加力。

第六，普通水泥砂浆锚杆与中空注浆锚杆施工顺序不同，施工顺序为成孔后先注浆再安装锚杆。

对于普通水泥砂浆锚杆，宜选用螺纹钢筋做锚杆。

砂浆配合比应符合设计要求，设计无要求时水泥：砂：水宜为1：（1~1.5）：（0.45~0.5），砂的粒径不宜大于3mm。

砂浆应随拌随用，一次拌和的砂浆应在初凝前用完，已初凝的砂浆不得使用。

采用单管注浆工艺，灌浆管应插至距孔底50~100mm处，开始注浆后反复将注浆管向孔底送，使砂浆将孔内多余的水挤压出孔外，之后随水泥砂浆的注入缓慢匀速拔出。灌浆压力不宜大于0.4MPa。

注浆开始或中途暂停超过30min时，应用水润滑灌浆罐及其管路。

砂浆灌注后应及时插入锚杆杆体，锚杆杆体插到设计深度时，孔口应有砂浆流出，若孔口无砂浆流出，则应将杆体拔出重新灌浆。全长黏结锚杆应灌浆饱满。

第七，中空注浆锚杆：对中空锚杆的注浆，监理必须要有旁站记录。

中空注浆锚杆施工时应保持中空通畅，并留有专门的排气孔。螺母应在砂浆初凝后拧紧，并使垫板与喷射混凝土面紧密接触。

中空注浆锚杆应有锚头、垫板、螺母、止浆塞等配件。

注浆过程中，注浆压力应保持在0.3MPa左右，待排气口出浆后，方可停止灌浆。

第八，水泥砂浆药包锚杆。应对药包做泡水检验，药包包装纸应采用易碎纸。药包不应有受潮结块现象，药包宜在清水中浸泡，随用随泡。药包应用专用工具推入钻孔内，防止中途破裂。宜采用手送插入并转动锚杆的方式，也可锤击安装，但不得损伤锚头螺纹。锚杆插到设计深度时，孔口应有砂浆流出，无流出时应补灌砂浆。砂浆的初凝不得小于 3min，终凝不得大于 30min。应使垫块与喷射混凝土面紧密接触。

二、辅助工程措施

（一）一般规定

第一，在浅埋、严重偏压、自稳性差的地段以及大面积淋水或涌水地段施工时，应按设计要求采用超前锚杆支护、超前小导管注浆支护、超前管棚支护、超前预注浆等稳定措施和处理涌水的辅助措施。

第二，辅助措施施工符合以下规定：应做好相应的工序设计；必须坚持“先支护（强支护）、后开挖（短进尺、弱爆破）、快封闭、勤量测”的施工原则；应准备所有的材料机具，制定有关的安全施工措施；施工中应注意观察地形和降水、地质条件和地下水的变化以及量测数据的突变等情况，预防突发事故发生；做好详细的施工记录。

（二）超前锚杆支护施工要点

第一，测量开挖面中线、标高，画出开挖轮廓线，并点出锚杆孔位，孔位允许偏差为±20mm。

第二，钻孔台车或凿岩机就位，对正孔位钻孔，达到设计要求后，用吹管、掏勺将孔内碎渣和水排出。

第三，超前锚杆安装：注浆或填塞锚固药卷：将早强锚固剂药卷放在水中，泡至软而不散时取出，再人工持炮棍将药卷塞满至孔深 1/2～1/3 处。注浆施工按照相关规定执行。

安装锚杆：用人工持铁锤将锚杆打入，以锚杆达孔底且孔口有浆液流出为止。

第四，将锚杆的尾部和系统锚杆的环向钢筋或钢架焊连，以增强共同支护作用。

第五，超前锚杆搭接长度应大于 1 m，锚杆插入孔内的长度不得小于设计长度。

第六，超前锚杆宜和钢架支撑配合使用，外插角宜为 5°~20°。锚杆长度宜为 3~5m，并应大于循环进尺的 2 倍。锚杆沿开挖轮廓线周边均匀布置，尾端与钢架焊接牢固，锚杆入孔长度符合要求。

第七，当超前锚杆和钢架配合使用时，宜先安装钢架，再穿过钢架腹部钻孔、安装锚杆，以利于钢架顺利安装。

（三）超前小导管预注浆支护

第一，超前小导管直径应按设计要求选用和加工，长度应满足设计要求，纵向搭接长度应不小于 1.0m。和钢架联合支护时，应从钢架腹部穿过，尾端与钢架焊接。

对于超前小导管，沿隧道纵向开挖轮廓线向外以 10°~30°的外插角钻孔，将小导管打入地层。亦可在开挖面上钻孔将小导管打入地层，小导管环向间距宜为 200~500mm。

第二，钻孔、安装小导管后，管口用麻丝和锚固剂封堵钢管与孔壁间空隙，管口安装封头和孔口阀，并能承受规定的最大注浆压力和水压。

第三，注浆前，应对开挖面及 5m 范围内的坑道喷射厚为 50~100mm 的混凝土或用模筑混凝土封闭，以防止注浆作业时，发生孔口跑浆现象。

第四，注浆压力应为 0.5~1.0MPa，注浆按由下至上的顺序施工，浆液先稀后浓、注浆量先大后小。

第五，结束标准：以终压控制为主，注浆量校核。当注浆压力为 0.7~1.0MPa，持续 15min 即可终止。

第六，注浆后至开挖的时间间隔应视浆液种类决定。当采用单液水泥浆时，开挖时间为注浆后 8h，采用水泥-水玻璃浆液时为 4h 左右。开挖时应保留 1.5~2.0m 的止浆墙，防止下一次注浆时孔口跑浆。

第七，对小导管注浆要有旁站记录，记录内容必须包含以下内容：施做里程范围、小导管根数、长度、最大单根注浆量、最小单根注浆量、总注浆量、注浆控制压力（注浆量以使用水泥袋数或 kg 为单位）。同时对小导管、管棚的安装和注浆必须要有影像资料。严禁未注浆行为。

（四）超前管棚支护

第一，超前管棚支护的长度和钢管外径应满足设计要求。纵向搭接长度应不小于 3m。在钢架上沿隧道开挖轮廓线纵向钻设管棚孔，其外插角以不侵入隧道开挖轮廓线越小越好。孔深不宜小于 10m，孔径比管棚钢管直径大 20~30mm，钻孔顺序由高孔位向低孔位进行。

第二，管棚钢管外径宜为 70~180mm，单根长度宜为 4~6m。接长管棚钢管时，接头应采用厚壁管箍，上满螺纹扣，螺纹扣长度不应小于 150mm。接头应在隧道横断面上错开。钢花管上按设计要求钻孔。

第三，管棚定位：以套拱内预埋的孔口管定向、定位，严格控制其上抬量和角度。

第四，钻孔施工采用管棚钻机，利用套管跟进的方法钻进，长管安装一次完成。为保证长管棚施工质量，在拱脚部位，选 2 个孔作为试验孔，找出地层特点，并进行注浆和砂浆充填试验。

第五，安装钢管时，先打有孔钢花管，注浆后再打无孔钢管。每钻完一个孔便顶进一根钢管。

第六，为确保注浆质量，在钢花管安装后，管口用麻丝和锚固剂封堵钢管与孔壁间空隙，钢管自身利用孔口安装的封头将密封圈压紧，压浆管口上安装三通接头。

第七，用双液注浆泵按先下后上，先单液浆、再双液浆，先稀后浓的原则注浆。注浆量由压力控制，初压为 0.5~1.0MPa，终压为 2.0MPa。达到结束标准后，停止注浆。

第八，注浆后，扫排管内胶凝浆液，用水泥砂浆紧密充填，增强管棚的刚度和强度；对于非压浆孔，直接充填即可。

三、辅助坑道

（一）一般规定

第一，辅助坑道的类型、平面位置、断面尺寸、坡度、高程、支护类型和技术要求原则上按设计施工图执行。若经现场实际踏勘，为方便施工并在综合经济比较与各项指标符合现行公路隧道设计规范及满足使用功能的前提下可做适当调整，通过设计重新修改施工图指导施工。

第二，辅助坑道开挖应符合以下规定：根据不同围岩及断面尺寸大小可选用人工、机械、钻爆开挖方法，出渣宜根据不同坡度在满足安全技术标准的前提下选择运输方式。

第三，辅助坑道施工与支护应符合以下规定：辅助坑道宜采用锚喷支护，斜井、竖井中的不良地段、作业洞室等处应按设计要求进行支护；辅助坑道与正洞连接处，应按设计要求及时支护，必要时须对初期支护进行加强或提前施工二次衬砌。特殊情况下，应在开挖前采取超前支护措施。

第四，辅助坑道废弃时，应按设计规定及时处理。

第五，辅助坑道洞口的截、排水工程和场地周围防护冲刷的设施，应在辅助坑道施工前完成，坑道口洞门应尽早完成。

第六，在辅助坑道施工期间，应制定防排水应急预案。

第七，辅助坑道施工，应科学设置好通风与排水设施。

（二）竖井

第一，井口“三通一平”要先行，山区高速公路隧道竖井应设避洪设施，周边边坡要确保稳定，必要时进行防护。

第二，井口周围应设置安全栅栏和安全门，安全栅栏高度不应大于1200mm。井口的锁口圈应在井身掘进前完成，并配备井盖，在升降人员或物料时，井盖方可开启。

第三，竖井宜采用自上而下单行作业法施工，并应符合以下规定：应采用分段作业，作业段长度视围岩而定，完成一段后再进行下一段作业，各段工序为顺序作业；各段内应按竖井外径进行开挖、通风和排水；同时应完成尘渣提升、初期支护和井壁混凝土衬砌灌注等作业。

第四，较弱围岩内竖井开挖前须按设计要求进行预加固处理。

第五，钻爆作业竖井应符合以下规定：开挖宜采用直眼掏槽法，当岩层倾斜较大且裂隙明显时可用楔形或其他形式掏槽法，有地下水时可采用立式梯台超前掏槽法；炮孔钻完后，应将眼口及时堵塞；每掘进 5～10m 应核对中线，及时纠正偏斜。

第六，竖井应根据不同深度采取不同出渣方式，深度<40m 时宜采用抓岩机及简易人工井架出渣。

第七，采用有轨运输时应符合以下规定：通向井口的轨道应设阻车器；井口、井底、绞车房和工作吊盘间均应有联络信号，并有专人负责，必要时应配对讲机或直通电话；提升机械不得超负荷运行，并应有深度指示器和防止过卷过速等保护装置及限速器和松绳信号等；工作吊盘的载重量不应超过吊盘的设计载重能力；提升吊桶所用钩头连接装置应牢固，不得自动脱钩，并应有缓转器，罐笼提升应设置可靠的防坠器；提升用的钢丝绳和各种悬挂所用的钩、链、环、螺栓等连接装置，应具有规定的安全系数，使用前应实行拉力试验，合格后方可使用，使用中定期检查、修理和更换。

第八，竖井采用锚喷支护时，每次支护高度都视围岩稳定程度而定，井口段与马头门及地质较差的井身地段支护须加强，衬砌分节自下而上进行，并按需要设置壁座或安全支撑锚杆。

第四节　防水与排水

一、隧道防排水施工一般要求

第一，隧道施工防排水设施应与营运防排水工程相结合；应按设计要求做好防水混凝土、防水隔离层、施工缝、变形缝、诱导缝防水，盲沟、排水管（沟）

排水通畅；防排水材料应符合国家、行业标准，满足设计要求，并有出厂合格证明，不得使用有毒、污染环境的材料；隧道防排水不得污染环境，隧道排水不得直接排入饮用水水源。

第二，隧道施工防排水应遵循“防、排、截、堵相结合，因地制宜，综合治理”的原则进行施工，保证隧道结构和运营设备的正常使用及行车安全，并对地表水、地下水进行妥善处理，形成一个完整通畅的防排水系统。

第三，隧道施工前应根据工程地质、水文地质资料制定防排水方案。施工中应按现场施工方法、机具设备等情况，选择不妨碍施工的防排水措施。

第四，洞内出现的地下水，经化验确认对衬砌结构有侵蚀性时，应按图纸要求针对不同侵蚀类型采取相应的抗侵蚀措施。设计无要求时，应及时上报变更处理。隧道进洞前应先做好洞顶、洞口、辅助坑道口的地面排水系统，防止地表水的下渗和冲刷。

第五，要加强衬砌背后的防排水设施，强调结构自身防水，对可能的疑点进行封堵及引排。衬砌背后防排水设施施工应根据隧道的渗水部位和开挖情况适当选择排水设施位置，并配合衬砌进行施工；隧道侧沟、横向盲沟等排水设施亦应配合衬砌等进行施工。

如图纸无特殊要求，衬砌背后的流水均应排入隧道内侧排水沟。若有压浆不得将排水设施堵塞。

第六，防水层应在初期支护基本稳定时施工。软岩地段衬砌和开挖距离近时，须做好防水板的保护工作；硬岩地段应组织开挖、铺防水层、二衬平行作业，以加快施工进度。

第七，停车带、洞室与正洞连接处的防排水工程应与正洞同时完成，其搭接处应平顺，不得有破损和褶皱。

第八，加强成品保护工作，开挖和衬砌作业不得损坏防水层，当发现层面有损坏时应及时修补；防水层在下一阶段施工前的连接部分应采取措施保护。

二、施工防排水

（一）地表防排水

第一，对于隧道洞口及辅助坑洞（井）口，应及时做好排水系统，完善防排水措施。

第二，隧道进洞前应做好洞顶、洞口、辅助坑道口的地面排水系统，防止地表水的下渗和冲刷。对于覆盖层较薄和渗透性强的地层，地表水应及早处理。

第三，边坡、仰坡坡顶的截水沟应结合永久排水系统在洞口开挖前修建，其出水口应防止顺坡面漫流，洞顶截水沟应与路基边沟顺接组成排水系统，应防止水流冲刷弃渣危害农田和水利设施。

洞外路堑向隧道内为下坡时，路基边沟应做成反坡，向路堑外排水。必要时还应在洞口外适当位置设横向截水沟。

应做好防止洞口仰坡范围内地表水下渗和冲刷的防护措施。

（二）洞内顺坡排水

洞内顺坡排水一般采用临时排水沟。临时排水沟断面应满足隧道中渗漏水和施工废水的需要，并应经常清理排水设施，防止淤塞，确保水路畅通。水沟位置应远离边墙，宜距边墙基脚不小于 1.5m。

在膨胀岩、土质地层、围岩松软地段等特殊或不良地质地段隧道中，排水不宜直接接触围岩，宜根据需要对排水沟进行铺砌或用管槽代替，排水沟中不得有积水。

台阶法施工时，对于上台阶，应在下台阶开挖前架槽（管）将水引排至下台阶排水沟内，横向分幅开挖时应挖横向排水沟将水引至未开挖一侧，严禁漫流浸泡下台阶基坑。

（三）洞内反坡排水

对于反坡排水的隧道，可根据距离、坡度、水量和设备等因素布置排水管道，一次或分段接力将水排出洞外。接力排水时应在掌子面设置临时集水坑，通过水泵逐级抽排至洞口。

抽水机功率应根据排水量大小选用，并应有备用抽水机；做好停电时的应急排水准备工作；集水坑容积应按实际排水量确定，其设置的位置不得影响洞内运输和安全。

（四）洞内水量较大时的处理措施

1. 洞内有大面积渗漏水和股水时，宜集中汇流引排

可采用钻孔集中汇流引排，并将钻孔位置、数量、孔径、深度、方向和渗水量等做详细记录，在确定衬砌拱墙背后排水设施时应考虑上述因素。

在地下水发育的易溶性岩层中施工，为防止水囊、暗河及高压涌水的突然出现，开挖工作面上应布设超前钻孔，并制定防止涌水的安全措施。

明挖基坑和隧道洞口处，应保持地下水位稳定在基底开挖线 0.5 m 以下，必要时采取降水措施。如洞内涌水或地下水位较高时，可采用井点降水法和深井降水法处理。

2. 承压水的排放

当预计开挖工作面前方有承压水，而且排放不会影响围岩稳定，或进行注浆前排水降压时，可采用超前钻孔或辅助坑道排水。

超前钻孔及辅助坑道应保持一定的超前距离，最短亦应超前 1~2 倍掘进循环长度。

3. 地下水的处理

地下水不大时可引入临时排水沟内排出。

地下水较丰富，无法排出或排水费用昂贵，以及不允许排水的情况下，经技术、经济比选，可采用注浆堵水措施。根据隧道埋深，或采用地面预注浆，或开挖工作面预注浆。

4. 高压涌水的处理

隧道施工中遇有高压涌水危及施工安全时，宜先采用排水的方法降低地下水

的压力，然后用注浆法进行封堵。

封堵涌水注浆时应先在周围注浆，切断水源，然后注浆，将涌水堵住。

三、结构防排水

（一）防排水结构原材料规定

防排水结构原材料应符合国家、行业标准，满足设计要求，并有出场合格证明，不得使用有毒、污染环境的材料。

第一，为确保隧道营运期间有良好的防水效果，所有在建高速公路隧道防水卷材不得使用复合片，要求采用均质片+无纺土工布的防水层结构形式或者直接采用点粘片。

第二，均质片、点粘片的母材厚度必须满足设计要求。

第三，对第一次进场的防水卷材，厂家必须提供合格的形式检验证书。

第四，防水板宜选用高分子材料，耐刺穿性好，柔性好，耐久性好。

第五，由于隧道存在基面凹凸不平的特殊性，对隧道防水卷材的指标要求高于其他工程，各项目业主在选材时应优先选择物理性能指标高的防水卷材，应具有耐老化、耐细菌腐蚀、有足够强度及延伸率、易操作、易焊接且焊接时无毒气的特点。

第六，防水板、土工布、止水带、塑料排水盲沟、PVC 排水管等特殊材料应由项目业主统一现场抽检，执行“盲样”送检制度。送检的检验项目应至少包括规格尺寸、外观质量、常温拉伸强度、常温扯断伸长率、撕裂强度、低温弯折、不透水性能。

（二）衬砌背后防排水设施施工要点

1. 衬砌背后防排水设施施工总要求

衬砌背后防排水设施有纵、横、环向盲管及中心排水管（沟）等。应配合衬砌进行施工，施工时既要防止因漏水而造成浆液流失，又要注意灌注混凝土或压浆时，浆液不得浸入沟管内，确保预埋的透水盲沟不被堵塞，并注意排水孔道的连接，以形成一个有机、通畅的排水系统。

衬砌背后防排水设施施工应注意以下几点。

第一，排水盲管的材质、直径、透水孔的规格、间距应符合设计及有关标准规范的规定。

第二，环向排水盲管的间距应符合设计要求，在地下水较多的地段应适当加密。

第三，环向排水盲管应紧贴支护表面或渗水岩壁安设，排水盲管布置应圆顺，不得起伏不平。

第四，排水管系统应按设计连通形成完整的排水系统。管路连接宜采用变径三通方式，连接牢固、畅通，安装坡度符合设计要求。

第五，中心排水管（沟）直径符合设计要求。中心排水管（沟）基础的总体坡度、段落坡度、单管坡度应协调一致，并符合设计要求，不得高低起伏。

第六，中心排水管（沟）设在仰拱下时，应和仰拱、铺底同步施工。

2. 衬砌背后防排水设施施工要点

第一，环向盲沟：严格按照设计间距设置洞内环向盲沟，环向盲沟的底部要插入“三通接头”并与拱脚纵向排水管相连。

第二，拱脚纵、横向排水管：纵向排水管与三通接头连接后，要用土工布进行包裹。

第三，用防水板将纵向排水管进行反包，并在防水板上剪一个圆孔，将三通接头的出水口穿过该孔。要做好纵向排水管的标高控制，确保排水通畅。

第四，将横向排水管与三通接头的出水口相连，横向排水管的出水口直通隧道排水边沟。

第五，拱脚的横向排水沟要能够及时有效地将二衬背后的水排入边沟，施工过程要经常检查，以确保整个排水系统的通畅。

第六，隧道排水边沟：排水边沟的几何尺寸和沟底纵坡要严格按设计施工，以使洞内水顺利排出。

第七，中心排水管（沟）坡度应符合设计要求，管路埋设好后，应进行通水试验，发现积水、漏水应及时处理。

（三）防水板铺设施工要点

1. 防水板的拼焊及铺挂

采用热合焊接吊环铺挂工艺。

2. 施工要点

防水板铺设应超前二次衬砌施工 1~2 个衬砌段，并应与开挖掌子面保持一定距离，在爆破的安全距离以外。其铺设应采用专用台架，铺设前进行精确放样，画出标准线后试铺，确定防水板每环的尺寸，并尽量减少接头。防水板应采用木螺钉或无钉铺设，并留有余量，表面应保证圆顺。

3. 基面处理

防水板施工前，应复核中线位置和高程，检查断面尺寸，保证衬砌施工后的衬砌厚度和净空满足规范及设计要求。

防水板铺挂前应进行的基面检查及处理的主要内容包括以下几项。

第一，初期支护表面应平整，无空鼓、裂缝、松酥，对于初期支护表面外露的锚杆头、钢筋网头等坚硬物应采用电焊或氧焊将其齐根切除，并用 1∶2 的水泥砂浆抹平，以防止顶破排水板。

第二，对局部凹凸部分，应修凿、喷补，使其表面平顺，对超挖较大的部位必须挂网喷锚。

第三，基面明水应提前设盲管引排，对于洞顶的大面积渗水，可用防水板配合盲管集中引排到临时排水边沟。

第四，初期支护表面平整度应满足拱脚 $D/L \leqslant 1/6$，拱顶 $D/L \leqslant 1/8$（D 为初期支护表面相邻两凸面间的距离，L 为该两凸面之间凹进去的深度）。

4. 防水板的挂前拼焊

在洞外根据拟铺挂面积的大小将 2~3 幅幅面较窄的成卷防水板下料，然后将其平铺在地面上拼焊成便于运输、铺挂的大幅面防水板，减少洞内作业的焊缝数量，以提高焊接质量。防水板应减少接头。

防水板拼接采用热合机双焊缝焊接，要求搭接宽度不小于 100mm，控制好热合机的温度和速度，保证焊缝质量。焊缝应严密，单条焊缝的有效焊接宽度不应小于 12.5mm。焊接前焊接头板面应擦净，并应根据材质通过试验确定焊接温度和速度。焊接时应避免漏焊、虚焊、烤焦或焊穿。

沿隧道纵向一次铺挂长度宜比二次衬砌施工长度多 1.0m 左右，以使与下一循环的防水层相接。同时可使防水层接缝与衬砌混凝土接缝错开 1.0m 左右，有利于防止混凝土施工缝渗漏水。

5. 铺挂防水板

为保证防水板铺挂质量，应先进行试铺定位。

固定点间距的控制：尺量检查，固定点间距拱部 0.5～0.7m，侧墙 1.0～1.2m，在凹凸处应适当增加固定点，布置均匀。

松弛率：防水板吊环间距须根据其铺挂松弛率要求来确定，环向松弛率经验值一般取 10%，纵向松弛率一般取 6%。根据初期支护表面平整程度适当调整，以保证灌注混凝土时板面与喷混凝土面能密贴。防水板洞内铺挂宜由下至上、环状铺设，将预先焊接在防水板上的吊环用木螺钉在膨胀管上固定。

防水板铺设应超前二次衬砌施工 1～2 个衬砌段，形成铺挂段→检验段→二次衬砌施工段，流水作业。

6. 铺后续接

防水板的“铺后续接”是指前后两幅大幅面防水板之间的连接，应先用热合焊机焊接环向接缝。施工时应将待焊的两块板面接头擦净、对齐，保证搭接长度，严格控制焊接温度、焊机行驶速度，保持焊机与焊缝良好接触，做到行驶平稳。热合焊机焊完，应加强检查，对个别漏焊处用电烙铁补焊。对丁字焊缝因焊接困难、易漏焊或焊缝强度不足，采取用焊胶打补丁的方法补强处理。

7. 焊缝检查

防水板的接头处不得有气泡、褶皱及空隙，接头处应牢固，焊缝强度应不低于母材，通过抽样试验检测。

防水板的搭接缝焊缝质量采用“充气法”检查，当压力达到 0.25MPa 时停止充气，保持压力 15min，压力下降在 10%以内，证明焊缝质量合格。

8. 成品防护

当衬砌紧跟开挖时，衬砌前端的防水板要采取保护措施，防止爆破飞石砸破防水板。开挖、挂防水板、衬砌三者平行作业时，铺设防水层地段距开挖面不应小于爆破安全距离，并在施工中做好防水板铺挂成形地段防水板的保护：绑扎钢筋时，钢筋头加装保护套；焊接钢筋时，在焊接作业与防水板之间增挂防护板；防水层安装后严禁在其上凿眼打孔；振捣混凝土时，振捣棒不得接触防水板。

在浇筑二次衬砌混凝土前，应检查防水层铺设质量和焊接质量，如发现有破损情况，必须进行处理。

防水板需要修补时，修补防水层的补丁不得过小，补丁形状要剪成圆角，不应有长方形、三角形等的尖角。防水层修补后一般用真空检查法检查。

9. 铺设防水层安全保护和记录

铺设防水层地段距开挖工作面不应小于爆破安全距离。二次衬砌时，不得损坏防水层。防水层应按隐蔽工程办理，二次衬砌前应检查质量，并认真填写质量检查记录。

第五节 二次衬砌、仰拱、铺底施工

一、二次衬砌施工

（一）二次衬砌施工的一般规定

第一，二次衬砌施工应符合国家行业标准的有关规定，隧道中线、水平、断面和净空尺寸应符合设计要求。

第二，二次衬砌及仰拱混凝土应满足设计的强度、防水性、耐久性等要求。对原材料应进行检验，材料的标准、规格应符合现行公路工程相关规范［如《公路桥涵施工技术规范》（JTG/T 3650—2020）等］的有关规定。

第三，Ⅰ～Ⅳ级围岩的深埋隧道，二次衬砌应在围岩和初期支护变形基本稳定后施做，浅埋隧道Ⅴ、Ⅵ级围岩应根据具体情况确定二次衬砌施做时间；深埋地应力复杂的隧道，应允许围岩较大范围的变形和应力的释放，二次衬砌的施做时间应根据设计和监测结果确定。在特殊条件下（如松散堆积体、偏压、浅埋地段等）应提前施做二次衬砌。

第四，二次衬砌不得侵入隧道建筑限界，衬砌施工放样时可将设计的轮廓线扩大5cm。

第五，对于二次衬砌，除特殊断面外，应采用移动式模板台车进行拱、墙整体浇筑，边墙基础与拱墙衬砌的水平施工缝应避开剪应力最大的截面处。

第六，混凝土生产应采用自动计量的拌和站、搅拌输送车运输、混凝土泵送入模的机械化流水作业线，以保证二次衬砌混凝土的质量。

第七，仰拱施工应尽量紧跟开挖工作面，为解决运输作业的干扰，应采用仰拱栈桥进行仰拱和底板施工。

第八，仰拱与填充应分开浇筑，且应全幅灌注。仰拱和底板混凝土强度达到5MPa后行人方可通行，达到设计强度的100%后车辆方可通行。

第九，隧道衬砌施工后，清理场地，为下一道工序创造条件，并对混凝土进行养护作业。分析检测不满足要求的项目产生的原因，并制定整改措施。

第十，当工地昼夜平均气温连续3d低于5℃或最低气温低于-3℃时，应采取冬期施工措施；当工地昼夜平均气温高于30℃时，应采取夏季施工措施。

第十一，对衬砌完成的地段，应与设计单位密切配合，继续观察和监测隧道的稳定状态，注意衬砌的变形、开裂、侵入净空等现象，并做出长期稳定性评价。

第十二，水沟、电缆槽盖板规格、尺寸、强度及外观质量符合设计要求，连接缝缝宽应<5 mm。

（二）衬砌模板台车

1. 台车制作

第一，二次衬砌施工（含加宽段）应采用全液压自动行驶的整体衬砌台车。衬砌台车应结构尺寸准确，各种伸缩构件、液压系统、电气控制系统运行良好，合理设置各支承机构并应满足自动行驶要求，而且有闭锁装置，保证定位准确。

第二，二次衬砌台车必须在隧道进洞前进场，连拱隧道、小净距隧道一端必须要有两部二次衬砌台车，以确保左右线开挖、二次衬砌的合理步距以及结构安全。

对加宽段处在Ⅳ、Ⅴ级围岩段落的，应专门配备加宽段整体衬砌台车，以确保加宽段二次衬砌及时施做。

第三，台车整体模板板块由面板、支撑骨架、铰接接头、作业窗等组成。当衬砌断面较大，所承受荷载较大时，支撑骨架应制成桁架结构，并尽量减少板块接缝数量。模板及支架应具有足够的强度、刚度、稳定性和抗上浮能力，能安全承受所浇筑混凝土的重力、侧压力以及在施工中可能产生的各项荷载。模板不凹凸，支架不偏移、不扭曲，满足多次重复使用不变形。台车设计应便于整体移动，准确就位。

第四，台车模板支撑桁架门下净空应满足隧道衬砌前方施工所需大型设备通行要求；桁架各层平台的高度要满足混凝土施工要求，有利于工人进行安管、混凝土捣固等施工作业，必须有上下行的爬梯。

第五，为保证衬砌净空，对于模板外径，应考虑变形量适当扩大，作为预留沉降量。

第六，双车道的二次衬砌台车面板钢板厚应不小于 10mm；三车道的二次衬砌台车面板钢板厚应不小于 12mm；四车道的二次衬砌台车必须经过计算，邀请有关专家研究审查后定制。为减少二次衬砌模板间痕迹，外弧模板每块钢板宽度推荐采用 2m，但不应小于 1.5m，板间接缝按齿口搭接或焊接打磨。

第七，应在 3m、5.3m、拱顶处设置作业窗，作业窗口间距纵向不宜大于 3m，横向不宜大于 2.5m，窗口尺寸 50cm×50cm，且应整齐划一；作业窗周边应加固，防止周边变形，窗门应平整、严密、不漏浆。

第八，二次衬砌台车的长度应根据隧道的平面曲线半径、纵坡合理选择，长度一般为 9~12m，对曲线半径小于 1200m 的台车长度不应大于 9m。

第九，衬砌台车应在工厂制造、现场拼装。现场拼装时应检查其中线、断面和净空尺寸等。衬砌前对模板表面进行彻底打磨，清除锈斑，涂油防锈。对模板板块拼缝进行焊连并将焊缝打磨平整，抑制使用过程中模板翘曲变形而影响混凝土表面质量，避免板块间拼缝处错台。

第十，已使用过的二次衬砌台车，对各种伸缩构件、液压系统、电气控制系统运行状况进行严格的调试，确保使用状态良好，否则应予以更换。必须更换新的外弧模板，并经专业模板厂家整修合格。

2. 二次衬砌台车拼装调试及施工过程加固要求

二次衬砌台车拼装后调试对二次衬砌混凝土外观质量十分重要，要求如下。

第一，二次衬砌台车现场拼装完成后，必须在轨道上往返行驶 3~5 次后，再次紧固螺栓，并对部分连接部位加强焊接以提高其整体性。

第二，检查二次衬砌台车模板尺寸，要求准确，其两端的结构尺寸相对偏差宜不大于 3mm，否则须进行整修。

第三，衬砌前对钢模板表面采用抛光机进行彻底打磨，清除锈斑，涂油防锈。

第四，堵头模板应满足承受混凝土压力的刚度，厚度应适当加厚，安装稳固、严密。

第五，施工过程中出现二次衬砌错台，应暂停二次衬砌施工，全面查找原因，重点查找台车就位加固措施是否有效，混凝土输送管是否固定，堵头模板或两边模板是否变形等，要及时整修加固，经监理人同意后方可继续二次衬砌施工。

第六，每施做衬砌 500~600m，台车应全面校验一次，校验可在隧道加宽带进行。

（三）二次衬砌混凝土的性能要求及配合比设计要点

1. 性能要求

第一，各种原材料及外加剂满足规范要求，满足设计强度要求。

第二，流动性好、坍落度衰减慢、初凝时间相对较长、终凝时间相对较短，以满足泵送混凝土施工要求，减少裂纹出现。

第三，干缩性小，满足抗渗性要求。

第四，水化热低且水化热高峰值发生在混凝土达到一定强度之后，以承受由于水化热产生的温度应力。

第五，混凝土有早强性能，特别是拱肩部位，以利于模板早拆，满足衬砌快速施工需要。

2. 配合比设计要点

第一，配合比根据原材料质量及设计混凝土所要求的强度、耐久性、抗渗指标、施工和易性、凝固时间、运输灌注和环境温度条件通过试配确定，推荐采用“双掺”技术。

第二，混凝土坍落度一般控制在13~18cm，根据混凝土灌注部位不同，墙部混凝土坍落度宜小，拱部混凝土坍落度宜大。在保证混凝土可泵性的情况下，宜尽量减小混凝土的坍落度，并提高混凝土的和易性、保水性，避免混凝土泌水。

第三，配合比设计时应采取措施，以使反弧部位混凝土减少气泡、麻面等质量通病的发生。

（四）矮边墙施工

第一，矮边墙顶面标高按台车侧模底部标高确定；施工时按规范预埋连接钢筋或榫石，并对与二次衬砌混凝土接触面进行凿毛，在围岩变化处设置好沉降缝；二次衬砌混凝土浇筑前用水将其表面湿润，清除杂物。边墙模板应采用一次成形的弧形钢模。

第二，如二次衬砌与矮边墙同时浇筑，要求二次衬砌台车下增加矮边墙模板。

第三，对设计有二次衬砌钢筋的段落，预埋的接地扁铁应与钢筋焊接，无衬砌钢筋的也应尽量与锚杆头进行焊接，以确保接地电阻满足设计要求。

第四，注意按设计布设纵向透水盲管及其与沉砂井的连接管，预留环向软式透水盲管和防水板接头，以及设置预埋件和预留洞室等。

（五）二次衬砌钢筋

第一，应严格按《关于规范高速公路拌和站、预制场、钢筋加工厂建设的通知》的要求，执行“三个集中”的原则，钢筋集中加工、统一配送。

第二，钢筋安装应满足以下方面的要求：横向钢筋与纵向钢筋的每个节点均必须进行绑扎或焊接；钢筋焊接搭接长度应满足设计及规范要求，受力主筋的搭接应采用焊接方式，焊接搭接长度及焊缝应满足规范要求；相邻主筋搭接位置应错开；同一个受力钢筋的两个搭接距离应满足设计要求；箍筋连接点应在纵横向筋的交叉连接处，必须进行绑扎或焊接；钢筋其他的连接方式应符合相关规范的规定；安装钢筋时，钢筋长度、间距、位置、保护层厚度应满足设计要求。

第三，钢筋制作必须按设计轮廓进行大样定位。

第四，为确保二次衬砌钢筋定位准确、钢筋保护层厚度符合要求，须采取以下措施。

先由测量人员用坐标放样，在调平层及拱顶防水层上定出自制台车范围内前后两根钢筋的中心点，确定好法线方向，确保定位钢筋的垂直度及与仰拱预留钢筋连接的准确度。钢筋绑扎的垂直度采用三点吊垂球的方法确定。

用水准仪测量调平层上定位钢筋中心点标高，推算出该里程处圆心与调平层上中心点的高差，采用自制三脚架定出圆心位置。

圆心位置确定后，采用尺量的方法检验定位钢筋的尺寸是否满足设计要求，对不满足要求位置重新进行调整，全部符合要求的后固定钢筋。钢筋固定采用在自制台车上由钢管焊接的可调整的支撑杆控制。定位钢筋固定好后，根据设计钢筋间距在支撑杆上用粉笔标出环向主筋布设位置，在定位钢筋上标出纵向分布筋安装位置，然后开始绑扎此段范围内的钢筋，各钢筋交叉处均应绑扎。

第五，钢筋保护层应全部采用高强砂浆垫块来控制，不得使用塑料垫块。

第六，要求主筋纵向间距、分布筋环向间距、内外层横向间距、保护层厚度符合设计要求。

（六）预留洞室和预埋件

第一，预留洞室模板及预埋件在钢筋混凝土衬砌地段，宜固定在钢筋骨架上；在无筋衬砌地段，采取在衬砌台车模板上钻孔的方式，用螺栓固定。

第二，预留洞室模板宜采用钢模，承托上部混凝土重量时应加强支撑，确保混凝土成型质量合格。

（七）台车就位

第一，台车模板就位前应仔细检查防水板、排水盲管、衬砌钢筋、预埋件等隐蔽工程并做好记录；台车就位后应检查其中线、高程及断面尺寸等并做好记录。

第二，台车模板定位采用五点定位法，即以衬砌圆心为原点建立平面坐标系，通过控制顶模中心点、顶模与侧模的铰接点、侧模的底脚点来精确控制台车就位。对于曲线隧道，应考虑内外弧长差引起的左右侧搭接长度的变化，以使弧线圆顺，减少接缝错台。

第三，台车模板应与混凝土有适当的搭接（≥10cm，曲线地段指内侧），撑开就位后检查台车各节点连接是否牢固，有无错动移位情况，模板是否翘曲或扭动，位置是否准确，保证衬砌净空。为避免在浇筑边墙混凝土时台车上浮，还须在台车顶部加设木撑或千斤顶，同时检查工作窗状况是否良好。

第四，衬砌台车必须由经培训过的台车司机专人操作，对控制面板、油路、顶缸等重点部件要加强管理维修。

第五，风水电管路通过衬砌台车时，应按规范架设，并布置整齐；照明应满足混凝土捣固等操作需要；管线台车施工区域内的临时改移，要加强洞内外的联系，班组间密切配合，提高操作人员安全教育，设专人巡查，严防触电及管路伤人事故。

第六，台车作业地段进行吊装作业时，应有专人监护，统一指挥，并设标志，禁止通行。

（八）混凝土施工

1. 衬砌混凝土灌注前的重点检查

第一，复查台车模板及中心高是否符合要求，仓内尺寸是否符合要求。

第二，台车及堵头模安装定位是否牢靠。

第三，衬砌钢筋、防水板、排水盲管、止水带等安装是否符合设计及规范要求。

第四，模板接缝是否填塞紧密。

第五，脱模剂是否涂刷均匀。

第六，基仓清理是否干净，施工缝是否处理。

第七，预埋件、预留洞室等位置是否符合要求。

第八，输送泵接头是否密闭，机械运转是否正常。

第九，输送管道布置是否合理，接头是否可靠。

2. 混凝土浇筑采用泵送浇筑工艺，机械振捣密实

第一，混凝土拌制前，应测定砂石含水率并根据测试结果调整材料用量，提出施工配合比。拌制混凝土拌和物时，水泥质量偏差不得超过±1%，集料质量偏差不得超过±2%，水及外加剂质量偏差不得超过±1%。

第二，混凝土浇筑前，必须将基底石渣、污物和基坑内积水排除干净，严禁向有积水的基坑内倾倒混凝土干拌和物。

第三，泵送混凝土前应采用按设计配合比拌制的水泥浆或按骨料减半配制的混凝土润滑管道。

第四，混凝土应采用混凝土搅拌运输车运输，确保在运送过程中不产生离析、洒落及混入杂物。

第五，混凝土由下至上分层、左右交替、从两侧向拱顶对称灌注。每层灌注高度、次序、方向都应根据搅拌能力、运输距离、灌注速度、洞内气温和振捣等因素确定。为防止浇筑时两侧侧压力偏差过大造成台车移位，两侧混凝土灌注面高差宜控制在 50cm 以内，同时应合理控制混凝土浇筑速度。

第六，浇筑混凝土时应尽可能直接入仓，混凝土输送管端部应设接软管控制管口与浇筑面的垂距，混凝土不得直冲防水板板面流至浇筑位置，垂距应控制在 1. 2m 以内，以防混凝土离析。

第七，施工过程中，输送泵应连续运转，泵送连续灌注，宜避免停歇造成“冷缝”。如因故中断，其中断时间应小于前层混凝土的初凝时间或能重塑时间，当超过允许时间时，应按施工缝处理：应在初凝前将接缝处的混凝土振实，并使缝面具有合理、均匀稳定的坡度。凡是未振实又超过该水泥初凝时间的混凝土，

都应予以清除。

第八，当混凝土浇至作业窗下50cm，作业窗关闭前，应将窗口附近的混凝土浆液残渣及其他杂物清理干净，涂刷脱模剂，将其关紧，防止窗口部位混凝土表面出现凹凸不平的补丁甚至漏浆现象。

第九，隧道衬砌起拱线以下的反弧部位是混凝土浇筑作业的难点部位，应对混凝土性能、坍落度及捣固方法进行有效控制，以减少反弧段气泡，有效改善衬砌混凝土表面质量。

第十，混凝土的入模温度，在冬季施工时不应低于5℃，夏季施工时不应高于32℃。

第十一，混凝土应采用振动器振捣密实，并应采取确实可靠的措施确保混凝土密实。振捣时，不得使模板、钢筋、防排水设施、预埋件等移位。

第十二，封顶采用顶模中心封顶器接输送管，逐渐压注混凝土封顶。在堵头板上观察孔有浆溢出，即标志封顶完成。

第十三，拱部混凝土衬砌浇筑时，应在拱顶预留注浆孔，注浆孔间距应不大于3m。

拱顶注浆填充，宜在衬砌混凝土强度达到100%后进行，注入砂浆的强度等级应满足设计要求，注浆压力应控制在0.1MPa以内。

第十四，每次混凝土浇筑完成后，应及时清理场地的废弃混凝土及垃圾，保持施工现场整洁。

（九）拆模

按施工规范采用最后一盘封顶混凝土试件达到的强度来控制。不承受外荷载的拱、墙，混凝土强度应达到5MPa或在拆模时混凝土表面和棱角不被损坏并能承受自重时拆模；当衬砌施做时间提前时，拱、墙承受有围岩压力及封顶、封口的混凝土强度应满足设计要求，一般应在混凝土强度达到设计强度70%以上。

（十）养护

应配备养护喷管，在拆模前冲洗模板外表面，拆模后用高压水喷淋混凝土表面，以降低水化热。在寒冷地区，应做好衬砌的防寒保温工作。

养护时间要求：洞口段100m范围内养护期不少于14d，洞身养护不少于7d，对已贯通的隧道二次衬砌养护期不少于14d。

二、仰拱与铺底施工

（一）一般规定

第一，隧道设有仰拱时，应及时安排施工，使支护结构早闭合，改善围岩受力状况，控制围岩变形，保障施工安全。

第二，仰拱顶上的填充层及铺底应在拱墙混凝土及二次衬砌施工前完成，宜保持超前3倍以上衬砌循环作业长度，以利于衬砌台车模筑混凝土施工，铺底与掌子面距离不超过60m。

第三，仰拱宜整断面一次成型，不宜左右半幅分次浇筑。铺底混凝土可半幅浇筑，但接缝应平顺，做好防水处理。

第四，仰拱开挖应严格按已批审的开挖方案进行，并结合拱墙施工抓紧进行仰拱初期支护和仰拱模筑混凝土施工，实现支护结构早闭合。

第五，Ⅱ、Ⅲ级围岩地段铺底应全断面一次开挖成型，铺底混凝土应及时进行浇筑，以改善洞内交通状况和施工环境。

第六，仰拱、铺底施工时，应按图纸要求预埋路面下横向盲沟，拱脚纵、横向排水管等排水设施，并注意设置与二次衬砌贯通的变形缝。

第七，近洞口段仰拱应尽快封闭成环。

第八，仰拱、铺底施工过程中应采取措施保证洞内临时交通通畅。可采用搭过梁或栈桥施工方案，设临时车辆通行平台，保证不中断运输。

第九，隧道底部（包括仰拱），超挖在允许范围内，应采用与衬砌相同强度等级的混凝土浇筑；超挖大于规定时，应按设计要求回填，不得用洞渣随意回填，严禁片石侵入衬砌断面（或仰拱断面）。

第十，铺底混凝土厚度和强度应满足设计及施工要求，避免在车辆反复行驶后损坏。

（二）施工要点

1. 开挖

第一，仰拱土层开挖应以人工配合机械开挖为主。

第二，隧道底两隅与侧墙连接处应平顺开挖，避免引起应力集中。边墙钢架底部杂物应清干净，以保证与仰拱钢架连接良好。

第三，仰拱开挖，当遇变形较大的膨胀性围岩时，底面与两隅应预先打入锚杆或采取其他加固措施后，再行开挖。

第四，软岩地段，特别是处于洞口部位或洞内断层破碎带的隧道仰拱开挖，必须严格按审批方案进行施工，宜跳格进行开挖，须严防一次开挖范围大，造成隧道侧墙部位收敛变形过大，影响施工安全。

2. 初期支护

第一，仰拱开挖完成后，应及时进行仰拱初期支护施工。先施做混凝土垫层，再打锚杆、安装仰拱钢架，然后安装仰拱二次衬砌钢筋、模板，一次浇筑仰拱混凝土。

第二，初期支护混凝土强度、厚度、钢架加工安装质量等应符合设计及规范要求。同时项目业主应委托有资质的专业检测单位进行检测。

第三，当仰拱底无初期支护层时，宜先施做混凝土垫层，形成良好的作业面，以利于进行仰拱钢筋安装、立模等作业。

第四，仰拱钢支撑的数量必须满足设计要求，对与边墙拱架连接的牛腿要进行认真焊接，并确保焊接质量。

3. 仰供二次衬砌钢筋

第一，仰拱钢筋的制作及安装应符合设计及规范要求。仰拱两侧二次衬砌边墙部位的预埋钢筋伸出长度应满足和二次衬砌环向钢筋焊的连要求，且将接头错开，使同一截面的钢筋接头数量不大于50%。

第二，仰拱二次衬砌钢筋的绑扎必须保证双层钢筋的层距和每层钢筋的间距符合要求，层距的定位一般通过焊接定位钢筋来确定。

第三，仰拱二次衬砌两侧边墙部位的预埋钢筋的弯曲弧度应与隧道断面设计的弧度相符，伸出长度应满足和二次衬砌环向钢筋焊接的要求（搭接长度应符合规范要求），同时钢筋间距应均匀并满足设计要求。

4. 混凝土的施工

第一，仰拱混凝土应超前拱墙混凝土施工，仰拱和铺底施工前应清除积水、杂物、虚渣等。

第二，仰拱、仰拱上的填充层及铺底混凝土施工时，混凝土配比应准确，必须使用模板、机械捣固密实。仰拱混凝土可采用泵送浇筑，应使用拱架模板保证成型尺寸符合设计要求。仰拱和填充层一次立模施工时，应先按设计完成仰拱混凝土施工，适当间歇后，再改变混凝土配比，最后进行填充层混凝土施工。

第三，仰拱和铺底的施工缝及变形缝应按设计要求进行防水处理。

第四，仰拱超挖在允许范围内时，应采用与衬砌相同强度等级的混凝土进行浇筑；超挖大于规定时，应按设计及规范要求进行回填，不得用洞渣随意回填，严禁片石侵入仰拱断面。

第五，仰拱和铺底混凝土强度达到设计强度100%后方可允许车辆通行。

第六节　小净距隧道、连拱隧道及监控量测

一、小净距隧道及连拱隧道

（一）一般规定

1. 小净距隧道一般规定

第一，小净距隧道是指并行双洞公路隧道间夹岩石厚度较小，一般小于1.5倍隧道开挖断面宽度的一种特殊隧道结构形式。

第二，小净距隧道施工，应结合中岩墙厚度、围岩条件及埋深等制定单项施工技术方案。

第三，开挖爆破应符合以下规定：爆破应进行专门设计，并进行试爆，测试震动值，严格控制爆破震动，应符合现行《爆破安全规程》（GB 6722—2014）

的规定；先行洞与后行洞掌子面错开距离应大于 2 倍隧道开挖宽度。

初期支护应尽早封闭。

后行洞开挖时应加强中岩墙的监控量测。

2. 连拱隧道一般规定

第一，连拱隧道一般埋深浅、跨度大、地质条件复杂、受雨季地表水影响大，施工应严格按设计及规范要求，采取强有力的超前预支护或预加固措施以保证开挖安全，还应特别注意地形偏压带来的不利影响。

第二，钻爆法施工应采用微振光面爆破和减轻震动爆破技术，以减轻爆破对围岩的扰动。

第三，连拱隧道施工应合理安排两侧主洞开挖、初期支护、二次衬砌等工序的先后顺序及步距，减少先行洞、后行洞施工时相互对围岩及结构的扰动，以确保施工安全。一般情况下，不宜左右两洞齐头并进。对于先行洞，应选择在偏压侧及地质较为软弱的一侧。先行洞开挖超前，另一侧主洞不小于 2 倍隧道开挖宽度。

第四，为确保施工安全，避免二次衬砌出现开裂，要求左右洞必须至少各配备一台二次衬砌模板台车。

第五，应严格按设计要求进行中隔墙施工，中隔墙施工时应注意预埋与主洞钢支撑连接的钢板。

（二）小净距隧道

1. 施工方案

小净距隧道施工应结合中岩墙厚度、围岩条件及埋深等制定单项施工技术方案。该方案应严格贯彻设计意图，并包括以下内容：先行洞和后行洞开挖方法；先行洞和后行洞爆破设计及爆破震动控制；先行洞和后行洞开挖错开距离；先行洞衬砌与后行洞开挖错开距离；中岩墙保护方法；各相互影响工序的滞后时间；非小净距隧道施工方案中的其他内容等。

2. 开挖方法的选定

小净距隧道开挖方法的选择，应以减小对中岩墙的扰动，控制中岩墙的围岩变形，保证开挖过程中围岩的稳定性为原则，合理安排施工方法及施工工序。

不同围岩条件、不同净距的小净距隧道按设计要采用不同的开挖方法，V级围岩应以机械开挖为主，辅以微量的弱爆破。

3. 施工要点

第一，小净距隧道施工应重点控制爆破对中岩墙的危害，相邻爆破分段起爆间隔时间宜不小于 100ms。

第二，小净距隧道的开挖和爆破。先行洞的开挖可采用与分离式隧道相同的施工方法，但应重视爆破震动对中岩墙的影响。后行洞的开挖，当采用 CD 法或 CRD 法开挖时，宜先开挖靠近中岩墙侧。

第三，小净距隧道初期支护、二次衬砌应满足以下要求。

对于围岩，应采用封闭的初期支护；对于好的围岩，初期支护可不封闭，但应尽早浇筑仰拱。

先行洞的二次衬砌宜在围岩变形基本稳定后进行，宜落后于后行洞掌子面 2 倍隧道开挖宽度以上，且在初期支护变形基本稳定后尽早施工。

第四，小净距隧道中岩墙采用水平预应力贯通锚杆加固时，应符合以下规定。

锚杆材料应满足设计要求，锚杆下料长度根据中岩墙厚度、锚杆布置和距离确定。垫板尺寸应满足设计要求，螺母采用球形底部。

钻孔：按设计要求定位、标记，钻孔方向宜与岩面垂直。钻孔位置允许偏差 15mm，深度允许偏差±50mm。

注浆、安插锚杆：用注浆管向孔内注浆，注浆压力不应大于 0.4MPa，注浆管应插至距孔底 50~100mm 处，水泥砂浆注入，缓慢拔除注浆管，随即迅速插入锚杆体。

施加预应力。贯通锚杆施工时，在先行洞锚杆钻孔内水泥砂浆强度达到设计要求后，通过扭力扳手对锚杆施加力进行初张拉，施加预应力为设计值的 50%；后行洞开挖暴露出锚杆端部的螺母，通过扭矩扳手施加预应力至设计值，然后对先行洞锚杆补拉至设计值。每根锚杆除砂浆锚固段外，按设计有张拉自由段，用塑料套管保护。施工前应在洞外标定出扭矩扳手力矩与锚杆拉力的关系。

（三）连拱隧道

1. 施工方法

（1）施工原则

连拱隧道宜采取“先排水、快进洞；短掘进、多循环；早支护、形成环；勤监测、细分析；速反馈、及衬砌”的施工原则。

先排水、快进洞：先排水，洞顶截水沟先行施工，实行有组织的排水，防止地表水对隧道洞口冲刷，确保隧道洞口的稳定；快进洞，从洞口进入隧道暗挖施工时的速度要快，并必须做好边坡支护，洞口地段衬砌施工要迅速，洞门砌筑须及时完成，以保证安全。

短掘进、多循环：“短掘进、多循环”是保障隧道施工安全与效率的重要方法。“短掘进”强调采用短进尺的施工策略，通过控制单次掘进长度，减少开挖过程中围岩暴露面积和时间，降低因围岩失稳引发塌方、冒顶等安全事故的风险，为施工人员和设备营造安全的作业环境。“多循环”则针对地质条件复杂、掘进受限的情况，通过增加单位时间内的掘进循环次数，在每次短距离掘进完成后，快速衔接下一环节，及时进行初期支护施工。例如架设钢拱架、喷射混凝土等，迅速对开挖后的围岩进行加固，抑制围岩变形，维持围岩稳定。这种施工方式不仅能加快整体施工进度，避免因长时间暴露导致的围岩恶化，还能使各施工工序紧密衔接，提升施工效率，确保隧道工程顺利推进。

早支护、形成环：早支护，隧道超前、初期支护严格按设计及规范要求尽早、及时地施工，根据隧道开挖情况，逐步架设U形钢拱架并进行初期支护施工；形成环，隧道开挖后，支护施工必须紧跟，以尽早形成初期支护封闭环，保证隧道开挖后的围岩稳定。

勤监测、细分析：监测工作是新奥法施工的一个主要环节，加强监测工作，利用监测结果仔细分析隧道开挖后的围岩变形规则和支护状态，以确定最佳施工时间及施工参数。

速反馈、及衬砌：速反馈，对施工监测结果及时反馈，以指导施工；及衬砌，根据监测结果，确定围岩变形已经收敛后，及时施工衬砌混凝土。

（2）施工程序

连拱隧道采用先施工中导洞和浇筑中墙混凝土，再进行单线断面施工，初期支护和二次衬砌紧跟支护原则。

开挖顺序说明：

第一，洞门左右洞长管棚施工；

第二，中导洞超前小导管（超前锚杆）及开挖中导洞；

第三，中导洞初期支护；

第四，浇筑中隔墙；

第五，左洞超前锚杆；

第六，开挖左洞拱部弧形导坑（保留核心土）；

第七，左洞上导坑初期支护；

第八，开挖左洞中台阶（分两部分开挖，先开挖边墙）；

第九，左洞曲边墙落脚及基础初期支护；

第十，开挖左洞下台阶；

第十一，施工左洞仰拱钢支撑（可跳槽开挖埋设仰拱钢支撑）；

第十二，浇筑左洞墙基及仰拱；

第十三，右洞超前锚杆及开挖右洞上台阶（保留核心土）；

第十四，右洞上导坑初期支护；

第十五，开挖右洞中台阶；

第十六，右洞曲边墙落脚及基础初期支护；

第十七，开挖右洞下台阶；

第十八，施工右洞仰拱钢支撑（可跳槽埋设仰拱钢支撑）；

第十九，浇筑右洞墙基及仰拱；

第二十，左、右洞整体浇筑拱部及边墙二次衬砌。

2. 施工要点

（1）中导洞开挖

中导洞开挖决定着洞身开挖的方向，也是对洞身围岩的情况先行探察，为主洞的开挖积累资料和摸索情况，可及时与设计围岩进行对比、修正支护结构参数、指导主洞的施工。中导洞是隧道开挖的关键，必须准确控制开挖中线，仔细探察岩层情况。

中导洞贯通后，浇筑中隔墙混凝土。墙顶处的防、排水设施应按图纸及规范要求做好施工，以保证防、排水设施能充分发挥其效用，排水畅通，不渗不漏。

（2）中隔墙施工

连拱隧道对中隔墙的地基承载能力要求较高，施工时应对地基进行测试。承载力不能满足要求时，应采取提高地基承载力的措施，如高压加固注浆等。

中隔墙混凝土施工应符合以下要求。

第一，基础底面应清扫干净，无水，无石渣。

第二，墙身内预埋件、排水管应固定牢固，位置准确。中隔墙施工时，应注意把预埋的、连接主洞钢支撑的钢板固定牢固，并应加强对预埋排水和止水设施的保护。

第三，中隔墙顶部应与中导洞顶紧密接触、回填密实。

第四，中隔墙模板宜采用定型钢模，以保证混凝土浇筑质量，加快中隔墙施工效率。

（3）主洞施工

第一，开挖先行主洞前，后行主洞围岩与中隔墙之间的空隙应按设计要求进行回填密实或支撑顶紧。爆破设计时不得以中导洞作为爆破临空面。

第二，主洞上拱部的开挖，应在中隔墙混凝土浇筑完毕并达到强度要求后进行，并应慎重施工。为了平衡初期支护左（右）侧拱圈的推力，上拱部开挖前，应在中隔墙右（左）侧导坑空隙处用钢管设置横向水平支撑，或采取其他措施，支顶中隔墙，防止中隔墙受到左（右）侧拱圈的推力后产生变形。

第三，开挖过程中应及时做好洞内排水系统，严禁洞内积水。在软岩地段施工排水沟不应沿边墙设置，宜距墙基脚适当距离，以防止水沟渗水软化墙基底围岩面，降低其强度。

二、监控量测

（一）一般规定

1. 基本要求

第一，监控量测应明确以动态设计为基础和核心这个理念，并利用施工中所获取的岩土工程信息反馈用以指导调整施工。通过施工阶段的地质工作，采用地质法、物探、监控量测等手段，进行超前地质预报，了解隧道地质、水文情况，确定掘进面前方是否存在特殊地质条件，判断原设计对围岩描述的准确性。同时应对施工安全性进行评估，并有针对性地调整施工方法、施工工艺、施工支护，提出预防灾害相关措施。

第二，监控量测在基于新奥法基本原理和动态设计信息化施工基本理念上，应进一步明确监控量测的总体管理模式。基本程序是先预测预报，后动态设计，再交付施工，并根据监控量测适时调整。其中核心部分的动态设计具体实施工作，由业主牵头组织成立动态设计领导小组，组长由项目设计负责人（也可由业主）担任，其他单位负责人担任副组长，业主负责总体协调。下设施工信息小组、监控量测小组、地质预报小组（可分专业组）、设计技术组、专家咨询组、协调组等，对各方职责应予以明确。

第三，超前地质预报及监控量测应执行“第三方监测”制度。项目业主应在隧道工程开工前委托有资质的单位开展“第三方监测”工作，实行公开招标。对地质条件复杂的特长隧道，以及在洞口段和地质构造带等典型段落，应同时委托有资质单位进行超前地质预报工作。

2. 监测内容

（1）隧道超前预报内容

主要地质条件的预报；施工地质灾害预报。

（2）隧道施工监控量测内容

现场监控量测计划；实际测点布置图；围岩和支护的量测参数；时间曲线、空间关系曲线以及量测记录汇总表；经量测变更设计和改变施工方法地段的信息反馈记录；现场监控量测说明；危险状况紧急报告；二次衬砌施做时的报告。

3. 监测单位资质条件

第一，独立法人资格、持有有效的营业执照和法人证书。

第二，具备以下条件之一：具备公路工程试验检测综合甲级资质的企事业单位；具备工程勘察综合类甲级资质的企事业单位；具备工程勘察专业类工程测量甲级资质的企事业单位。

第三，近五年内至少完成过一座隧道的检测服务技术工作。

第四，具有一定量的从事过实际监测工作的监测工程师。

第五，经营状况、商业信誉和财务信用良好。

第六，与项目业主、监理单位及承包人不应存在隶属关系或其他利害关系。

（二）超前地质预报

1. 基本要求

在隧道施工过程中，应明确指出是否需要调整设计，并制定拟采用的开挖方法、支护类型等。应通过必要的探测手段，预测开挖工作面前方几米至几十米的围岩工程地质和水文地质条件，结合掘进中地质条件的变化，进行地质预测、分析，及时提出预报资料，同时应做好各种预防和施工措施。

隧道超前预报的根本目的和预报内容可分为两个主要部分：一是主要地质条件的预报；二是施工地质灾害预报。通过各种超前地质预报技术方法（地质分析预测法和地球物理探测法等）进行主要地质条件预报。主要地质条件的预报应包括地层岩性、褶皱、断层、岩脉、破碎、长大节理、地下水状况、地应力状况、岩性和围岩类别等。预报的重点是断层、岩脉、破碎带、溶洞、暗河、煤系地层及其他不良地质体在掌子面前方的出露位置和对施工的影响等。施工地质灾害预报应建立在主要地质条件预报的基础之上，对各种因素综合考虑，得出圆满的成果分析。

2. 超前地质预报的内容及方法

（1）围岩岩性及围岩级别预测

对于围岩岩性及级别的预测预报主要采取以下方法。

第一，超前平导法。

第二，风钻孔观测。

第三，掌子面地质素描。

第四，利用地震勘探或地质雷达进行超前预报探测。

（2）断层、破碎带预测

对于断层、破碎带预测主要采取以下方法。

第一，地质编录与作图法。

第二，超前平导法。

第三，风钻孔观测。

第四，利用地震勘探或地质雷达进行超前探测。

第五，前兆预测法。利用断层附近的各种构造形迹，预测即将出现的断层。

（3）长大节理裂隙预测

对于长大节理裂隙预测主要采取以下方法。

第一，地质编录法。

第二，超前平导法。

（4）地下水状况预测

对于地下水状况的预测主要采取以下方法。

第一，依据前方地质条件的预测并结合现场观察到的地下水出露现象进行综合分析，得出地下水活动状况的一些定性认识，以指导施工。

第二，根据风钻孔出水情况，可以短距离预测前方围岩的富水情况。

第三，根据超前导洞的出水情况可推断主洞的情况。

第四，利用地质雷达或反射声波法（BEAM）、瞬变电磁法（TEM）进行超前探测。

（5）地应力状况预测

对于地应力状况的预测主要采取以下方法。

第一，地质标志判别。通过总结前人的研究成果并充分结合隧道的具体情况，得出隧道在高、低地应力情况下的地质标志。在围岩跟踪调查过程中，详细观察各类地质现象，并寻找地质标志，进而判断出围岩所处地应力高低状况。

第二，地应力现场测试。

第三，地应力场有限元数值计算。

（6）涌水预测

对于涌水的预测主要采取以下方法。

第一，地质分析定性预测。在对隧道初期涌水状态调研及对详细勘察资料分析的基础上，对隧道前方的地下水情况进行宏观预测。

第二，涌水量计算定量预测。

第三，根据超前导洞进行预测。

第四，利用地质雷达或 BEAM、TEM 进行超前探测。

（7）塌方预测

对于塌方的预测主要采取以下方法。

第一，在结构面的跟踪调查与预测预报基础上，采用块体稳定性分析软件对块体失稳破坏进行预测。

第二，通过对断层破碎带的预测和分析判断，对软岩塌方进行预测。

第三，通过监控量测资料的分析进行预测。

第四，前兆预测法。围岩的变形破坏、失稳塌方，是从量变到质变的过程，在量变的过程中，会在围岩的地质特征和岩石力学及支护结构上反映出一些征兆。

（8）岩爆预测

对于岩爆的预测主要采取以下方法。

第一，根据围岩初始地应力条件、岩性及岩体结构等进行综合分析预测。

第二，根据超前导洞进行预测。

第三，根据地质标志进行预测。

第四，前兆预测法。

第五，根据数学—力学模型进行预测。

（9）大变形预测

对于大变形的预测主要采取以下方法。

第一，根据围岩初始地应力条件、岩性及岩体结构等进行综合分析预测。

第二，根据超前导洞进行预测。

第三，根据地质标志进行预测。

第四，根据地质类比分析预测。地质类比分析，即分析已开挖段发生了大变形地段的围岩岩性、岩体结构、地下水、地应力状态等。当前方某段与该段地质情况相近时，则可预测前方段在相同初期支护情况下也可能会发生量值相当的大变形。

第五，通过监控量测资料分析进行预测。

第六，根据数值计算进行预测。

3. 超前地质预报体系

隧道工程施工地质预报应建立一种完善的、易于推广的综合预报体系。其主要原则为“以地质分析为核心，综合物探与地质分析结合，洞内外结合，长短预测结合，物性参数互补”，同时应明确隧道超前地质综合预报工作路线。首先对隧址区勘察设计资料进行详细研究，利用地面地质调查等方法，确定断层和其他不良地质体与隧道轴线交点的大概位置，估测岩层、断层和其他重要地质界面的产状，预测地下水富存段。在此基础上，根据宏观地质分析预测成果和掌子面地质调查，结合各种物探方法的适宜性，有针对性地选择一种或者几种物性参数互补的物探方法进行超前探测与预报解译，了解掌子面前方一定距离的详细地质特征信息。通过上述地质分析和物探预报解译，对掌子面前方的基本地质条件，包括断层、岩体破碎情况、溶洞、地下水情况、岩体软硬程度等，进行综合分析预报，判断是否存在不良地质体和施工地质灾害，并采取相应的措施指导施工。

第六章　高速公路的养护工作

第一节　高速公路路基养护

一、基本要求

（一）目的和原则

路基是公路的重要组成部分，是路面的基础，与路面共同承担车辆荷载。路基的强度和稳定性是保证路面结构稳定、路用性能良好的基本条件。

路基养护的基本原则是“预防为主，防治结合”。

（二）内容与要求

第一，路基养护应通过对公路各部分的日常巡视和定期检查，发现病害及时查明原因，采取有效措施进行修复或加固，消除病害根源。其作业范围应包括以下内容：维修、加固路肩、边坡；疏通、改善排水设施；维护、修理各种防护构造物；清除塌方、积雪，处理塌陷，检查险情，防治水毁；观察和预防、处理翻浆、滑坡、泥石流等病害；有计划、有针对性地对局部路基进行加宽、加高；改善急弯、陡坡和视距不良路段，使之逐步达到所要求的技术标准。

第二，路基养护工作的要求。

路基各部分经常保持完整，各部尺寸保持规定的标准要求，不损坏变形，经常处于完好状态。

路肩无车辙、坑洼、隆起、沉陷、缺口，横坡适度，边缘顺适，表面平整、坚实、整洁，与路面接茬平顺。

边坡稳定、坚固，平顺无冲沟、松散，坡度符合规定。

边沟、排水沟、截水沟、跌水井、泄水槽（路肩水簸箕）等排水设施无淤塞，无高草，纵坡符合要求，排水畅通，进出口维护完好，保证路基、路面及边沟内不积水。

挡土墙、护坡及防雪、防沙等设施保持完好无损坏，泄水孔无堵塞。

做好翻浆、塌方、山体滑坡、泥石流等病害的预防、治理和抢修，尽力缩短阻车时间。

（三）日常养护

1. 路肩的养护

路肩是保证路基路面整体稳定性和排除路面水的重要结构物，同时可以保证临时停车所需余宽的重要组成。路肩的好坏直接关系公路的强度和行车的畅通，因此有必要做好其养护工作。

路肩常见病害：车辙、坑洼与路面错台、坡度不适、冲沟、裂缝等。

路肩养护与维修工作的重点是减少或消除水对路肩的危害。陡坡路段路肩的改善措施：

第一，设置截水明槽；

第二，在陡坡路段的路肩和边坡上全范围人工植草，以防冲刷；

第三，用粒料加固土路肩或有计划地铺筑硬路肩。

2. 边坡的养护

边坡包括路堤填土边坡和山体天然状态的坡面，又有设防护和不设防护之分。

（1）不设防护的边坡常见病害

不设防护的边坡常见病害有：坡度不适、坍塌、缺口、冲沟、沉陷等。

土质路堑边坡冲沟治理：用黏土填塞捣实，如出现涌水，可开沟隔断水源，将水引至路堤外。

石质路堑边坡风化、裂缝、积水、掉块等：清除、抹面、喷浆、勾缝、嵌补、锚固等，避免危及行车、行人安全和堵塞边沟，影响排水。

土质路堤边坡冲沟及缺口：用黏性良好的土修补，将原边坡挖成台阶，分层填筑压实，最后修坡至平顺。

对边坡、碎落台、护坡道出现大面积缺口、冲沟沉陷、塌落等：采取防护工程，如种草、铺草皮、栽灌木林、铺柴束、篱格填石、投放石笼、干砌或浆砌片石护坡等措施，进行防护和加固。土工合成材料有土工网、土工格栅、防老化的塑料编织布、土工模袋等。优点是：施工简便、进度快、造价低、效果好。

(2) 对已设防护的边坡

①植被防护

防护原理：植被防护主要是利用植物的根系固土以及茎叶对坡面的覆盖作用。植物根系深入土壤，像无数根锚一样紧紧抓住土壤颗粒，增强土壤的抗冲刷能力，减少水土流失。同时，植物的茎叶能够阻挡雨水直接冲击坡面，减缓雨滴的动能，降低雨水对坡面的侵蚀。

适用场景：适用于土质边坡，尤其是坡度较缓、坡面土体稳定性较好的地段。比如在一些丘陵地区的高速公路边坡，坡度为 (1∶1.5) ~ (1∶2)，且土壤条件适宜植物生长的区域，植被防护效果显著。对于新开挖的填方路基边坡，在经过一段时间的沉降稳定后，也可采用植被防护。

维护要点：定期检查植被的生长状况，及时清除杂草，防止杂草与防护植物争夺养分和生长空间。干旱季节要适当浇水，以保证植物的正常生长。对于病虫害要及时防治，可采用生物防治、物理防治或低毒农药防治等方法，避免对环境造成污染。当植被出现斑秃或死亡现象时，要及时补种，确保坡面防护的完整性。

②砌石防护

防护原理：砌石防护通过在边坡表面铺设石块，形成一层坚固的防护层。石块之间相互挤压、嵌锁，能够承受一定的外力冲击，阻挡雨水和坡面径流对边坡土体的冲刷。同时，砌石防护还能增强边坡的整体稳定性，防止土体因风化、剥落等原因导致坍塌。

适用场景：常用于风化严重、坡面不平整且易受水流冲刷的岩石边坡，以及坡度较陡、土体稳定性较差的土质边坡。在一些山区高速公路，岩石边坡由于长期受风化作用，表面岩石破碎、剥落，采用砌石防护能够有效阻止病害进一步发展。对于土质边坡，当坡度>1∶1 时，砌石防护可以作为一种有效的加固措施。

维护要点：定期检查砌石结构的完整性，查看石块是否有松动、脱落现象。若发现石块松动，应及时重新砌筑或用水泥砂浆进行勾缝加固。对砌石表面的青苔、杂草等要及时清理，避免其在石块缝隙中生长，破坏砌石结构。同时，检查排水孔是否畅通，如有堵塞要及时疏通，确保坡体内的积水能够顺利排出，防止因积水压力导致砌石结构损坏。

③植物骨架防护

防护原理：植物骨架防护是将植物与骨架结构相结合的一种防护方式。通常先在坡面上设置混凝土、浆砌片石等骨架结构，骨架将坡面分割成若干小块，然后在骨架内种植植物。骨架结构能够增强坡面的稳定性，承受一定的坡面荷载，而植物则通过根系固土和茎叶覆盖进一步提高防护效果，两者相互配合，共同抵御雨水冲刷和坡面土体的变形。

适用场景：适用于中等坡度［（1∶1）~（1∶1.5）］的土质边坡，以及风化程度中等、坡面有一定起伏的岩石边坡。在一些山区高速公路穿越的半填半挖路段，边坡坡度适中，但土体稳定性需要进一步加强，植物骨架防护既能起到防护作用，又能兼顾绿化和生态功能。

维护要点：除与植被防护类似的植物生长维护工作外，还要重点检查骨架结构的稳固性。定期查看骨架是否出现裂缝、断裂等情况，若有损坏要及时修复。注意骨架与坡面土体的结合部位，防止因土体变形导致骨架与土体分离。同时，清理骨架内的杂物和淤积物，保证植物有良好的生长环境，以及排水的顺畅性。

3. 护栏板及泄水槽下水毁的修复

当高速公路遭遇水毁，护栏板及泄水槽受到损坏时，及时且有效的修复工作至关重要，这不仅关系道路的正常使用，更与行车安全紧密相连。

（1）修复流程

在进行修复作业前，须先对水毁现场展开全面细致的勘查。详细记录护栏板的变形、损坏程度，如是否存在扭曲、断裂、倒伏等情况；同时，检查泄水槽的破损位置、范围以及周边路基受冲刷的状况。根据勘查结果制定有针对性的修复方案，确定所需的修复材料和施工设备。

对于受损的护栏板，若只是局部变形，可采用专业的校正工具进行校正，使其恢复至原有形状。如果护栏板出现严重断裂或损坏无法修复的情况，则须拆除并更换全新的护栏板。在拆除过程中，要注意保护周边未受损的设施，避免造成二次破坏。安装新护栏板时，严格按照相关规范要求，确保其安装牢固，高度、间距等符合标准，以保障防护功能的有效性。

针对泄水槽的水毁修复，首先要清理泄水槽内的淤积物，包括泥沙、石块、杂物等，恢复其排水畅通。若泄水槽出现裂缝，须根据裂缝的大小和严重程度选择合适的修复方法。对于较小的裂缝，可采用防水密封胶进行填充修复；而对于较大的裂缝或破损部位，则须拆除损坏部分，重新浇筑或安装新的泄水槽构件。在施工过程中，要保证新浇筑或安装的部分与原有结构紧密结合，防止出现漏水现象。

（2）修复材料选择

护栏板的修复材料应选用符合国家标准的钢材，确保其具有足够的强度和耐腐蚀性。例如热浸镀锌钢材是常见的选择，其表面的镀锌层能够有效防止钢材生锈，延长护栏板的使用寿命。同时，连接护栏板的螺栓、螺母等配件也应采用相应的耐腐蚀材料。

泄水槽修复材料的选择要综合考虑其耐久性、抗冲刷性和防水性能。混凝土是常用的材料之一，在浇筑混凝土时，可添加适量的外加剂，如减水剂、防水剂等，以提高混凝土的性能。对于一些特殊地段或对耐久性要求较高的泄水槽，也可采用钢筋混凝土结构。此外，在泄水槽的表面可涂抹防水涂料，增强其防水效果。

（3）修复后的维护

完成护栏板及泄水槽下水毁的修复工作后，并非一劳永逸，还须加强后续的维护管理。定期对修复后的护栏板和泄水槽进行检查，查看其是否再次出现损坏、变形或淤积等情况。特别是在雨季来临前，要进行全面的检查和维护，确保其在强降雨等恶劣天气条件下能够正常发挥作用。同时，加强对周边路基的巡查，观察路基是否因水毁修复后出现新的沉降、塌陷等问题，如有异常及时采取措施进行处理，保障高速公路路基的整体稳定性和安全性。

二、路基病害

（一）病害类型、原因及防治

1. 路基常见的病害

路基常见的病害有路基沉陷、边坡病害、冻胀与沙害、公路翻浆等。

（1）路基沉陷

路基沉陷主要有两种形式：一种是路基沉落；另一种是地基沉陷。

路基沉落的原因一般是填料选择不当，填筑方法不合理，压实不足，荷载、水及温度的综合作用。

地基沉陷的原因一般是软弱涂层，例如泥沼、流沙或垃圾堆积等，填筑前未经换土或压实，造成承载力不足，发生侧面剪裂凸起，地基沉陷，从而引起路基沉陷。

（2）边坡病害

常见的有崩塌、落石、滑坡、泥石流等。

① 崩塌和落石

崩塌是指岩体突然而猛烈地从陡峻的斜坡上崩离翻滚跳跃而下的现象，分为滑移式崩塌、倾倒式崩塌、错断式崩塌。

落石是指岩石碎块的一种剥落现象，其范围较剥落严重。

产生原因：路堑边坡较陡，岩石破碎和风化严重，在振动及水的侵蚀和冲刷下，块状碎屑沿坡面向下滚动。

② 滑坡

滑坡是指路基山坡山体或岩石，由于长期受到地面水、地下水活动的影响，使其结构破坏，逐渐失去支撑力，在自重作用下，整体沿着软弱面向下滑动的现象。

③ 泥石流

山坡或沟岸泥沙由于重力的作用而不断地坍塌、碎落或滑坡而落入沟道，在暴雨的冲击下形成泥石流。

（3）路基水毁

路基水毁的形成主要由以下几方面原因造成：

第一，雨雪、地质原因；

第二，地形地貌原因；

第三，气象原因；

第四，环境的破坏。

（4）冻胀与翻浆

潮湿地段的路基在冰冻过程中，土基中的水分不断地向上移动聚集，引起路基冻胀。春融时，路基湿软，强度急剧降低，加上行车的作用，路面发生“弹簧”、鼓包、冒浆、车辙等现象称为翻浆。根据导致翻浆的水类来源不同，可将翻浆分为五个类型：地下水类、地面水类、土体水类、气体水类、混合水类。根据翻浆高峰时期路面变形破坏程度，将翻浆分为轻、中、重三个等级。

（5）公路沙害

在风沙地区，沙害是公路常见的病害。其危害主要表现为风蚀和沙埋，其中尤其以沙埋为主。路基遭受沙埋有两种形式：一是在风沙活动地区，由于沙粒沉落堆积，掩埋路基；二是在流动沙丘地区，由于沙丘向前移动，掩埋路基，路基遭受风蚀，将会出现削低、变窄、掏空和崩塌等现象。

（6）其他病害

路基还存在其他病害如雪崩、溶洞陷落、路基滑动、巨型滑坡等。

2. 路基破坏原因

第一，不良地质水文条件。

第二，不良水文与气候因素。

第三，设计不合理。

第四，施工质量不合格。

3. 路基病害的防治

(1) 保护冻土、防止路基不均匀变形的办法

第一，增加路基热阻。方法有加高路基、隔热路基、保护护道。

第二，增加散热方法。对块石路基与热桩路基进行通风。

第三，增加路基填筑体自身稳定性。

第四，加强防排水设施。

(2) 路堤坍滑治理方法

把失稳路基的松散料清除，然后对软基或滑动体进行加固处理。常用的治理方法有换土复压法（适宜小的坍滑路堤）、修建抗滑挡土墙、打抗滑桩等方法。在治理坍滑过程中一般都须进行专项勘测设计。

(3) 边坡病害的防治

预防滑坡首先要加强路基的勘察选址及稳定性评价工作，在建设过程中尽量避免造成诱发滑坡灾害的外因，在公路使用方面，对斜坡注意养护，加强维修。滑坡的治理主要是将排水、支挡、减重与反压等方法结合起来，综合进行。

坡面病害防治主要有以下几点。

第一，做好地表排水和恢复坡面植被。

第二，在一般堑坡碎落和剥落的地段，可在路基侧沟内留 1～2m 宽的清理护道；对严重者，须做带骨架式的轻型护坡，保护格内植物生长。

第三，对雨淋冲刷、碎落或一般落石、坡面流坍地段，可采取格式满铺片石或浆砌片石等坡面防护措施。

第四，对裂面发育处的危岩落石，一般从坡底部开始用浆砌圬工或用混凝土护墙等加固，必要时用金属锚杆锚固个别大块岩石，也可用水泥砂浆灌注和喷射胶结坡面破碎岩块，或修拦挡工程，如修筑落石平台、挡石墙、拦挡栅栏、明洞和棚洞。

第五，对落石地段须组织定期检查，及时处理。在岩体裂面发育的地段，由于爆破方法不当，常出现堑坡上落石和塌岩。可按破碎程度在局部刷坡和清理危石后，分别使用灌浆、喷浆或建护墙等加固措施，甚至加建明洞。

岸边冲刷防治主要是指在线路选线时应尽可能避免与河流争地。为了防止河

岸路基遭受冲刷，可修各种路基挡土墙和圬工护坡，并将基础埋置于淘刷线以下。基础埋深不足时应按不同河床堆积物的情况在脚墙外修较宽的沉排、石笼，或堆垒大量漂砾或混凝土块体，或砌筑圬工护墙，也可用改河和导流的办法避免路基直接受激流冲刷。

（4）治理翻浆的方法

第一，铺设隔离层，可分为透水性隔离层和不透水性隔离层。

第二，设置路肩盲沟或渗沟。

第三，为防止水的冻结和土的膨胀，可在路基中设置隔温层，以减少冰冻层深度。

第四，改善路面结构层。

（二）路基沉降养护

路基沉降是指路基在其施工期和道路建成后经常出现的一种病害。

1. 路基沉降产生的原因

路基沉降产生原因包括筑路材料不良、施工压实不够、地基承载力不足等。一般路基沉降产生的原因如下。

第一，伐除树根及表土（淤泥质土、种植土等）处理不彻底，路堤成型后一旦杂质腐烂变质，地基将产生松软和不均匀沉降。

第二，地面的自然坡度较大时（横坡>1：5），填筑前的原地面未按设计挖成台阶。

第三，填料与土基结合不良，在荷载作用下，填料极易失稳且沿坡面产生滑移。

第四，路基填料不符合规范规定，不同的填料未采用与之相适宜的施工工艺。

第五，半填半挖路基、路堤与路堑过渡段、路基拓宽改建地段填挖接合部处理不妥善。

第六，路基修筑在软土地段，因软土压缩性大而产生沉降。

第七，路基填料含水量过大、压实厚度过大、填料混杂等，均易产生不均匀沉降。

第八，工程施工中，现场工作人员责任心不强，技术管理力度不够，施工现场混乱，使工程质量降低，造成隐患。

2. 路基沉降的预防措施

第一，重视原地表的处理。

第二，严格控制路堤填料，严格控制路堤填筑工艺。

第三，抓好路基特殊部位的施工质量。

第四，做好压实度的检测。

3. 路基沉降的处理方法

路基沉降的处理方法包括换填土层法、反压护道法、粉喷桩加固法、压（灌）浆法、土工布法、排水固结法、复合地基处理法——挤密法、化学加固法等。

（1）换填土层法

换填土层法适用于填筑土质不符合要求，路基出现下沉且面积不大且深度不深时。此法是将原路基出现病害部分的土挖去，换以强度大、稳定性好的沙砾、卵石、碎石、石灰土、素土等回填，并分层压实，压实度要求高出原路基压实度1%~2%为宜。回填时，及时排除流向路基的地面水或处理好地下水。挖补面积要扩大，且逐层挖成台阶状，由下往上，逐层填筑。

（2）反压护道法

反压护道法是指在路堤两侧填筑一定宽度和高度的土石反压护道，使路堤下的淤泥或泥炭向两侧隆起的趋势得到平衡，然后填土，恢复到路基标高，从而保证路堤的稳定性。

（3）粉喷桩加固法

粉喷桩加固法对于处理10m以内路基下沉病害是较为理想的一种方法。其加固原理是：通过专门的机械将粉体固化剂喷出后在地基深处与软土强制搅拌，利用固化剂和软土之间发生的一系列物理、化学反应，在原地基中形成强度、刚度较大的桩体。同时使桩周围土体性质得到改善，桩体与桩间土体形成复合地基共同承担外荷载。

粉喷水泥搅拌桩施工工艺步骤如下。

第一，深层搅拌机械就位。

第二，预搅下沉（至设计标高）。

第三，搅拌提升，同时喷干水泥粉至地面以下 0.5m 处（设计桩顶）。

第四，在桩上部的 5m 长范围内重复搅拌一次，1/3~1/2 桩长、桩上部强度要求较高。

第五，重复搅拌提升，直到离地面以下 0.5m，上部回填 5%灰土（或水泥土）并压实。

第六，关闭搅拌机械移位至下一桩位。

粉喷桩施工存在以下几个控制重点。

一是桩长控制。桩必须进入持力层并按进入持力层的长度控制桩长。

判别方法：可由钻机钻到最深处时的下钻速度和电流表读数来判定。实际桩长应该按进入持力层控制。

二是准确测定水泥掺和量。水泥的掺和量应以设计为标准，以实际土的孔隙比、含水量为参考，根据 28d 无侧限抗压强度，通过试验确定每米桩的水泥用量。

规范规定：地基土的天然含水量<30%或>70%时不宜采用粉喷桩。

三是搅拌均匀性控制。水泥与土搅拌的均匀程度是关系到粉喷桩体强度的关键因素。

复搅的作用在于通过充分的搅拌使水泥与土及水得到比较完全的接触与作用，促使桩体形成。

四是喷粉均匀性控制。喷粉均匀性控制的关键在于掌握钻孔的提升速度。从开始喷灰到钻头处出灰有一定时间，钻机钻至桩底后，必须预喷停留一段时间方可提钻。为保证水泥搅拌桩桩端、桩顶及桩身质量，第一次提钻喷浆时应在桩底部停留 30s，进行磨桩端，余浆上提过程中全部喷入桩体，且在桩顶部位进行磨桩头，停留时间为 30s。

（4）压（灌）浆法

压（灌）浆法是指通过注浆管将浆液均匀地注入地层中，浆液以充填、渗透和挤密等方式占据土粒间或岩石裂缝中的空间，经人工控制一定时间后，浆液将原松散的土粒或裂缝胶结成一个整体，形成一个结构新、强度大、防水性能强和化学稳定性良好的“结晶体”。

整个压浆施工过程包括布孔、成（钻）孔、制浆、压浆、封孔等。

压浆：压浆施工主要包括控制压浆的压力、浆液浓度、压浆量、压浆程序等内容。如何选择和控制压浆压力及压浆浓度等因素，是压浆施工中首要解决的问题。

高压喷射注浆法于20世纪70年代后期始创于日本，它是利用钻机把带有喷嘴的注浆管钻至土层的预定位置后，以高压设备使浆液或水成为20~40MPa的高压射流从喷嘴中喷射出，冲击破坏土体，同时钻杆以一定速度渐渐向上提升，将浆液与土粒强制搅拌混合，浆液凝固后，在土中形成一个固结体。

（5）土工布法

土工布又称土工织物，它是由合成纤维通过针刺或编织而成的透水性土工合成材料。成品为布状，一般宽度为4~6m，长度为50~100m。土工布分为有纺土工布和无纺土工布。土工布具有优秀的过滤、隔离、加固防护作用，抗拉强度高，渗透性好，耐高温，抗冷冻，耐老化，耐腐蚀。

① 土工布法的特点

土工布在高压下具有较大的孔隙率，透水性能好，有优越的垂直、水平排水能力，有很高的抗拉强度及隔水作用，能提高路基整体强度，重新分布土基压力，增强路基稳定性。

② 土工布法的作用

透水与过滤作用，分隔与补强作用。

据有关资料介绍，采用土工布处理松软地基，与换土工程相比，不但用工少，工期缩短，而且工程费用可节约1/4左右，可见土工布处理软土地基具有良好的推广使用价值。

（6）排水固结法

排水固结法是指在地基内设置排水井，缩短排水距离，加速固结排水。目的在于运用堆载预压，挤出土中的过多含水，达到挤紧土粒和提高强度的目的。该法适用于均匀的厚黏土层而渗透性小、路堤较高的路基。根据排水材料的不同，排水固结法可分为砂井法、塑料板排水法、真空预压法和降低水位法等。

（7）复合地基处理法

复合地基处理法可分为挤密法和化学加固法。在软土路基中采取冲击或振动等方法造成一定直径的钻孔，在孔中灌以水泥、砂、石、灰土、石灰或其他化学固化浆材等材料，捣实而成直径较大的桩体，利用横向挤紧作用，使路基土粒彼此靠紧，孔隙减少，而且孔被填满和压紧，形成桩体。桩体具有较高的承载能力，群桩的面积约占松散土加固面积的20%，以致桩和原土组成复合地基，起到加固的作用。常用的桩体有深层搅拌桩、碎石桩和石灰桩。

（三）路基边坡养护

路基边坡养护的基本任务是通过经常养护、维修与加固，使边坡坡面保持稳定、平顺、坚实、无裂缝，防止滑坡或滚石堵塞路面、边沟或危及行车，保持边坡加固设施的完整，制止破坏路基边坡的行为。具体养护措施有以下几方面。

第一，土质路堑边坡上高出的部分土体应予以铲平。当边坡出现冲沟时，可用黏性土填塞捣实，以防止表层水渗入路基体内。如出现潜流涌水，可采取开沟隔离水源，将潜水引向路基外排出。

第二，填土路堤边坡修理时，应将原坡面挖成阶梯形，然后分层填筑夯实，并应与原坡面衔接平顺。

第三，边坡、碎落石、护坡道等，如出现缺口、冲沟、沉陷、塌落、滑坡或受洪水、河流、边沟流水冲刷及浸淹时，应根据水流、土质、边坡坡度等情况，选用种草、铺草皮、栽灌木丛、投放石笼、干砌或浆砌片石护坡措施进行加固。

（四）路基滑坡

滑坡是一种常见的路基病害。有些区段滑坡病害较为密集，平均每百千米分布高达20~30处，多为山区。发生滑坡时常常中断行车，给运输安全带来严重危害。

1. 产生滑坡的原因

产生滑坡的原因既有内在因素，也有外在因素。内在因素是形成滑坡的先决条件，包括岩土性质、地质构造、地形地貌等。外因通过内因对滑坡起着促进作用，包括水的作用、地震和人为因素等。所以，滑坡是内外各因素综合作用的结果。

2. 防治滑坡的原则

防治滑坡的原则包括预防、早期整治、一次根治与分期整治相结合。

（1）预防

对有可能新生滑坡的地段或可能“复活”的古滑坡，应采取必要的工程措施，以防止产生新的滑坡或古滑坡的“复活”。

（2）早期整治

滑坡的发生与发展是有一个过程的，早期整治能收到事半功倍的效果。

（3）一次根治与分期整治相结合

滑坡一般应一次根治，不留后患。但对规模较大、性质复杂、变形缓慢，一时尚不致造成重大灾害的滑坡，也可在全面规划下分期整治。

3. 防治滑坡的措施

（1）排水措施

滑坡的发生和发展都与水的作用有关，排水是防治各类滑坡之本。但应根据具体情况，采用切合实际的排水方式。对滑坡体以外的地表水，应加以拦截和引出，在滑坡可能发展的边界 5m 以外修建一条或多条环形截水沟；对滑坡体以外的地下水应修建截水盲沟；对滑坡体内的地下水，应疏干和引出，浅层地下水采用支撑盲沟，深层地下水采用泄水隧洞，也可采用垂直孔群或仰斜孔群排水；对滑体范围内的地表水，应尽快汇集引出以防下渗，在充分利用天然沟谷的基础上，修建排水系统。

（2）减重措施

当滑动面不深，且滑体呈上陡下缓状，滑坡范围外有稳定的山坡，滑坡不可能向上发展时，在滑坡上部减重，以减小滑坡的下滑力，是一种操作简单、经济实惠的防治措施。将减重的土体堆在坡脚反压，以增加抗滑力，效果更好。

（3）支挡措施

根据滑体推力的大小，可以选用适当的支挡结构防滑。

①抗滑挡墙

抗滑挡墙施工方便，稳定滑坡收效快。抗滑挡墙多为重力式石砌，也有用混凝土或钢筋混凝土的。

②抗滑桩

抗滑桩是利用桩在稳定岩土中的嵌固力支挡滑体的建筑物。它具有对滑体扰动少、操作简便、工期短、收效快、对行车干扰小、安全可靠等优点。抗滑桩多为挖孔或钻孔放入钢筋骨架灌筑混凝土而成。抗滑桩在滑动面以下的锚固深度应根据滑体作用在桩上的主动土压力、桩前的被动土压力、岩土性质等来确定。

③锚杆挡墙

锚杆挡墙是一种新型支挡结构，由锚杆、肋柱和挡板三部分组成，用于薄层块状滑坡或基岩埋深较浅、滑体横长、滑面较陡的滑坡。具有结构轻盈、节约材料、适宜机械化施工、提高生产效率等优点。

④抗滑明洞

若滑动面的下缘处在边坡上的较高位置，可视地基情况设置坑滑明洞，洞顶回填土石支撑滑体，或滑体越过洞顶落在线路之外。但这种措施对行车干扰大，施工困难，造价昂贵，只有在其他措施难以奏效时采用。

（4）改善滑坡

根据土体的物理力学性质，用物理化学方法加固和稳定滑坡。方法很多，如焙烧、成浆、加灰土桩、硅化、电渗、离子交换等。

（5）改线绕避

当整治措施难以奏效时，在经济技术合理情况下，可以考虑改线绕避。

4. 滑坡养护维修要点

第一，滑坡区的地表排水设备，如截水沟、排水沟、吊沟等，应做到无淤积、无漏水、无冲刷、排水畅通、沟涵相通。对失效损坏处所，应及时修补。

第二，滑坡区的地下排水设备，如支承渗沟、暗沟、隧洞、渗井、渗管等，应定期检查，及时清理和疏通。对失效或损坏的处所，应及时修补或整治。地下排水设施，一般每年在春融之后和冰冻之前，在雨季开始之前和暴雨之后，必须仔细观测其流量，掌握其变化规律和排水效果，发现异常及时处理。

第三，滑坡区的防护和加固建筑物，应保持完整无损，如有开裂、滑移，必须认真查明原因，采取治理措施，不可麻痹大意，要防患于未然。

第四，对规模大、情况复杂的滑坡，虽经整治仍在缓慢变形或间歇变形，应对其进行认真观测，实行动态监控，掌握变化规律和发展趋势，以便及时采取有效措施。

第五，保护好山坡植被，做好水土保持，也是滑坡区养护维修的重要任务。

（五）路基翻浆

翻浆路段的养护根据季节变化，侧重点也发生变化。春季养护的主要工作是抢防；夏季养护的主要工作是修复翻浆破坏的路基、路面，采取根治翻浆的措施；秋季养护的主要工作是排水，尽量防止水分进入路基；冬季养护的主要工作是清除积雪。

第二节　高速公路路面养护

一、高速公路路面养护现状分析

（一）交通荷载影响

随着经济发展，高速公路交通流量持续攀升，重载车辆占比不断增加。统计数据显示，部分干线高速公路日均货车流量已超过交通流量总量的30%，重载车辆轴载远超设计标准，致使路面结构承受过大应力。在反复荷载作用下，路面出现车辙、裂缝等病害，其中车辙深度年均增长达0.8～1.2mm，严重影响路面平整度与行车安全。

（二）自然环境作用

1. 温度变化影响

不同地域的温度差异对路面性能影响显著。在北方高寒地区，冬季极端低温可达-30℃以下，路面材料因低温收缩产生开裂，且冻融循环导致路面结构层材料强度下降，每年春季融冰期后，路面裂缝数量较冬季增加20%～30%。南方高温多雨地区，夏季路面温度可达60℃以上，沥青混合料软化，在车辆荷载作用下易产生车辙与拥包。调查表明，南方高温地区高速公路车辙病害发生率比北方地区高约35%。

2. 降雨侵蚀作用

持续降雨或暴雨天气会使路面结构层内积水，水的侵蚀作用加速路面病害发展。雨水渗入沥青路面的裂缝后，在车辆荷载的泵吸作用下，对裂缝壁产生冲刷力，导致裂缝宽度与深度快速扩展，同时削弱沥青与集料的黏附力，引发路面松散、坑槽等病害。据统计，经历连续强降雨后，高速公路坑槽病害发生率会在一周内激增40%~50%。

（三）路面材料老化

1. 沥青材料老化

沥青在长期使用过程中，受阳光紫外线、氧气和温度等因素影响，发生氧化、聚合等化学反应，导致沥青变硬变脆，黏性和韧性降低。老化后的沥青混合料抗疲劳性能下降，易产生裂缝，且对集料的黏结力减弱，使路面耐久性降低。研究表明，使用5年后的沥青路面，其沥青材料的针入度下降20%~30%，延度降低30%~40%。

2. 集料磨损

车辆轮胎与路面集料的长期摩擦，使集料表面磨损，棱角逐渐消失，导致路面抗滑性能下降。同时，集料间的嵌挤结构被破坏，路面整体强度降低，易出现松散、剥落等病害。部分使用年限超过8年的高速公路，路面抗滑摆值下降至45~50BPN，低于规范要求的55BPN，严重影响行车安全。

二、高速公路路面养护技术体系

（一）预防性养护技术

1. 雾封层技术

雾封层技术作为高速公路路面预防性养护的重要手段，基于渗透—成膜原理，通过专用洒布设备将低黏度雾封层材料以雾化状态均匀喷洒于路面表面。其核心材料乳化沥青或改性乳化沥青，在破乳过程中，沥青微粒相互融合，形成厚度为0.3~0.5mm的致密封层。改性乳化沥青通过添加SBS（苯乙烯-丁二烯-苯乙烯嵌段共聚物）、SBR（丁苯橡胶）等高分子聚合物，显著提升材料的高低温性能，软化点可提高10~15℃，低温延度增加20~30cm，有效增强封层的抗老化和抗开裂能力。

在施工工艺方面，需严格控制环境温度与湿度条件。一般要求施工温度不低于10℃，空气相对湿度小于85%，以确保材料的有效破乳与黏结。洒布量控制在0.8~1.2kg/m^2，通过精确调节洒布车的喷嘴压力（0.3~0.5MPa）和行驶速度（8~12km/h），实现均匀覆盖。施工前需对路面进行彻底清扫，清除泥土、油污等污染物，必要时采用高压水枪冲洗，确保路面清洁度达到施工标准。

质量控制环节采用多指标检测体系：一是渗透深度检测，使用钻孔取芯法，要求材料渗透入路面孔隙深度不小于3mm；二是抗滑性能检测，施工后路面抗滑摆值需维持在原路面的90%以上；三是防水性能测试，通过路面渗水试验，渗水系数应小于50mL/min。

2. 微表处技术

微表处技术是一种基于冷拌冷铺工艺的高性能预防性养护技术，其混合料组成设计遵循严格的级配标准（MS-3型）。聚合物改性乳化沥青作为胶结材料，需满足蒸发残留物含量不低于65%，延度（5℃）不小于40cm的技术指标；集料采用玄武岩或辉绿岩等耐磨石料，针片状颗粒含量控制在10%以内，确保混合料的力学性能。添加剂中，水泥或消石灰的掺量为混合料质量的1%~3%，起到调节破乳速度和增强早期强度的作用。

施工过程采用专用稀浆封层车，通过精确计量系统实现各组分的连续、均匀拌和。摊铺厚度控制在8~10mm，摊铺速度根据混合料破乳时间调整，一般为15~20m/min。施工后需设置交通管制，待混合料完全固化（常温下2~3h）后方可开放交通。特殊气候条件下，可添加速凝剂或缓凝剂调节固化时间，如在低温环境（5~10℃）中，添加3%~5%的氯化钙可缩短固化时间约40%。

技术效果评估采用量化指标体系：车辙修复方面，对于深度8~12mm的车辙，单次微表处施工填充率可达 85%~90%；抗滑性能提升显著，施工后路面构造深度由 0.4mm 增加至 0.7mm，抗滑摆值提高 12~15BPN；耐久性方面，混合料的磨耗值（AAH）小于 20mg/cm^2，设计使用寿命可达 3~5 年。在重载交通路段应用中，微表处路面的疲劳寿命较普通沥青路面提高 1.5~2 倍，有效降低了后续养护成本。

（二）矫正性养护技术

1. 铣刨重铺技术

铣刨重铺技术是针对高速公路路面严重病害的深度修复工艺，其核心原理是通过铣刨机的铣削转子高速旋转，利用刀头对病害路面进行逐层切削，将损坏的路面结构层去除，随后重新铺设沥青混合料恢复路面性能。该技术适用于车辙深度超过 15mm、存在大面积坑槽、路面结构层疲劳开裂等严重病害场景，能有效消除结构性损坏，重塑路面平整度、强度和抗滑性能。

在施工工艺上，铣刨作业前需利用三维激光扫描仪对路面病害区域进行精确测绘，确定铣刨范围和深度，一般铣刨深度根据病害程度在 3~10cm 间调整。铣刨机作业时，通过控制行驶速度（3~5m/min）和铣刨转子转速（200~300r/min），确保铣刨面的平整度和粗糙度符合要求。铣刨废料采用专用运输车辆及时清运，避免二次污染。

沥青混合料摊铺采用梯队作业方式，两台摊铺机前后保持 5~10m 间距同步行，确保摊铺连续性。摊铺温度需严格控制，普通沥青混合料摊铺温度不低于 130℃，改性沥青混合料不低于 160℃。压实过程遵循“初压、复压、终压”三阶段原则，初压采用钢轮压路机静压 1~2 遍，复压采用振动压路机振压 3~4 遍，终压采用胶轮压路机静压 1~2 遍，使压实度达到 98%以上。

材料选择方面，沥青需满足针入度、延度、软化点等性能指标，对于重载交通路段，优先选用高黏度改性沥青。集料采用石灰岩或玄武岩，要求压碎值不大于 26%，洛杉矶磨耗损失不超过 28%，以保证混合料的强度和耐磨性。

质量控制环节设置多道检测工序：铣刨面平整度采用 3m 直尺检测，最大间隙不超过 5mm；沥青混合料到场温度、摊铺温度、压实温度实时监测记录；压实后对路面进行钻芯取样，检测压实度和厚度，厚度允许偏差控制在±5%以内。

2. 压浆技术

压浆技术是针对路面基层损坏导致沉陷问题的非开挖修复方法，通过在路面钻孔形成压浆通道，利用高压注浆设备将水泥浆、水泥粉煤灰浆或复合注浆材料注入基层空隙，材料在压力作用下渗透、扩散、填充，固化后提高基层密实度和承载能力，进而恢复路面平整度。该技术适用于基层局部松散、脱空、强度不足等病害，尤其在处理桥头跳车、箱涵顶路面沉陷等问题上效果显著。

施工前需通过地质雷达、探地雷达等设备对基层病害区域进行精准定位，确定压浆孔位和间距，一般孔距为1.5~2m，呈梅花形布置。钻孔采用专用路面钻孔机，孔径控制在50~70mm，钻孔深度需穿透面层进入基层10~20cm。

注浆材料根据基层病害程度和工程要求选择：对于一般性空隙填充，采用水灰比0.5~0.6的纯水泥浆；若需提高浆液流动性和后期强度，可掺入10%~20%的粉煤灰；针对特殊地质条件，可添加早强剂、膨胀剂等外加剂。注浆压力控制是关键，初始压力为0.3~0.5MPa，随着浆液注入逐渐提升至1.0~1.5 MPa，当路面出现轻微抬升或注浆量明显减少时停止注浆。

施工过程中需实时监测路面变形情况，采用水准仪对注浆区域周边路面高程进行动态观测，控制路面抬升速率不超过2mm/h，避免因压力过大造成路面拱起或开裂。注浆结束后，及时清理孔口溢出浆液，采用高强度水泥混凝土封堵注浆孔。

质量验收采用双指标控制：一是注浆前后路面弯沉值对比，要求注浆后弯沉值降低30%以上；二是取芯检测基层密实度，注浆区域基层密实度需达到95%以上。

（三）应急养护技术

1. 快速修补技术

在路面出现坑槽、裂缝等影响行车安全的病害时，采用快速修补技术。目前常用的快速修补材料有快硬水泥混凝土、聚合物改性沥青混合料等。这些材料具有凝结硬化快、早期强度高的特点，如快硬水泥混凝土在2~4h内即可达到通车强度。快速修补技术可在短时间内恢复路面使用功能，减少对交通的影响，每平方米修补成本为150~200元。

2. 防滑处理技术

在雨雪天气或路面抗滑性能严重下降时，采取防滑处理技术。可通过撒布防滑砂、铺设防滑垫或采用防滑涂料等方式提高路面抗滑性能。防滑涂料具有施工方便、干燥快的特点，施工后1~2h即可通车，能有效提高路面抗滑摆值10~15BPN，降低交通事故发生率。

三、高速公路路面养护管理策略

（一）养护决策管理

1. 路面检测评估

建立完善的路面检测体系，采用先进的检测设备，如激光平整度仪、探地雷达、落锤式弯沉仪等，对路面平整度、破损状况、结构强度等指标进行定期检测。通过数据分析，准确评估路面技术状况，为养护决策提供科学依据。一般每季度进行一次常规检测，每年进行一次全面检测。

2. 养护决策模型

基于路面检测数据，建立养护决策模型，如马尔可夫链模型、灰色预测模型等。通过模型预测路面病害发展趋势，制定合理的养护计划和方案，实现养护资源的优化配置。例如，利用马尔可夫链模型预测路面不同病害的发展概率，提前安排预防性养护措施，可降低养护成本20%~30%。

（二）养护资源管理

1. 人力资源管理

加强养护人员培训，提高其专业技能和综合素质。定期组织养护技术培训和技能竞赛，使养护人员掌握先进的养护技术和设备操作方法。同时，建立合理的绩效考核制度，激励养护人员提高工作效率和质量。

2. 物资设备管理

建立养护物资设备管理信息系统，实现物资设备的采购、库存、使用等环节的信息化管理。合理规划物资储备，确保常用养护材料和设备的及时供应。定期对养护设备进行维护保养，提高设备完好率和利用率，降低设备维修成本。

（三）养护质量控制

1. 施工过程控制

在路面养护施工过程中，严格执行施工规范和质量标准，加强对施工工艺、材料质量等方面的控制。建立质量监督小组，对施工全过程进行监督检查，及时发现和纠正质量问题。例如，在沥青混合料摊铺过程中，严格控制摊铺温度、速度和厚度，确保摊铺质量。

2. 养护效果评估

养护工程完工后，及时进行养护效果评估。通过对路面技术指标的检测和分析，评价养护工程的质量和效果。对未达到预期效果的养护工程，分析原因并采取相应的补救措施，确保养护工程质量。

第三节　高速公路桥涵养护

一、高速公路桥涵养护的重要性

高速公路桥涵作为交通基础设施的关键环节，肩负着连接路网、保障车辆安全通行的重要使命。它们如同高速公路的“咽喉”，一旦发生病害或损坏，不仅会影响交通的顺畅，更可能引发严重的安全事故，给人民群众的生命财产安全带来极大威胁。

例如，高速公路的一座桥梁因支座老化未及时更换，在重车通行时发生桥面塌陷，造成多车追尾事故，导致数人伤亡，交通中断数日，经济损失巨大。此外，桥涵损坏还会影响区域经济的发展。高速公路是货物运输的重要通道，桥涵出现问题会导致运输受阻，货物无法及时送达，影响企业的生产经营和市场供应。同时，修复损坏的桥涵需要投入大量的资金和时间，这也会增加社会的负担。

由此可见，做好高速公路桥涵养护工作，对于保障交通畅通、人民生命财产安全以及促进经济社会发展都具有重大意义。

二、高速公路桥涵养护的具体内容

（一）日常检查

日常检查主要是对桥涵的外观、结构部件等进行常规检查，及时发现小问题，防止其进一步扩大。检查频率通常为每日或每周一次，由养护人员负责进行。

检查内容包括：桥面是否有积水、裂缝、坑槽、杂物等；桥梁的栏杆、护栏是否完好，有无松动、变形、损坏等情况；桥墩、桥台是否有裂缝、剥落、风化等现象；涵洞的进出口是否畅通，有无堵塞、漏水、冲刷等问题；支座是否有老化、变形、位移、漏油等情况；伸缩缝是否有堵塞、损坏、变形等。在检查过程中，养护人员要做好详细记录，对于发现的小问题要及时处理，如清理桥面杂物、疏通涵洞进出口等。对于无法当场处理的问题，要及时上报，以便安排后续的维修工作。

（二）定期检查

定期检查是指按一定周期进行全面检查，评估桥涵的技术状况，为养护决策提供依据。检查周期根据桥涵的类型、使用年限、交通量等因素确定，一般为每1~3 年一次，由专业的检测人员借助专业设备进行。

检查内容除了包括日常检查的各项内容外，还会对桥涵的结构性能进行检测。例如，对桥梁的混凝土强度、钢筋锈蚀情况、结构变形等进行检测；对涵洞的结构稳定性、基础沉降等进行检查。

通过定期检查，能够全面了解桥涵的技术状况，确定桥涵的病害类型、严重程度和发展趋势，制定合理的养护计划和维修方案。

（三）特殊检查

特殊检查是在出现特殊情况，如遭受自然灾害、重大交通事故后进行的详细检查。其目的是评估桥涵在特殊情况下的受损程度，确定是否能够继续使用以及需要采取的修复措施。

特殊检查的内容根据具体情况而定。如在遭受地震、洪水等自然灾害后，要检查桥涵的结构是否有严重损坏、位移、变形等；在发生重大交通事故后，要检查桥涵的结构部件是否因撞击而受损，如桥墩、桥台的裂缝、变形，栏杆、护栏的损坏等。

特殊检查需要由具有丰富经验和专业资质的检测团队进行，采用先进的检测设备和技术，对桥涵进行全面、细致的检测和评估。

（四）病害防治和维修

不同的桥涵部件可能会出现不同的病害，针对这些病害需要采取相应的防治和维修措施。

1. 桥梁支座

桥梁支座是连接桥梁上部结构和下部结构的重要部件，其性能直接影响桥梁的受力和变形。支座常见的病害有老化、变形、位移、漏油等。

为防治这些病害，日常应定期检查支座的外观和工作状态，发现支座表面有裂纹、鼓包等现象时，应及时处理；对于老化严重的支座，要及时更换。在更换支座时，需选择与原支座性能相符的产品，并按照规范要求进行安装。安装前要对支座垫石进行清理和找平，确保支座安装平整、牢固。安装过程中要注意控制支座的位置和标高，保证桥梁上部结构的受力均匀。

2. 桥面

桥面常见的病害有裂缝、坑槽、车辙、积水等。这些病害会影响行车的舒适性和安全性，还会加速桥面的损坏。对于桥面裂缝，要根据裂缝的宽度和深度采取不同的处理方法。对于宽度较小的裂缝，可以采用灌缝处理，将专用的灌缝材料注入裂缝中，防止雨水渗入；宽度较大的裂缝，则需要进行修补，先将裂缝周围的混凝土凿除，然后用高强度的混凝土进行填充和振捣。

坑槽的处理需要先将坑槽周围的松动混凝土和杂物清理干净，然后喷洒黏层油，再用沥青混凝土进行填补和压实，确保填补后的路面平整、坚实。

车辙主要是由于车辆长期碾压导致的，对于轻微的车辙可以采用铣刨重铺的方法进行处理；对于严重的车辙则需要对基层进行处理后再重新铺设面层。

为防止桥面积水，要定期清理桥面排水系统，确保排水畅通。同时，在桥面设计和施工时，要保证桥面具有足够的坡度，便于雨水排出。

3. 涵洞

涵洞常见的病害有漏水、堵塞、结构裂缝、基础沉降等。

对于涵洞漏水，要找出漏水的位置和原因。如果是由于涵身接缝处密封不良导致的，可以重新进行密封处理；如果是由于涵身混凝土出现裂缝导致的，要对裂缝进行修补。

涵洞堵塞主要是由于杂物堆积造成的，要定期对涵洞进行清理，保持涵洞的畅通。可以采用人工清理或机械清理的方法，对于堵塞严重的涵洞，还可以采用高压水枪冲洗。

对于涵洞结构裂缝，要根据裂缝的情况进行处理。轻微的裂缝可以采用表面封闭法进行处理；严重的裂缝则需要进行内部修补，如采用压力灌浆法。

基础沉降会导致涵洞结构变形、裂缝等，需要对基础进行加固处理。可以采用注浆加固、扩大基础等方法，提高基础的承载能力，减少沉降。

三、高速公路桥涵养护的技术发展

随着科技的进步，越来越多的新技术被应用到桥涵养护中，这些技术能提高养护的效率和准确性。

（一）无损检测技术

无损检测技术是指在不损伤桥涵结构的情况下，对其内部结构和性能进行检测的技术。常见的无损检测技术包括超声波检测、回弹法检测、电磁感应检测等。

超声波检测可以用于检测混凝土内部的裂缝、空洞等缺陷，通过发射超声波并接收反射波，根据反射波的特征来判断缺陷的位置和大小。回弹法检测可以快速检测混凝土的表面强度，通过回弹仪测量混凝土表面的回弹值，再根据相关公式计算混凝土的强度。电磁感应检测可以用于检测钢筋的位置、数量和锈蚀情况，通过电磁感应原理来获取钢筋的信息。

无损检测技术具有不破坏结构、检测速度快、精度高等优点，能够为桥涵养护提供准确的检测数据，有助于及时发现潜在的病害。

（二）智能化监测系统

智能化监测系统是利用传感器、通信技术、计算机技术等，对桥涵的结构性能和工作状态进行实时监测的系统。该系统可以实时采集桥涵的位移、应变、振动、温度等数据，并将数据传输到监控中心进行分析和处理。

通过智能化监测系统，养护人员可以随时了解桥涵的运行状况，及时发现异常情况并采取相应的措施。例如，当监测到桥梁的位移超过预警值时，系统会自动发出警报，提醒养护人员进行检查和处理。智能化监测系统还可以对桥涵的病害发展趋势进行预测，为制订养护计划提供科学依据。

（三）新型维修材料

新型维修材料的出现为桥涵养护提供了更好的选择。例如，高性能混凝土具有强度高、耐久性好、抗裂性强等优点，适用于桥涵的修补和加固；碳纤维复合材料具有重量轻、强度高、耐腐蚀等特点，可用于桥梁结构的加固，提高桥梁的承载能力。

四、高速公路桥涵养护的管理体系

建立完善的管理体系，明确各部门的职责，制订科学的养护计划，能保证养护工作的顺利进行。

（一）管理机构的设置

应设立专门的桥涵养护管理机构，负责桥涵养护工作的组织、协调和管理。该机构应配备专业的技术人员和管理人员，明确各岗位的职责和权限，确保养护工作有序开展。

（二）养护计划的制订

养护计划是桥涵养护工作的指导文件，应根据桥涵的技术状况、交通量、使用年限等因素制订。养护计划应包括养护的项目、时间、费用、技术要求等内容，要具有科学性和可操作性。在制订养护计划时，要充分考虑桥涵的实际情况，优先安排对交通安全影响较大的养护项目。

（三）养护资金的管理

养护资金是保障桥涵养护工作顺利进行的重要保障，应建立健全养护资金管理制度，确保资金的合理使用。要加强对养护资金的预算管理，严格按照预算执行，杜绝浪费和挪用资金的现象。同时，要提高资金的使用效益，在保证养护质量的前提下，降低养护成本。

（四）人员培训

桥涵养护工作具有较强的专业性和技术性，需要养护人员具备扎实的专业知识和丰富的实践经验。因此，要加强对养护人员的培训，定期组织专业技能培训和安全教育培训，提高养护人员的业务水平和安全意识。

第四节　高速公路隧道养护

一、高速公路隧道土建结构养护

（一）土建结构养护的一般规定、维护内容

土建结构主要是指隧道的各类土木建筑工程结构物，如洞门、衬砌、路面、防排水设施、斜（竖）井、检修道及风道等结构物。

土建结构的养护工作分为清洁维护、结构检查、保养维修和病害处治四部分内容。

清洁维护的工作内容应包括扫除隧道内垃圾、清除结构物脏污、清理（疏通）排水设施、保持结构物外观的干净整洁。

结构检查的工作内容应包括发现结构异常情况，系统掌握结构技术状况，判定结构物功能状态，确定相应的养护对策或措施。

保养维修的工作内容应包括预防性地对结构物进行维护，修复结构物轻微破损，经常保持结构物完好状态。

病害处治的内容应包括修复破损结构，消除结构病害，恢复结构物设计标准，维持良好的技术功能状态。

养护作业时，应采取必要的安全措施，保证养护作业安全。

隧道内清理出的垃圾或废渣严禁随意倾倒，产生的废水严禁随意排放。

（二）清洁维护

土建结构应经常性、周期性地进行清洁维护，其周期应综合考虑隧道状况、交通量大小及组成、结构物脏污程度、清洁方式及效率和环境条件等因素加以确定，并尽量减少对交通营运的干扰。

1. 隧道内路面应定期进行清洁

高速公路隧道的清扫应不少于 1 次/日，其他公路隧道可根据具体情况，

确定适宜的清扫频度，但不宜少于1次/月。路面清扫宜以机械作业为主，以人工作业为辅。作业时，应注意路面脏污部位的清扫。路面两侧边缘应清扫到位，对紧急停车带、车行横洞洞口应减速慢行清扫，必要时辅以人工清扫。当路面被油类物质或其他化学品沾污时，应及时采取必要的措施清除污垢，并用清洁剂清洗干净。

2. 隧道的顶板和内装应定期进行清洁

顶板的清洁宜不少于1次/2年；内装的清洁宜不少于1次/季度，高速公路隧道内装的清洁1次/月。顶板和内装的清洁以机械作业为主，以人工作业为辅。

采用湿法清洁时，应注意保护隧道内机电设施的安全，防止污水渗入设施内。可根据实际效果选择确定清洁剂，宜选用中性清洁剂。采用干法清洁时，应严格遵守清扫机械操作规程，既应保证清扫质量，也应避免损伤顶板或内装。清扫时应采取必要的降尘措施。对于清扫不能去除的污垢，可用清洁剂进行局部处理。在寒冷地区寒冷季节，宜采用干法清洁。

3. 隧道的排水设施应定期进行清理和疏通

排水设施的清理不宜少于1次/半年。在雨季，应加强对排水设施的检查和清理疏通工作。对纵坡较小的隧道或隧道的洞口区段，应加强其清理和疏通工作；对于窨井和沉砂池，应及时将其底部沉积物清除干净。

4. 隧道的标志、标线的清洁维护

隧道的标志、标线应定期进行清洁维护，保持其清晰、醒目。标志、标线的清洁应不少于1次/月，当标志牌面或路面标线有污秽，影响其辨认性能时，应及时进行清洗。清洗标志、标线时，应避免损伤其表面覆膜或涂层。

（三）土建结构检查的内容和方法

土建结构的检查工作分为日常检查、定期检查、特别检查和专项检查四类。

1. 日常检查

日常检查是对土建结构的外观状况进行的日常巡视检查。通过日常检查，应及时发现早期破损、显著病害或其他异常情况，并确定对策措施。当日常检查的判定结果为B时，应进行监视、观测或做特别检查；当特别检查或定期检查的判定结果为B时，应做专项检查。

检查的频度应不少于1次/月，高速公路隧道应不少于1次/周。在雨季或冰冻季节，应加强日常检查工作。

检查宜采用目测方法，配合以简单的检查工具进行。

检查以定性判断为主，检查内容及判定标准宜按表6-1执行。

表6-1　日常检查内容及判定表

项目名称	检查内容	判定	
		B	A
洞口	边（仰）坡有无危石、积水、积雪；洞口有无挂冰；边沟有无淤塞；构造物有无开裂、倾斜、沉陷等	存在落石、积水、积雪隐患；洞口局部挂冰；构造物局部开裂、倾斜、沉陷，有妨碍交通的可能	坡顶落石、积水漫流或积雪崩塌；洞口挂冰掉落路面；构造物因开裂、倾斜或沉陷而致剥落或失稳；边沟淤塞，已妨碍交通
洞门	结构开裂、倾斜、沉陷、错台、起层、剥落；渗漏水（挂冰）	侧墙出现起层、剥落；存在渗漏水或结冰，尚未妨碍交通	拱部及其附近部位出现剥落；存在喷水或挂冰等，已妨碍交通
衬砌	结构裂缝、错台、起层、剥落	衬砌起层，且侧壁出现剥落状况，尚未妨碍交通，将来可能构成危险	衬砌起层，且拱部出现剥落状况，已妨碍交通，并有继续恶化的可能
	（施工缝）渗漏水	存在渗漏水，尚未妨碍交通	大面积渗漏水，已妨碍交通
	挂冰、冰柱	存在结冰现象，尚未妨碍交通	拱部挂冰，形成冰柱，已妨碍交通
路面	落物、油污；滞水或结冰；路面拱起、坑洞、开裂、错台等	存在落物、滞水、结冰、裂缝等，尚未妨碍交通	拱部落物，存在大面积路面滞水、结冰或裂缝，已妨碍交通

续表

项目名称	检查内容	判定	
		B	A
检修道	结构破损；盖板缺损；栏杆变形、损坏	栏杆变形、损坏道板缺损；结构破损，尚未妨碍交通	栏杆局部毁坏或侵入建筑限界；道路结构破损，已妨碍交通
排水设施	破损、堵塞、积水、结冰	存在破损、积水或结冰，尚未妨碍交通	沟管堵塞，积水漫流，结冰，设施破损严重，已妨碍交通
吊顶	变形、破损、漏水（挂冰）	存在破损、漏水，尚未妨碍交通	破损严重，或从吊顶板漏水严重，已妨碍交通
内装	脏污、变形、破损	存在破损，尚未妨碍交通	破损严重，已妨碍交通

检查结果应及时填入“日常检查内容及判定表”，翔实记述检查项目的破损类型，估计破损范围和程度以及养护工作量，做出判定分类，并采取相应的对策措施。

2. 定期检查

定期检查是指按规定周期对土建结构的基本技术状况进行全面检查。通过定期检查，能够系统掌握结构的基本技术状况，评定结构物功能状态，为制订养护工作计划提供依据。

检查周期宜1次/年，高速公路隧道应不少于1次/年。检查宜安排在春季或秋季进行。新建隧道应在交付使用1年时进行首次定期检查。

检查的方式采用步行，配备必要的检查工具或设备，进行目测或量测检查。检查时应尽量靠近结构，依次检查各个结构部位，注意发现异常情况和原有异常情况的发展变化。

3. 特别检查

特别检查主要针对土建结构遭遇自然灾害（如地震、洪水、台风等）、遭受意外事件（如火灾、撞击、爆炸等），或结构出现异常变形、开裂、渗漏等紧急情况时开展。检查内容包括但不限于结构整体稳定性评估，如检查建筑物是否存在倾斜、沉降异常；构件损伤程度判定，详细查看梁、柱、板等关键部位是否出现裂缝、断裂、混凝土剥落；连接节点检查，确认钢筋连接、螺栓连接等部位是否松动失效；以及防水、防火等功能性构造的破坏情况。

在检查方法上，多采用专业仪器与人工观察相结合的方式。利用全站仪、水准仪对结构的位移、沉降进行精确测量；借助裂缝测宽仪、超声波探伤仪检测混凝土内部缺陷和裂缝深度；通过目视、敲击等人工方式初步判断构件表面损伤情况。特别检查的目的在于快速、准确地掌握结构受损状况，为后续应急处理和修复加固提供科学依据，避免结构安全隐患进一步扩大。

4. 专项检查

专项检查是依据特定需求或针对某类问题开展的系统性检查工作，具有较强的专业性和针对性。例如，当土建结构达到设计使用年限、进行改造扩建前，或对结构耐久性、抗震性能存在疑虑时，会启动专项检查。检查内容根据专项需求而定，如进行抗震专项检查时，需对结构的抗震构造措施、抗震承载能力进行全面评估；耐久性专项检查则侧重于混凝土碳化深度、钢筋锈蚀程度、材料老化情况的检测分析。

检查方法涵盖资料审查与现场检测。首先查阅结构设计图纸、施工记录、维修养护档案等资料，了解结构历史状况；现场检测采用先进的无损检测技术，如用雷达检测混凝土内部空洞、用锈蚀检测仪评估钢筋锈蚀程度等。专项检查通过深入分析结构性能，为结构维护、加固改造或后续使用提供详细的技术支持，保障土建结构长期安全可靠运行。

二、土建结构的病害及处治方法

（一）土建结构的病害原因

土建结构的病害原因如下。

外力引起的变化：松弛压力、偏压、地层滑坡、膨胀性土压、承载力不足、静水压力、冻胀力；材料劣化；渗流水。

其他：衬砌表面空隙、衬砌厚度不足、无仰拱。

（二）病害的现象特征

第一，衬砌裂纹、剥离、剥落。

第二，衬砌材料劣化。

第三，拱部混凝土和侧壁混凝土裂纹、侧壁混凝土挤出。

第四，路面裂缝、路基膨胀。

（三）处治方法

针对不同的病害现象和原因，按照安全、经济、合理的原则确定方案，制定相应的措施或综合措施进行治理，具体有以下几种方法。

1. 衬砌背面注浆

（1）效果

对衬砌裂纹、剥离、剥落，效果非常有效。

（2）原理

可以使得衬砌与岩体紧密结合，荷载作用均匀，衬砌与围岩稳定。

（3）要求

第一，应根据专项检查结果，确定空隙部位，合理布置注浆孔。

第二，注浆压力应<0.5MPa，在注浆过程中应加强监测。当发生衬砌变形或排水系统堵塞等异常情况时，可降低注浆压力或采用间歇注浆，直到停止注浆。

第三，注浆效果检查可采取钻孔取芯、超声波或雷达检测等方法。

2. 防护网

（1）效果

针对衬砌材料的劣化效果较好，可以防止衬砌局部劣化。

（2）要求

第一，防护网必须选用耐火材料。

第二，施工前应凿除衬砌剥离劣化部分。

第三，防护网可用锚栓固定在衬砌表面上，应固定牢靠。

3. 喷射混凝土

(1) 效果

对衬砌裂纹、剥离、剥落处治较为有效，起到防止衬砌局部劣化的效果。

(2) 要求

喷射混凝土的种类主要有：素混凝土、钢筋网喷射水泥砂浆、钢筋网喷射混凝土和钢纤维喷射混凝土等，应根据病害程度和施工条件等因素进行选择。

喷射混凝土必须有足够的强度和附着率，其配合比应通过实验确定，喷射机的工作风压应满足喷头处的压力在 0.1MPa 左右。

当采用钢筋网喷射混凝土时，钢筋网必须有恰当的保护层厚度。

喷射混凝土终凝 2h 后应喷水养护，养护时间应不少于 7d，当隧道内相对湿度>85%时，可采用自然养护，寒冷地区的养护应按相关规范进行。

喷射混凝土作业完成后，应对喷射混凝土层进行检测，强度指标应达到设计要求。

4. 锚杆加固

(1) 效果

对因偏压、膨胀性土压、承载力不足、无仰拱等原因引起的拱部混凝土和侧壁混凝土裂纹、挤出、路面裂缝及路基膨胀效果良好。

(2) 原理

通过锚杆加固，岩体改善后，岩体稳定性提高，防止松弛压力扩大。通过施加预应力，提高承受膨胀性土压力和偏压的强度。

(3) 要求

锚杆的长度和间距应根据病害原因和地质情况确定。

当采用水泥砂浆锚杆时：注浆开始或中途停止超过 30min，应用水或稀水泥润滑注浆罐及其管路；杆体插入后，若孔口无砂浆溢出，应及时补注。

当采用自进式锚杆时：安装前，应检查锚杆中孔和钻头的水孔是否畅通，若有异物堵塞，应及时清理；锚杆灌浆料宜采用纯水泥浆，地质条件差时可采用聚氨酯、硅树脂。

锚杆质量的检查可做锚杆拔力试验。规定28d拔力平均值≥设计值，最小拔力≥0.9倍设计值；检查的频率按锚杆数量的1%做拔力试验，并且不少于3根。

5. 排水止水

(1) 效果

主要针对因静水压力、冻胀力、渗漏水等引起的衬砌裂纹、施工缝漏水增加、衬砌内漏水流出大量砂土较为有效。可以起到防止衬砌劣化，保持美观，恢复排水系统功能，降低水压的效果。

(2) 要求

当隧道局部出现涌水病害时，宜采用外置排水管和开槽埋管的排水法处治。

当地下水沿衬砌裂纹、施工缝以滴水形式漏出时，宜采用向衬砌内注浆的止水法。

当漏水量小且呈表面渗透状时，可设置防水板进行处治。

当地下水特别发育并有稳定来源时，可采取在隧道内设置排水孔、水平钻孔、加深排水沟和深井降水等措施。

6. 套拱

(1) 效果

对衬砌厚度不足引起的病害效果显著，对衬砌裂纹、剥离、剥落和由于材质的劣化导致的病害起到一定的作用。使用套拱，因衬砌厚度增大，衬砌抗剪强度得到提高。

(2) 要求

套拱设计不得侵入建筑限界。

为确保衬砌与套拱结合牢固，施工前应凿除衬砌劣化部分，衬砌内面应涂抹界面剂，并设置联系钢筋。

当套拱厚度较大时，可在套拱与衬砌之间设置防水层。

当隧道净空无富余时，可在衬砌的裂纹处贴碳素纤维，以提高衬砌承载能力。

7. 绝热层

（1）效果

可以克服冻胀力引起的病害。由于解冻，防止衬砌劣化；防止冻胀压力的产生。

（2）要求

应选用热导率小和耐高温的绝热材料。

绝热层的厚度和延长幅度应根据气象数据、岩体和绝热材料的性质确定。

8. 滑坡整治

（1）效果

有效克服地层滑坡，防止岩层滑坡。

（2）要求

洞口段边仰坡出现裂缝，可用黏土等填实，必要时可采用锚杆加固。

滑动面以上地层厚度不大时，可在滑动面下端设置抗滑锚固桩。

对洞顶山体进行保护性开挖，减轻下滑力。

在滑动面下方修筑挡土墙，进行保护性填土，土方应夯实不积水。

9. 围岩压浆

（1）效果

对衬砌背面空隙、衬砌厚度不足、渗漏水等效果较好。围岩压浆可以使得周边岩体改善，提高岩体的抗剪强度和黏结力。

（2）要求

围岩压浆压力应比静水压力大0.5~1.5MPa。

压浆材料宜采用水泥浆液、超细水泥浆液、自流平水泥浆液等。

围岩压浆可采取钻孔取芯法对压浆效果进行检查，必要时进行压（抽）水试验，当检查孔的吸水量>1.0L/（min·m）时，必须进行补充压浆。压浆结束后，应将压浆孔及检查孔封填密实。

10. 灌浆锚固

对因偏压、地层滑坡、膨胀性土压、承载力不足产生的病害，如拱部混凝土和侧壁混凝土的裂缝、混凝土的挤出等效果显著。灌浆锚固因施加了预应力，提高了膨胀围岩压力和偏压围岩压力的抵抗力。

11. 增设仰拱

（1）效果

增设仰拱对因偏压、膨胀性土压、承载力不足、无仰拱引起的病害效果显著，如拱部混凝土和侧壁混凝土的裂缝、混凝土的挤出等病害。增设仰拱可以提高对膨胀围岩压力和偏压围岩压力的抵抗力。

（2）要求

仰拱的厚度可根据围岩情况确定。应使用拱架模板浇筑仰拱混凝土。

12. 更换衬砌

（1）效果

对因材料劣化、衬砌厚度不足、无仰拱等原因导致的病害处理效果明显；更换衬砌后，可以提高耐久性。

（2）要求

衬砌的内轮廓线必须与原衬砌内轮廓线一致。

施工前应收集衬砌背面空洞和围岩垮塌资料，必要时可用超声波进行检测。

拆除衬砌时，应根据围岩的地质情况及时进行支撑。

施工时，在不影响通行的情况下，可采用简易施工台车。

三、隧道的水害与冻害

隧道病害的类型主要有水害、冻害、衬砌裂损和衬砌侵蚀。隧道病害发生较多的地段，从地质情况来看，一般是断层破碎带、风化变质岩地带、裂隙发育的岩体、岩溶地层、软弱围岩地层等；从地形情况来看，多发生在斜坡、滑坡构造地带、岩堆崩坍地带等。隧道内各种病害互相影响、互相作用。

其中最常见的病害形式是水害，隧道水害不仅会增加隧道内湿度，造成电路短路等事故，危及运输安全，而且会引发其他病害。隧道由于渗漏水、积水，将会造成衬砌开裂或使原有裂缝发展变大，加重衬砌开裂；当地下水有侵蚀性时，会使衬砌混凝土产生侵蚀，并随着渗漏水的不断发展，使混凝土侵蚀日益严重。在寒冷地区，水是影响隧道围岩冻胀的重要因素，衬砌水害严重，必然导致冻害严重。

衬砌裂损病害主要表现为衬砌的变形、开裂和错台，而衬砌一旦开裂，将会给地下水打开一条外渗的通道，引发隧道严重水害，进而就会产生衬砌混凝土的侵蚀，在寒冷地区产生冻害等。隧道内各种病害共同作用，对衬砌结构产生连环破坏，致使衬砌混凝土开裂、变形，产生剥落、掉块等，使衬砌的有效厚度减薄，承载力降低，安全可靠性减小，随着病害的持续发展，最终导致衬砌结构失稳破坏。

（一）隧道的水害

1. 水害的种类、危害

隧道水害是指在隧道的修建或运营过程中遇到水的干扰和危害。水害是隧道中常见的一种病害，大部分隧道存在不同程度的水害。地表水渗透到衬砌中，地下水上冒到隧道路面或衬砌中，围岩中的水渗透到衬砌中。

（1）施工中的隧道水害

施工中的隧道水害主要是指隧道围岩的地下水或部分地表水，以渗漏或涌出方式进入隧道内造成的危害。

施工中隧道渗水、漏水，造成洞内空气潮湿，不仅影响施工人员的身体健康，而且使施工机械、设备产生锈蚀、腐烂，使绝缘设施失效，造成电路短路、跳闸甚至漏电事故，危及人身、设备安全。当变为突水或涌水时，就会危及施工人员的人身安全，损坏施工机械，造成塌方，斜、竖井被淹没，中断施工，造成重大的经济损失。

（2）运营中水害种类及其危害

隧道漏水和涌水是指在运营隧道中围岩的地下水和地表水直接和间接地以渗漏方式或涌出的形式进入隧道内造成危害。其产生的危害主要有：电绝缘失效，发生短路、跳闸等事故，危及行车安全；洞内空气潮湿，影响人员身体健康，洞内设备锈蚀；混凝土衬砌风化、腐蚀、剥落，造成衬砌结构破坏；涌水病害造成衬砌破坏，翻浆冒泥，中断行车。

（3）衬砌周围积水

衬砌周围积水主要是指运营隧道中地表水或地下水向隧道周围渗流汇集，如果不能迅速排走而引起的病害有：水压较大时会导致衬砌破裂；使原本完好的围岩及围岩的结构面软弱夹层因浸水而软化或泥化，失去承载力，对衬砌压力增大而导致衬砌破裂；使膨胀性围岩体积膨胀，导致衬砌破坏；在寒冷地区发生冰胀和围岩冻胀，快速导致衬砌破坏。

（4）潜流冲刷

潜流冲刷主要是指由于地下水渗流和流动而产生的冲刷和溶蚀作用。其危害有：衬砌基础下沉，边墙开裂或者仰拱、整体路床下沉开裂；围岩滑移错动导致衬砌变形开裂；对超挖回填不密实或未全部回填，引起围岩坍塌，导致衬砌破坏。

2. 水害产生的原因

（1）勘测与设计

设计人员在设计中忽视了防排水的设计要求；在防水设计之前，对其工程地质及水文地质情况了解得不够仔细，对衬砌周围地下水源、水量、流向及水质勘察不全；有时还缺乏反映防水材料性能的室内试验数据，对结构抗渗、抗腐蚀未做具体要求。

设计过程中，使得隧道穿过含水的地层，例如，砂类土和漂卵石类土含水地层；节理、裂隙发育，含裂隙水的岩层；石灰岩、白云岩等可溶性地层，有充水的溶槽、溶洞或暗河等与隧道相连通时；浅埋隧道地段，地表水可沿覆盖层的裂隙、孔洞渗透到隧道内。这些地质性问题都会造成大量的水害。

（2）施工

隧道衬砌防水及排水设施不完善，原建隧道衬砌防水、排水设施不全；混凝土衬砌施工质量差，蜂窝、孔隙、裂缝多，自身防水能力差；防水层（内贴式、外贴式或中间夹层）施工质量不良或材质耐久性差，经使用数年后失效。混凝土的工作缝、伸缩缝、沉降缝等未做好防水处理。既有排水设施，如衬砌背后的暗沟、盲沟，无衬砌的辅助坑道、排水孔、暗槽等，年久失修，造成阻塞。施工中由于光面爆破效果不佳，喷射混凝土面难以吻合，加上防水板接缝采用电烙铁焊接，导致焊缝不均匀、不牢固，使防水板很容易产生空鼓开裂；隧道断面局部超挖过量，回填不实，使塑料防水板的防水效能不能发挥或效果差；忽视二次衬砌质量，造成混凝土内部空隙、衬砌表面粗糙；对排水设施不按施工规范要求操作等不当的施工方法，使得在地下水丰富地区的隧道产生严重的渗漏水现象，导致大量的水害发生。

（3）材料

材料主要是指防水材料的相关质量，因厂家设备陈旧，原材料选择不严，工艺落后，而致使产品质量较差，达不到国家质量标准，如果选用这样的防水材料将会导致隧道渗漏水。防水层与基面的黏结，防水施工方法包括喷射、涂刷、抹压、注浆、粘贴等，防水材料可分为沥青、橡胶、塑料、水泥及聚合物等，防水效果的关键是防水层与基面的黏结和适应问题。既要保证材料自身的质量，又要保证防水材料与岩石基面的黏结质量，这是防水的一个关键点。

（4）监理与验收

缺乏防水施工工艺等方面的监理规程。要做到确保速度及地下工程的防水质量，施工监理不可忽视。工程竣工后，管理单位缺乏检验手段，有时又接近运营期限，往往对交验前渗水情况缺少进一步查验，只好按竣工报告及施工总结勉强验收，导致运营后渗漏水逐渐严重。

3. 水害的防治措施

第一，衬砌后设置排水管，给地下水以排走的出路，将水迅速地排到洞外，并根据隧道的渗水部位及开挖情况选择好位置，堵塞衬砌背后的渗流水，集中引导排出。注意防止排水管堵塞，同时配以衬砌进行施工。

第二，初期支护和二次衬砌间铺设防水板，要选用耐老化、耐细菌侵蚀、容易操作、强度和延伸率都较好的塑料板材。

第三，采用防水混凝土做隧道衬砌，必须严格按混凝土防水要求进行施工。

第四，洞外排水要根据当地的地形、地质、气候条件，因地制宜，在洞顶设置排水设施，将流向隧道的水源截断，或尽可能使其水量减少，可以将地表填平、铺砌、抹面、喷射混凝土等，将坑穴或钻探孔堵死、封闭，达到防渗、抗渗的目的。

总之，水害整治的关键在于要认真详细分析病害成因，对症整治；合理选择防水材料；严格施工工艺。

（二）隧道的冻害

1. 冻害的种类及其成因

隧道冻害会导致衬砌冻胀开裂，以致疏松剥落，造成隧道衬砌结构的失稳破坏，降低衬砌结构的安全可靠性，影响隧道安全和正常运行。

（1）冻害的种类

① 冰柱

渗漏的地下水通过混凝土裂缝逐渐渗出，在渗点出口处受低温影响积成冰柱，施工接缝处渗水点多，结冰明显，累积十至几十厘米厚的冰溜子（又称为挂冰），冰溜子越积越大，将侵入限界，危及行车安全。拱部渗漏逐渐形成冰柱子，一般地区仅仅是影响界限。隧道排水沟槽设施，保温不良引起冰冻称冰塞子。水沟地下排水困难，因结冰堵塞，使水沟、水管或水槽冻裂破损，地下水不易排走，衬砌周边因水结冰而冻胀，致使隧道内冻害情况复杂、种类多。

② 衬砌发生冰楔

隧道砌筑在围岩良好地段，一旦衬砌壁后有空隙，渗透岩层的地下水，在排水不通畅时就积在衬砌与壁后围岩间，结冰冻胀从而产生冰冻压力，传递给衬砌。经缓慢发展，常年积累冰冻压力像楔子一样，使衬砌发生破碎、断裂、掉块等现象。

③ 围岩冻胀破坏

隧道修筑在不良地质地段的围岩（Ⅰ、Ⅱ类及破碎花岗岩、砂岩）地段，如果围岩层面及结构内含水多时，冬季就易发生冻胀破坏，主要有：隧道拱部衬砌发生变形与开裂；隧道边墙变形严重；隧道内线路冻害；衬砌材料冻融破坏；隧底冻胀和融沉。

（2）冻害的成因

① 寒冷气温的作用

这是导致冻害最直接的原因。在低温环境下，隧道周围的土壤和岩石中的水分会结冰，体积膨胀，从而对隧道结构产生压力，导致冻害发生。

② 季节冻结圈的形成

沿衬砌周围各最大冻结深度连成一个圈叫作季节冻结圈。当衬砌周围超挖尺寸大小不等，超挖回填用料不当及回填密实不够时会产生积水，形成冻结圈。在严寒冬季，较长的隧道，两端各有一段长度能形成冻结圈，叫作季节冻结段。中部的一段，多年不会形成季节冻结圈，叫作不冻结段。隧道两端冻结段长度不一定相等。同一座隧道内季节冻结段的长度恒小于洞内季节负温段的长度。

隧道的排水设备如埋在冻结圈内，冬季易发生冰塞。在冻结圈范围内的岩土，由于受强烈频繁的冻融破坏，风化破碎程度与日俱增，也是冻害成因之一。

③ 围岩的岩性对冻胀的影响

围岩的岩性对隧道的冻胀敏感性有重要影响。不同岩性的围岩在低温下的水分迁移、结冰膨胀等特性各不相同，从而影响冻害的发生和发展。

④ 隧道设计和施工的影响

对防冻问题没有考虑或考虑不周，造成衬砌防水能力不足、洞内排水设施埋深不够、治水措施不当，施工单位未按施工规范认真施工等，都会造成或加重运营阶段隧道的冻害。

2. 隧道冻害的预防和处治

寒冷地区隧道冻害防治的基本措施包括综合治水、更换土壤、保温防冻等。

（1）综合治水

围岩地下水冻结是隧道冻害的根本原因，将水排除在冻结圈之外，可达到防治冻害的目的。综合治水是防治冻害的基本措施，具体如下：对有冻害的地段增设改进防、排水系统，不允许衬砌背后积水，并防止冻结圈外的地下水向冻结圈移动；衬砌背后空隙用砂浆或水泥浆等材料回填密实；深埋泄水洞，确保在任何天气条件下不冻结。

（2）更换土壤

把冻胀性的土改造为非冻胀性土，其方法有向冻结圈内注入水玻璃-水泥浆，使得围岩固结，从而消除冻胀性；向冻结圈注入憎水性填充材料，使其能够堵塞所有孔隙、裂隙，从而防止水分迁移和聚冰。

（3）保温防冻

隧道内加筑保温层，主要材料有加气混凝土、泡沫混凝土等，一般厚度为20~40cm；做局部处理时可向围岩注入氯化钙、氯化钠等，以便降低水的冰点；宜采取供热防冻，如锅炉、电热、红外线融冰等。

参考文献

[1] 胡欣 . 公路连续梁桥多点同步顶升施工及其控制技术研究 [M]. 武汉：武汉理工大学出版社，2025.

[2] 王月华，丁汉飞，刘如兵 . 公路工程监理 [M]. 2 版. 北京：机械工业出版社，2025.

[3] 杨文忠 . 普通国省道典型危桥改造设计与施工 [M]. 哈尔滨：哈尔滨出版社，2025.

[4] 李永乐 . 桥渡设计 [M]. 成都：西南交通大学出版社，2025.

[5] 牟廷敏 . 钢管混凝土桥梁 [M]. 上海：上海科学技术出版社，2025.

[6] 郝铁宝，黄永飞，焦友金 . 公路工程施工技术与管理 [M]. 武汉：华中科技大学出版社，2024.

[7] 戴洲游 . 高速公路工程施工技术与实例 [M]. 长沙：湖南大学出版社，2024.

[8] 王建华，刘俊才，栗夏 . 公路工程施工组织设计范本 [M]. 北京：中国建材工业出版社，2024.

[9] 王传虎 . 公路工程施工人员安全手册安全技术交底 100 问 [M]. 合肥：安徽大学出版社，2024.

[10] 吴志华 . 公路工程招投标与合同管理 [M]. 厦门：厦门大学出版社，2024.

[11] 王修山 . 道路与桥梁工程概论 [M]. 2 版. 北京：机械工业出版

社，2024.

［12］陈文清，方仁义，牟世辉．高速公路施工常见质量问题及防治措施［M］．成都：西南交通大学出版社，2024.

［13］方坤，张飞翔．工程测量［M］．北京：北京理工大学出版社，2024.

［14］颜云阳，郑苑，程曦．公路桥梁隧道设计与施工［M］．武汉：华中科技大学出版社，2024.

［15］罗筠．基础工程施工［M］．2版．重庆：重庆大学出版社，2024.

［16］周庆华．公路施工组织与概预算［M］．西安：西安交通大学出版社，2024.

［17］李栋国，王世凯，李琦．公路工程与造价［M］．成都：四川大学出版社，2024.

［18］王丽．公路施工安全管理［M］．北京：北京理工大学出版社，2024.

［19］高海宾，陈浩，李铨洲．公路桥梁隧道施工技术［M］．武汉：华中科技大学出版社，2024.

［20］高峰，张求书．公路工程造价［M］．北京：北京理工大学出版社，2024.

［21］张勇，朱飞，周清．路桥施工管理与交通工程建设［M］．长春：吉林科学技术出版社，2024.

［22］丁可鑫，李冬松．桥梁上部施工技术［M］．郑州：黄河水利出版社，2024.

［23］陈艳华，王建军．路基路面施工［M］．武汉：华中科技大学出版社，2024.

［24］李永果．公路工程施工与交通安全工程研究［M］．长春：吉林科学技术出版社，2023.

［25］于健，涂明，李芳平．公路工程施工技术与隧道建设［M］．长春：吉林科学技术出版社，2023.

［26］孟灵鑫，杨明，朱利亚．公路工程施工技术与造价管理［M］．长春：吉林科学技术出版社，2023.

［27］李建林，秦孟君，殷海军．公路工程与施工测量研究［M］．哈尔滨：哈尔

滨出版社，2023.

[28] 蒋学真，体铁南，徐鹏飞．公路桥梁工程施工与管理［M］．长春：吉林科学技术出版社，2023.

[29] 邵景干．公路与桥梁工程施工技术［M］．湘潭：湘潭大学出版社，2023.

[30] 谢晓红，李永果，周锁安．现代公路桥梁施工技术与工程管理［M］．长春：吉林科学技术出版社，2023.

[31] 赵利军，张毅，马英杰．公路施工新技术与工程管理研究［M］．哈尔滨：哈尔滨出版社，2023.

[32] 张东生，张洪波，郭亚辉．公路桥梁工程设计与施工建设［M］．长春：吉林科学技术出版社，2023.

[33] 朱珍彪，张红军，李孝勤．公路桥梁施工管理与工程监理［M］．长春：吉林科学技术出版社，2023.

[34] 薛飞，邵兴伟，沈简．现代公路工程技术与绿色施工研究［M］．西安：陕西科学技术出版社，2023.

[35] 严超群，呼加瑞．公路工程施工组织［M］．北京：北京邮电大学出版社，2023.

[36] 乔东祥，张玮，王丰宝．公路工程施工管理研究［M］．哈尔滨：东北林业大学出版社，2023.

[37] 程可秀．公路工程施工项目管理［M］．延吉：延边大学出版社，2023.

[38] 刘志，彭东黎，叶生．公路工程施工技术应用［M］．延吉：延边大学出版社，2023.

[39] 郭广启．公路工程施工技术研究［M］．哈尔滨：哈尔滨出版社，2023.